MARK LOGUE
PETER CONRADI

O DISCURSO DO REI
COMO UM HOMEM SALVOU A MONARQUIA BRITÂNICA

Tradução
SÔNIA DE SOUZA
CELINA PORTOCARRERO

8ª edição

JOSÉ OLYMPIO
EDITORA

Título do original em inglês
THE KING'S SPEECH

© 2010 Mark Logue e Peter Conradi
Os direitos morais de Mark Logue e Peter Conradi estão assegurados como autores deste trabalho, em conformidade com a lei de direitos autorais.

Reservam-se os direitos desta edição à
EDITORA JOSÉ OLYMPIO LTDA.
Rua Argentina, 171 – 2º andar – São Cristóvão
20921-380 – Rio de Janeiro, RJ – República Federativa do Brasil
Tel.: (21) 2585-2060
Printed in Brazil / Impresso no Brasil

Atendimento e venda direta ao leitor:
mdireto@record.com.br ou tel.: (21) 2585-2002.

ISBN 978-85-03-01104-4

Texto revisado segundo o novo Acordo Ortográfico da Língua Portuguesa

CIP-BRASIL. CATALOGAÇÃO-NA-FONTE
SINDICATO NACIONAL DOS EDITORES DE LIVROS, RJ

L824d
8ª ed.

Logue, Mark
  O discurso do rei / Mark Logue e Peter Conradi; [tradução Sônia de Souza, Celina Portocarrero]. – 8ª ed. – Rio de Janeiro : José Olympio, 2011.

  Tradução de: The king's speech
  ISBN 978-85-03-01104-4

  1. Grã-Bretanha – História – George VI, 1936-1952. I. Conradi, Peter. II. Título.

11-6614

CDD: 941
CDU: 94(410)

Sumário

Agradecimentos — 7
Apresentação — 9

Capítulo 1 Deus salve o rei — 17
Capítulo 2 O "simples colono" — 29
Capítulo 3 Passagem para a Inglaterra — 51
Capítulo 4 Dores crescentes — 65
Capítulo 5 Diagnóstico — 87
Capítulo 6 Traje de gala com plumas — 103
Capítulo 7 A calmaria antes da tempestade — 115
Capítulo 8 Os 327 dias de Edward VIII — 131
Capítulo 9 À sombra da coroação — 147
Capítulo 10 Após a coroação — 155
Capítulo 11 O caminho para a guerra — 171
Capítulo 12 "Matem o pintor de paredes austríaco" — 185
Capítulo 13 Dunquerque e os dias negros — 199
Capítulo 14 A virada — 215
Capítulo 15 Vitória — 233
Capítulo 16 As últimas palavras — 249

Notas — 261
Índice remissivo — 267

Agradecimentos

Em primeiro lugar, tenho uma enorme dívida de gratidão para com Peter Conradi. Se não fosse sua firme determinação diante de uma programação assustadora, este livro talvez não existisse.

Gostaria de agradecer à minha família estendida, especialmente a Alex Marshall, cuja descoberta de um tesouro de cartas ignoradas levou a uma compreensão mais profunda da vida e do trabalho de Lionel. A Anne Logue, por suas lembranças, a Sarah Logue, pelo tempo, e a Patrick e Nickie Logue, por sua ajuda na busca do arquivo. Também à minha maravilhosa esposa Ruth e aos nossos filhos, por permitirem que este projeto ocupasse nossa vida por um ano. Sem o apoio deles, este livro não teria sido possível.

Obrigado também a Caroline Bowen, por responder a tantas perguntas sobre terapia da fala, e a responsável em colocar os produtores do filme em contato com a família Logue, deflagrando o início de tudo. A Francesca Budd, pelo auxílio na transcrição das anotações e o apoio durante todo o processo da filmagem. A todos os envolvidos no filme, Tom Hooper, David Seidler, Colin Firth, Geoffrey Rush, e ao pessoal da See-Saw Films, especialmente Iain Canning.

Jenny Savill, da Andrew Nurnberg Associates, foi fundamental para a publicação do livro. Também agradeço calorosamente a Richard Milner e Joshua Ireland, da Quercus, sem os quais este livro não teria decolado.

Gostaria também de agradecer a Meredith Hooper, por alguns fatos esclarecedores; a Michael Thornton, por nos deixar publicar os relatos de Evelyn Laye; a Neil Urbino, cujo trabalho genealógico contribuiu para aprofundar as pesquisas; a Marista Leishman, pela ajuda com os diários de Reith, e a David J. Radcliffe, por ter contado a própria luta contra a gagueira.

Margaret Hosking e a Universidade de Adelaide, bem como Susanne Dowling, da Universidade Murdoch, que auxiliaram imensamente a pesquisar material das bibliotecas.

Obrigado também a Tony Aldous, arquivista do Prince Alfred College, a Peta Madalena, arquivista do Scotch College, e a Lyn Williams, do Lion Nathan. Os integrantes do Royal College of Speech and Language Therapists foram extremamente prestativos, em particular Robin Matheou.

Finalmente, obrigado à National Library of Australia, à State Library of South Australia, à State Library of Western Australia, ao *Australian Dictionary of Biography* e à National Portrait Gallery, em Londres.

Apresentação

Durante a minha infância, nas décadas de 1970 e 1980, morávamos na Bélgica, onde meu pai, Antony, trabalhava como advogado na sede europeia da Procter & Gamble. Ao longo dos anos, mudamo-nos para várias casas nos arredores de Bruxelas, mas havia uma constante: não importava onde estivéssemos, uma coleção de fotografias e lembranças era instalada num consolo de lareira ou peitoril de janela.

Entre os itens, havia uma fotografia do meu pai com o uniforme da Guarda Escocesa; outra dele com minha mãe, Elizabeth, no dia do casamento, em 1953; e uma foto do meu avô paterno, Lionel, nascido na Austrália, com a mulher, Myrtle. E também, o que era muito curioso, um retrato emoldurado em couro do Rei George VI, o pai da atual rainha, assinado e com data de 12 de maio de 1937, o dia de sua coroação; outra foto dele com sua esposa, Elizabeth, mais conhecida em minha geração como Rainha-Mãe, e as duas filhas, a futura Rainha Elizabeth II, então uma menina de 11 anos, e sua irmã menor, Margaret Rose; e uma terceira do casal real, datada de 1928, quando eles ainda eram o Duque e a Duquesa de York, assinada Elizabeth e Albert.

Com certeza explicaram-me o significado de todas essas fotografias; mas, como ainda era um menino, não prestei atenção. Entendi que a ligação com a realeza era por meio de Lionel, mas ele era uma história antiga para mim; morrera em 1953, doze anos antes de eu nascer. Tudo o que eu sabia do meu avô era que ele fora o terapeuta da fala do rei — seja lá o que isso significasse —, e deixei as coisas por aí. Nunca mais fiz outras perguntas, e nenhuma informação mais detalhada me foi dada voluntariamente. Eu estava muito mais interessado nas várias medalhas e insígnias colocadas ao longo das fotografias. Gostava especialmente de usar o cinto e o chapéu de oficial de meu pai e de brincar de soldado, com as medalhas orgulhosamente presas em minha camisa.

Mas, à medida que ia ficando mais velho e tinha meus próprios filhos, comecei a imaginar quem eram meus antepassados e de onde tinham vindo. O crescente interesse pela genealogia espicaçava a minha curiosidade. Examinando a árvore genealógica da minha família, encontrei uma bisavó de Melbourne com quatorze filhos, dos quais apenas sete sobreviveram além da infância. Também soube que meu trisavô mudou-se da Irlanda para a Austrália em 1850, viajando no *SS Boyne*.

Pelo que sabia, meu avô era apenas um entre muitos membros de uma grande família, dividida entre Austrália, Irlanda e Grã-Bretanha. A situação continuou assim mesmo após a morte de meu pai, em 2001, quando me coube a tarefa de examinar os papéis pessoais que ele guardava num alto arquivo cinzento. Ali, entre os testamentos, escrituras e outros documentos importantes, havia centenas de cartas e fotografias antigas reunidas por meu avô: todas bem-arquivadas, em ordem cronológica, numa pasta.

Só em junho de 2009, quando fui procurado por Iain Canning, produtor do filme sobre Lionel, *The King's Speech*, [*O discurso do rei*] comecei a entender o significado do papel desempenhado por meu avô, como ele ajudara o então Duque de York (que a contragosto se tornou rei em dezembro de 1936, após a abdicação do irmão mais velho, Edward VIII), na luta de uma vida contra uma gagueira crônica, que transformava em terrível suplício todos os seus discursos em público ou pelo rádio. Comecei a considerar que a vida e o trabalho de Lionel poderiam interessar a uma plateia muito mais ampla do que apenas a da minha família.

Naquele mês de abril, Lionel fora o assunto da "Peça da Tarde" na Rádio BBC 4, também chamada *A King's Speech* [A fala do rei], de autoria de Mark Burgess. Mas o filme deveria ser algo muito maior — um filme importante, com um elenco de grandes nomes, que incluía Helena Bonham Carter, Colin Firth, Geoffrey Rush, Michael Gambon e Derek Jacobi. Dirigido por Tom Hooper, o homem por trás do aplaudido *The Damned United*, que mostra um lado muito diferente da história inglesa recente: o curto e tempestuoso período em que Brian Clough atuou como técnico de futebol do Leeds United, em 1974.

Canning e Hooper, claro, queriam seu filme historicamente o mais exato possível, de modo que parti para tentar descobrir o máximo que podia sobre meu avô. O óbvio ponto de partida era o arquivo de meu pai: ao examinar adequadamente pela primeira vez os papéis de Lionel, descobri diários vividamente escritos, nos quais ele registrara os encontros com o rei, em minuciosos detalhes. Havia abundante correspondência, muitas vezes calorosa e amigável, com o próprio George VI, e vários outros registros — incluindo um pequeno cartão de consultas com a caligrafia de meu avô, fina e alta, em que ele descrevia o primeiro encontro com o futuro rei, no pequeno consultório da Harley Street, em 19 de outubro de 1926.

Reunindo isso a outros fragmentos de informação que consegui agrupar on-line, e às poucas páginas de referência a Lionel incluídas na maior parte das biografias de George VI, pude saber mais sobre a relação singular de meu avô com o rei, e também corrigir algumas das meias verdades e lembranças que o tempo tornara confusas, ao longo das gerações.

Logo se tornou claro, porém, que o arquivo estava incompleto. Faltavam algumas cartas, bem como registros no diário, a partir de 1920 e 1930, trechos do que fora citado na biografia autorizada de George VI escrita por John Wheeler Bennett e publicada em 1958. Também não foram encontrados os álbuns de recortes de jornais que, como eu ficara sabendo pelos meus primos, Lionel reunira durante a maior parte da vida.

Porém, talvez a ausência mais decepcionante tenha sido a de uma carta, escrita pelo rei em dezembro de 1944, que estimulara de maneira particular a minha imaginação. Sua existência foi revelada num trecho do diário de Lionel em que ele descrevia uma conversa entre os dois, depois que o monarca transmitira sua mensagem de Natal à nação, pela primeira vez sem meu avô ao lado.

— Meu trabalho terminou, sir — disse-lhe Lionel.

— De forma alguma — respondeu o rei. — É o trabalho preliminar que conta, e nisso você é indispensável.

Depois, segundo o relato de Lionel, "ele me agradeceu e, dois dias mais tarde, escreveu-me uma carta muito bonita, que espero seja guardada como um tesouro por meus descendentes".

Se eu tivesse a carta, a guardaria como um tesouro, mas não a encontrava em parte alguma em meio à massa de correspondência, recortes de jornal e anotações em diário. Essa carta desaparecida me inspirou a remexer em tudo, esgotar todas as linhas de pesquisa, no que se tornou uma tentativa de reunir todos os detalhes possíveis da vida do meu avô. Atormentei parentes, escrevi para o Palácio de Buckingham, para os Arquivos Reais do Castelo de Windsor e para escritores e editores de livros sobre George VI, na esperança de que a carta pudesse estar entre o material que tomaram emprestado de meu pai ou de seus dois irmãos mais velhos e não devolveram. Mas não havia vestígio dela.

No final do ano de 2009, fui convidado a ir ao estúdio de *The King's Speech*, durante a filmagem em Portland Place, em Londres. Em uma pausa, conheci Geoffrey Rush, que faz o papel de meu avô, e Ben Wimsett, intérprete de meu pai com a idade de 10 anos. Depois de superar a estranheza de ver como criança alguém que eu só conhecera como um homem, senti-me fascinado com uma cena na qual o personagem de Rush se agiganta por cima de meu pai e de seu irmão mais velho, Valentine, interpretado por Dominic Applewhite, enquanto eles são obrigados a recitar Shakespeare. Isso me lembrou uma situação parecida, da vida real, quando eu era menino e meu pai me obrigava a fazer o mesmo.

Meu pai tinha uma paixão — e um dom — para a poesia e o verso, muitas vezes repetindo literalmente trechos inteiros dos quais ele se lembrava desde a infância. Ele costumava deliciar-se com sua habilidade para dizer rapidamente páginas e mais páginas de Hilaire Belloc, como atração para alguns convidados. Mas era de minha irmã mais velha, Sarah, que ele obtinha a maior satisfação: muitas vezes, ela comovia-se até as lágrimas com seus recitais.

Na ocasião, não me lembro de ter ficado muito impressionado com o talento de meu pai. Mas, vendo o cenário em retrospectiva, como adulto, posso avaliar tanto sua perseverança quanto a aguda frustração que deve ter sentido com minha relutância em partilhar o amor pela poesia que seu pai lhe incutira.

A filmagem terminou em janeiro de 2010, e isso também assinalou, para mim, o início de uma viagem mais pessoal de descoberta. Canning e Hooper não pretenderam fazer um documentário, mas sim um filme dramatizando a realidade e que, embora fiel ao espírito de Lionel, se concentrasse num período curto: do primeiro encontro, em 1926, entre meu avô e o futuro rei até o início da Segunda Guerra Mundial, em 1939.

Inspirado pelo filme, desejei contar a história completa da vida de meu avô, desde sua infância, em Adelaide, sul da Austrália, na década de 1880, até sua morte. Assim, comecei uma pesquisa extensa e detalhada do seu caráter e sobre o que ele fizera durante a vida. De muitas maneiras, foi um processo frustrante, porque, apesar do status profissional de Lionel, muito pouco se sabia sobre os métodos que empregava com o rei. Embora ele tenha escrito uns poucos artigos para a imprensa sobre o tratamento da gagueira e outros impedimentos à fala, nunca explicou seus métodos de maneira formal e não tinha nenhum aluno ou aprendiz com quem partilhar os segredos do trabalho. Tampouco — provavelmente devido à discrição com que sempre tratou a relação com o rei — escreveu detalhadamente sobre seu caso mais famoso.

E então, em julho de 2010, com as editoras pressionando para a entrega do original, tanta perseverança afinal trouxe resultados. Ao saber da busca por material, minha prima Alex Marshall entrou em contato comigo para me dizer que encontrara algumas caixas com documentos de meu avô. Ela não achava que seriam de grande utilidade, mas, mesmo assim, convidei-me para ir até sua casa, em Rutland, a fim de avaliar o material. Fui recebido com vários volumes arrumados numa mesa, na sala de jantar: havia duas caixas de arquivos, repletas de correspondência entre o rei e Lionel, datando de 1926 a 1952, e duas outras caixas comuns cheias de manuscritos e recortes de jornal, que meu avô colara cuidadosamente em dois grandes álbuns, um verde e o outro azul.

Vi, encantado, que Alex também possuía as partes do arquivo faltantes, e mais três volumes de cartas e uma parte do diário que minha avó, Myrtle, escrevera quando ela e meu avô embarcaram para uma viagem de volta ao mundo em 1910, e também durante os primeiros meses da Segunda Guerra Mundial. Escritos em estilo mais pessoal do que o diário de Lionel, esses diários ofereciam uma compreensão muito mais reveladora das minúcias da vida do casal. Eram centenas de papéis, um verdadeiro tesouro até então escondido, que passei dias examinando e decifrando; meu único pesar foi que a carta tão desesperadamente procurada não estava entre eles.

Todo esse material é a base deste livro, que Peter Conradi, escritor e jornalista do *The Sunday Times*, me ajudou a organizar. Espero que, ao lê-lo, vocês passem a partilhar meu fascínio por meu avô e sua singular e muito próxima relação com o Rei George VI.

Embora eu me esforçasse para pesquisar exaustivamente a vida de meu avô, pode haver informações a seu respeito ainda não descobertas. Se algum de vocês teve qualquer relação com Lionel Logue, se alguém foi seu paciente ou colega, se souberem de qualquer outro dado sobre ele e seu trabalho, eu adoraria ser informado a respeito. Podem entrar em contato comigo pelo endereço eletrônico lionellogue@gmail.com

Mark Logue
Londres, agosto de 2010

CAPÍTULO 1

Deus salve o rei

Albert Frederick Arthur George, rei do Reino Unido e das Colônias Britânicas, e último imperador da Índia, acordou com um sobressalto. Passava pouco das três da madrugada. O quarto do Palácio de Buckingham que ele ocupava desde que se tornara monarca, cinco meses antes, normalmente era um refúgio de paz e tranquilidade no coração de Londres, mas, naquela manhã em particular, seus cochilos haviam sido rudemente interrompidos pelo estrépito de alto-falantes testados lá fora, em Constitution Hill. "Um deles parecia estar dentro do nosso quarto", ele escreveu em seu diário.[1] E então, exatamente quando pensou que poderia afinal tornar a dormir, as bandas e os soldados começaram a marchar.

Era 12 de maio de 1937, e o rei, aos 41 anos, estava prestes a enfrentar um dos mais importantes — e estressantes — dias de sua vida: o de sua coroação. Tradicionalmente, a cerimônia se realiza 18 meses após o monarca subir ao trono, deixando tempo não apenas para todos os preparativos, mas também para um período razoável de luto pelo rei ou rainha anterior. Mas essa coroação era diferente: a data já fora escolhida para coroar seu irmão mais velho, que se tornara rei com a morte do pai deles, George V, em janeiro de 1936. Mas Edward VIII permanecera menos de um ano no trono, pois sucumbira aos encantos de Wallis Simpson, uma divorciada americana, e então seu irmão mais novo, Albert, Duque de York, a contragosto, o sucedeu, após sua abdicação, no mês de dezembro anterior. Albert assumiu o nome de George VI — homenagem ao pai falecido e também como sinal de continuidade de seu reinado, depois que os levantes do ano anterior mergulharam a monarquia britânica numa das maiores crises de sua história.

Mais ou menos ao mesmo tempo, no cenário bem menos grandioso de Sydenham Hill, nos subúrbios a sudeste de Londres, um belo homem, no final dos seus 50 anos, com cabelos castanhos emaranhados e olhos azul-claros, estava igualmente agitado. Ele, da mesma forma também tinha um dia difícil à sua frente. Australiano, filho de um taverneiro, seu nome era Lionel Logue, e, desde o primeiro encontro com o futuro monarca, há pouco mais de uma década, desempenhava um papel curioso, mas cada vez mais influente, no centro da Família Real.

Para a maior segurança de Logue (que não gostava de dirigir), um motorista dormiu aquela noite em sua casa. Com sua escultural esposa Myrtle, que o acompanharia naquele dia importante, ele começou a se preparar para a viagem até a cidade. Myrtle, usando joias no valor de 5 mil libras, estava radiante. Um cabeleireiro, que haviam combinado pegar ao longo do percurso, daria o toque final. Logue, com um traje de gala completo para a ocasião, sentia-se meio constrangido com as pernas cobertas com meias de seda, e tomava um cuidado constante para não tropeçar em sua espada.

À medida que as horas iam se passando e as ruas de Londres começavam a se encher com multidões de simpatizantes — muitos dos quais haviam dormido ao ar livre em camas de campanha —, a apreensão dos dois homens crescia. O rei estava com uma "sensação de peso interior" e não conseguira comer no desjejum. "Sabia que deveria passar por um dia muito difícil e viver a cerimônia mais importante da minha vida", escreveu em seu diário, aquela noite. "As horas de espera, antes de partir para a Abadia de Westminster, foram as mais estressantes."[2]

Com origens que datam de quase um milênio, a coroação de um monarca inglês na Abadia de Westminster é um episódio de pompa nacional sem paralelo em nenhuma parte do mundo. O momento mais importante da cerimônia é a unção: enquanto o monarca está sentado na cadeira medieval do Rei Edward, com um dossel sobre a cabeça, o arcebispo de Canterbury toca em suas mãos, peito e cabeça com óleo consagrado. O óleo, um coquetel de laranja, rosas, canela, almíscar e âmbar cinzento, é aplicado com uma colher filigranada, cheia com o conteúdo de um frasco em forma de águia. Com esse ato, o monarca está consagrado diante de Deus a servir seu povo, perante o qual faz um grave juramento. Para um homem tão profundamente religioso quanto o Rei George VI, era difícil avaliar a grandeza do significado dessa confissão de sua dependência do Todo-Poderoso, em termos de espírito, força e poder, necessários para agir corretamente em favor dos súditos.

Estar no centro dessa cerimônia — e o tempo inteiro equilibrando na cabeça uma coroa antiga, pesando mais de três quilos — seria um suplício imenso para qualquer pessoa, mas o rei tinha motivos particulares para encarar com aflição o que o esperava: atormentado desde a infância por uma série de enfermidades, ele também sofria de uma gagueira debilitante. Já bastante constrangedora em pequenas reuniões, ela tornava o ato de falar em público um verdadeiro tormento. O rei, nas palavras da revista *Time* americana, era "o mais famoso gago contemporâneo do mundo",[3] figurando numa lista de nomes destacados que remontavam à Antiguidade, incluindo Esopo, Aristóteles, Demóstenes, Virgílio, Erasmo e Darwin.

Nas semanas anteriores à coroação, o rei fora forçado a suportar uma campanha de boatos sobre a própria saúde, feita por partidários de seu amargurado irmão mais velho, agora no exílio, na França. O novo rei, segundo os boatos, estava em estado físico tão precário que não seria capaz nem de suportar a cerimônia da coroação, quanto mais o desempenho das funções como soberano. Mais combustível para a campanha fora fornecido por sua decisão de não levar adiante uma cerimônia de coroação em Durbar, na Índia, que seu predecessor concordara que deveria ocorrer durante a temporada fria de 1937-1938.

A congregação convidada deveria estar na Abadia em torno das 7 horas da manhã. Multidões davam vivas quando eles passavam; um trem especial do metrô, de Kensington High Street até Westminster, fora preparado para os membros da Casa dos Comuns e para os nobres do reino com suas esposas, todos inteiramente paramentados, usando inclusive pequenas coroas.

Logue e a mulher saíram de casa às 6h40, viajando por ruas desertas em direção ao norte, através de Denmark Hill e Camberwell Green, e depois em direção a oeste, rumo à ponte de Chelsea, recentemente reconstruída e inaugurada menos de uma semana antes por William Lyon Mackenzie King, o primeiro-ministro canadense que estava na cidade para a coroação. Um a um, os guardas localizaram o "P" verde no para-brisa do carro deles, e acenaram para que passassem, até que, pouco antes da Tate Gallery, eles desembocaram num engarrafamento de automóveis vindos de toda Londres, convergindo para a Abadia. Desceram do carro ao chegarem à passagem coberta em frente à estátua de Ricardo Coração de Leão, na Parliament Square, e se espremeram em meio à multidão até chegarem a seus assentos, por volta das 7h30.

O rei e a rainha viajaram até a Abadia na carruagem dourada do Estado, um magnífico coche fechado, puxado por oito cavalos, que fora usado pela primeira vez pelo Rei George III, para abrir o Parlamento, em 1762. Para o atual rei, a presença da esposa, Rainha Elizabeth, era um grande fator de confiança. Durante os quatorze anos de casamento, ela fora uma influência imensamente tranquilizadora para ele: sempre que parava no meio de um discurso, ela apertava afetuosamente seu braço, desejando que continuasse — em geral, com sucesso.

Sentadas no camarote real estavam a mãe do rei, Rainha Mary, e suas duas filhas mais novas. A menor, Princesa Margaret Rose, então com 6 anos, uma criança muito teimosa, para dizer o mínimo, estava entediada e se retorcia sem parar. Enquanto prosseguia o serviço religioso, interminavelmente longo, ela enfiava o dedo no olho, puxava as orelhas, balançava as pernas, descansava a cabeça em cima do cotovelo e fazia cócegas na irmã mais velha, Elizabeth, bem mais séria, que comemorara recentemente seu décimo primeiro aniversário. Muitas vezes, a menina mais velha acabava instando a irmã a se comportar. A Rainha Mary conseguiu finalmente aquietar Margaret Rose, dando-lhe um par de binóculos próprios para ópera, a fim de que ela espiasse a cerimônia através dele.

Outro tipo de confiança era proporcionado por Logue, cuja presença num camarote de onde se descortinava toda a cerimônia era sinal de sua importância para o rei. Descrevendo-se como um "simples colono" e que, apesar de uma carreira dedicada à elocução, jamais conseguira livrar-se do sotaque australiano, Logue parecia estranhamente deslocado em meio aos altos escalões da aristocracia britânica, ocupando lugar de honra na Abadia.

Mas para os importantes eventos do dia era incalculável a contribuição prestada por aquele homem a quem os jornais chamavam de o "médico da fala" do rei, ou "especialista da fala". Tão elevado era o status de Logue que ele acabara de ser feito membro da Ordem Real Vitoriana, numa indicação que cabia inteiramente ao soberano. A distinção foi notícia de primeira página: seu nome era, segundo o *Daily Express*, "um dos mais interessantes na Lista de Honrarias da Coroação". Logue usou sua medalha ao peito, orgulhosamente, na Abadia.

Desde a sua chegada, há onze anos, num navio vindo da Austrália, Logue, em uma sala alugada na Harley Street, no coração da comunidade médica britânica, tornara-se uma das figuras mais destacadas no campo emergente da terapia da fala. Durante a maior parte desse tempo, ajudara o então Duque de York a enfrentar dificuldades de fala

Nos últimos meses, haviam estado em preparativos para o grande dia, ensaiando repetidas vezes as respostas consagradas pelo tempo que o rei teria de dar na Abadia. Nos anos em que trabalharam juntos, fosse na pequena sala de Logue, em Sandringham, ou nos Palácios de Windsor ou Buckingham, eles desenvolveram um sistema eficiente. Primeiro, Logue examinava o texto, localizando todas as palavras que poderiam atrapalhar o rei, como aquelas que começavam com um som forte de "k" ou um "q", ou talvez com consoantes repetidas, e, sempre que possível, as substituía por outros termos. Depois, Logue marcava o texto com sugestões de pausas para respirar, e o rei começava a praticar, repetidas vezes, até conseguir acertar — ficando, muitas vezes, extremamente frustrado nesse processo.

Mas não podia haver nenhuma troca de palavras desse tipo no serviço religioso da coroação. Aquele era o verdadeiro teste — e estava prestes a começar.

Os vários príncipes e princesas, tanto ingleses quanto estrangeiros, começaram a ser conduzidos para seus lugares às 10h15 da manhã. Depois chegou a mãe do rei, caminhando ao som da majestosa música oficial *Marcha da coroação*, seguida pelas diversas representações Estatais e logo após pela rainha, com a maravilhosa cauda de seu vestido carregada por seis damas de companhia.

"Uma fanfarra de trombetas e o cortejo do rei logo avançava, um esplendor de dourado e carmim", escreveu Logue no diário em que registraria a maior parte de sua vida na Grã-Bretanha. "E, no final, chega o homem a quem eu servia há dez anos, com todo o meu coração e minha alma, avançando vagarosamente em direção a nós, bastante pálido, mas, em cada detalhe, um rei. Senti um grande baque no coração ao perceber que esse homem a quem sirvo será feito rei da Inglaterra."

Enquanto Cosmo Lang, o arcebispo de Canterbury, conduzia o serviço religioso da coroação, Logue ouvia, provavelmente com mais atenção do que qualquer outra pessoa presente na Abadia, muito embora a dor de dentes que o afligia ameaçasse constantemente desviar-lhe a atenção. No início, o rei lhe pareceu nervoso, e o coração de Logue acelerou quando ele deu início ao juramento, mas, de modo geral, falou bem. Quando tudo terminou, Logue estava exultante: "O rei falou com uma bela inflexão de voz", disse ele a um jornalista.

De fato, diante da pressão a que o rei estava submetido, era uma maravilha que tivesse dito suas palavras com tanta clareza: o arcebispo, enquanto segurava o livro com o juramento para que ele o lesse, cobriu sem perceber as palavras com o polegar. E esse não foi o único contratempo: quando o lorde camareiro-mor começou a vestir o rei com os mantos, suas mãos tremiam tanto que ele quase colocou o punho da espada embaixo do queixo do rei, em vez de prendê-lo ao cinto, onde deveria ficar. E depois, quando o rei se levantou da cadeira da coroação, um bispo pisou em seu manto, quase fazendo-o cair, até que o rei lhe ordenou, com bastante rispidez, que saísse de cima dele.

Esses problemas faziam parte, inevitavelmente, de uma cerimônia de coroação inglesa; uma das principais preocupações do rei era a de que Lang colocasse a coroa com a frente para trás, como já acontecera. Então providenciou para que uma pequena linha de fino algodão vermelho fosse fixada embaixo de uma das principais joias da frente. Alguém zeloso em excesso a retirou, nesse ínterim, e o rei nunca teve certeza se a coroa estava na posição correta.

As coroações de alguns monarcas anteriores haviam chegado à beira da comédia: em 1761, a de George III ficara suspensa durante três horas, pois a espada governamental desaparecera, enquanto a de seu filho e sucessor, George IV, foi eclipsada por sua briga com a esposa, Caroline de Brunswick, que teve de ser impedida à força de entrar na Abadia.

Nenhum dos pequenos obstáculos atuais foi notado pela congregação, muito menos pelas milhares de pessoas que ainda margeavam as ruas de Londres, apesar do tempo cada vez pior. Quando o serviço religioso terminou, o rei e a rainha seguiram na carruagem dourada pelo longo itinerário de volta ao Palácio de Buckingham. Àquela altura, a chuva se transformara em aguaceiro, mas isso não parecia atrapalhar a multidão, que deu vivas entusiásticos à sua passagem. Logue e Myrtle relaxavam, comendo sanduíches e o chocolate que haviam trazido, quando, às 3h30, uma voz amplificada anunciou: "Os que estão na fila J podem seguir para seus carros." E então eles desceram e, após mais trinta minutos, seu carro foi chamado e entraram, Logue quase tropeçando na espada. Atravessaram de volta a ponte de Westminster, passaram pelas agora desertas arquibancadas e chegaram em casa por volta das 4h30 Sofrendo de uma dor de cabeça, além da dor de dentes, Logue foi para a cama tirar um cochilo.

Embora importante, a coroação era apenas parte do que o rei enfrentou aquele dia. Às 20 horas, teve de passar por um suplício ainda maior: um pronunciamento ao vivo pelo rádio, a ser transmitido ao povo do Reino Unido e a todo o vasto Império — e, novamente, Logue precisava estar ao seu lado. O pronunciamento deveria durar apenas uns poucos minutos, mas nem por isso seria menos estressante. No curso dos anos, o rei desenvolvera um terror especial do microfone, o que fazia um discurso pelo rádio parecer um desafio ainda maior do que para uma plateia ao vivo. E Sir John Reith, o diretor-geral da British Broadcasting Corporation, criada por decreto real uma década antes, não tornava a situação mais fácil para ele: insistiu que o rei falasse ao vivo.

Durante semanas, antes do programa radiofônico, Logue trabalhara no texto com o rei. Depois de ensaios bem-diversificados, os dois homens pareciam bastante confiantes — mas não queriam correr nenhum risco. Durante os poucos dias anteriores, Robert Wood, um dos mais experientes engenheiros de som da BBC e perito na arte emergente das transmissões para o exterior, fizera gravações de várias sessões de suas práticas em discos de gramofone, incluindo um especialmente editado, que combinava todos os melhores trechos num só. Mesmo assim, Logue ainda se sentia nervoso, enquanto um carro o conduzia de volta ao Palácio, às 19 horas.

Quando chegou, ele se uniu a Alexander Hardinge, o secretário particular do rei, e a Reith, para tomarem um uísque com soda. Enquanto os três bebiam ali, veio do andar de cima a notícia de que o rei estava pronto para receber Logue. Aos olhos do australiano, o rei aparentava boa forma, apesar de o dia ter sido muito emocionante. Eles repassaram o pronunciamento uma vez, ao microfone, e depois voltaram ao quarto dele, para onde também foi a rainha, que parecia cansada, mas feliz.

Logue porém sentia o nervosismo do rei e, para distrair sua mente do suplício que o esperava, manteve-o conversando sobre os eventos do dia, até o momento imediatamente seguinte às 20 horas, quando as notas de abertura do Hino Nacional foram ouvidas através dos alto-falantes.

— Boa sorte, Bertie — disse a rainha, enquanto o marido caminhava para o microfone.

"É com muita felicidade que lhes falo esta noite", começou o rei, com suas palavras transmitidas pela BBC não apenas para os súditos na Grã-Bretanha, mas também para os súditos de todo o vasto Império, incluindo a terra natal de Logue. "Nunca antes um rei recém-coroado pôde falar com todos os seus povos, em suas próprias casas, no dia de sua coroação (...)"

O suor descia pelas costas de Logue.

"A rainha e eu desejamos saúde e felicidade para todos vocês, e não esquecemos, neste tempo de celebração, daqueles que estão vivendo sob a sombra da doença", continuou o rei, "maravilhosamente", como pensou Logue.

"Não posso encontrar palavras para lhes agradecer seu amor e sua lealdade à rainha e a mim... Só direi o seguinte: que, nos anos vindouros, se eu puder mostrar minha gratidão servindo-os, essa é a maneira, acima de todas as outras, que escolherei (...) A rainha e eu manteremos sempre em nossos corações a inspiração deste dia. Que possamos ser dignos da boa vontade que, sinto orgulho de pensar, nos cerca, no início do meu reinado. Agradeço-lhes do fundo do meu coração, e que Deus abençoe a todos!"

Quando o pronunciamento terminou, Logue estava tão exausto que não podia falar. O rei entregou a Wood sua medalha da Coroação e, pouco depois, a rainha se aproximou deles.

— Foi maravilhoso, Bertie, muito melhor do que a gravação — disse-lhe ela.

O rei despediu-se de Wood e, virando-se para Logue, apertou sua mão, dizendo:

— Boa-noite, Logue, agradeço-lhe muito.

A rainha fez o mesmo, e seus olhos azuis brilharam quando ele, emocionado com a ocasião, respondeu:

— A maior grandeza da minha vida, Majestade, é ser capaz de servi-los.

— Boa-noite. Obrigada — ela repetiu, e acrescentou, docemente: — Que Deus o abençoe.

Os olhos de Logue se encheram de lágrimas, e ele se sentiu um tolo enquanto descia para a sala de Hardinge, no andar de baixo, onde tomou outro uísque com soda, e lamentou, imediatamente, ter feito isso. Era, refletiu mais tarde, uma tolice fazer aquilo com o estômago vazio, pois tudo começou a girar, e sua fala tornou-se enrolada. Apesar disso, ele partiu em seu carro com Hardinge, deixando-o em St. James, antes de se virar para sudoeste, na direção de casa. Ao se lembrar dos importantes acontecimentos do dia, a mente de Logue voltava ao momento em que a rainha lhe dissera "Deus o abençoe" — e pensava que precisava sem falta dar um jeito em seu dente.

Logue passou o dia seguinte praticamente na cama, ignorando o insistente toque do telefone, enquanto os amigos telefonavam para dar-lhe parabéns. O veredicto dos jornais sobre o pronunciamento era absolutamente positivo: "A voz do rei, a noite passada, estava forte e grave, parecendo-se, numa medida espantosa, com a voz do seu pai", noticiou o *Star*. "Suas palavras chegaram com firmeza e clareza, e sem hesitação." Os dois homens não poderiam desejar maior louvor.

CAPÍTULO 2

O "simples colono"

Adelaide, "na década de 1880, era uma cidade transbordante de orgulho cívico. Batizada em homenagem à Rainha Adelaide, a consorte do Rei William IV nascida na Alemanha, foi fundada em 1836 como capital planejada de uma província instalada livremente na Austrália. Era esboçada num modelo com largos bulevares e grandes praças públicas intercalados, e cercada por parques. Na ocasião do seu meio século de existência, tornara-se um lugar confortável para se viver: a partir de 1860, os moradores passaram a se beneficiar da água encanada vinda do reservatório do Parque Thorndon; bondes puxados por cavalos e trens facilitavam a movimentação, e, à noite, as ruas eram iluminadas por lâmpadas a gás. Em 1874, a cidade ganhou uma universidade; sete anos depois, foi inaugurada a South Australian Art Gallery.

Foi lá, perto de College Town, nas imediações da cidade, que Lionel George Logue nasceu, em 26 de fevereiro de 1880, o mais velho de quatro filhos. Seu avô, dublinense de nascença, chegara em 1850, instalando a Cervejaria Logue na King William Street. A cidade, àquela altura, tinha dezenas de cervejarias independentes, mas a de Edward Logue se saiu especialmente bem; o *Adelaide Observer* atribuiu o sucesso à boa água e à "habilidade fora do comum" do proprietário, capaz de produzir "cerveja de um tipo que o capacita a competir com sucesso com todos os outros fabricantes da popular bebida".

Logue não conheceu o avô; Edward morreu em 1868, e sua cervejaria passou ao controle de sua viúva, Sarah, e do sócio comercial, Edwin Smith, que mais tarde comprou a parte dela, excluindo-a. Depois de várias fusões, o negócio inicial tornou-se finalmente parte da South Australian Brewing Company.

O pai de Logue, George, que nasceu em 1856, em Adelaide, foi educado no St. Peter's College, e, após sair da escola, foi trabalhar na cervejaria, alçando à posição de contador. Mais tarde, ele se tornou proprietário do Hotel Burnside, que administrou com a esposa, Lavinia, e depois assumiu o controle do Hotel Elephant and Castle, que ainda existe, no West Terrace. Foi, lembrou Logue, uma infância perfeita. "Eu tinha um lar maravilhosamente feliz, pois éramos uma família muito unida."

Logue foi estudar no Prince Alfred College, uma das escolas para rapazes mais antigas de Adelaide e a maior concorrente da St. Peter's. A escola gozava de apreciável sucesso, tanto em termos acadêmicos quanto esportivos, especialmente no críquete e no futebol com regras australianas. Quando foi admitido, porém, Logue lutou para encontrar um assunto acadêmico no qual pudesse se destacar. Sua iluminação aconteceu de repente: retido em casa, certo dia, por estar atrasado, ele abriu um livro ao acaso: era *The Song of Hiawatha*, de Longfellow. As palavras pareceram saltar da página para ele:

> Then Iagoo, the great boaster,
> He the marvellous story-teller,
> He the traveller and the talker,
> He the friend of old Nokomis,
> Made a bow for Hiawatha;*

Logue continuou lendo por uma hora, extasiado com as palavras. Ali estava algo que realmente importava: o ritmo — e descobrira a porta que o conduzia a ele.

Ainda menino, ele já se interessava mais por vozes do que por rostos; à medida que os anos iam se passando, seu interesse e fascínio por vozes cresciam. Naquele tempo, a elocução era muito mais valorizada do que hoje: todos os anos, na prefeitura de Adelaide, quatro meninos, os melhores oradores, recitavam e competiam pelo prêmio em elocução. Logue, claro, estava entre os vencedores.

Ele saiu da escola aos 16 anos e foi estudar com Edward Reeves, professor de elocução, nascido em Salford, que emigrara com a família para a Nova Zelândia, antes de se mudar para Adelaide, em 1878. Reeves ensinava elocução durante o dia e, à noite, dava "recitais" para plateias imensas no Victoria Hall ou em outros locais próprios. Dickens era uma de suas especialidades. Esses recitais eram uma façanha extraordinária, não apenas de dicção, mas também de memória: um comentário crítico, no *Register* de 22 de dezembro de 1894, descreveu seu desempenho

---

*E então Iagoo, o grande fanfarrão/Ele, o maravilhoso contador de histórias/Ele, o viajante e o falador/Ele, o amigo do velho Nokomis/Fez uma mesura para Hiawatha. (Tradução livre. *N. da T.*)

com *Um cântico de Natal* em termos ardorosos: "Durante duas horas e quinze minutos, o sr. Reeves, sem a ajuda de anotações, contou a fascinante história", trazia o jornal. "Rodadas de aplausos interromperam várias vezes o declamador, e, quando ele concluiu o *Cântico* com 'Que Deus nos abençoe a todos', de Tiny Tim, recebeu uma ovação que testemunhou, da maneira mais inconfundível, a calorosa apreciação da plateia."

Numa era anterior à televisão, ao rádio ou ao cinema, tais "recitais" eram uma forma de divertimento popular. Sua popularidade também parece ter refletido um interesse particular na fala e na elocução em todo o universo do idioma inglês. O que poderia ser chamado de "movimento da elocução" começou a surgir na Inglaterra no final do século XVIII, como parte de uma ênfase cada vez maior dada ao discurso. As pessoas se tornavam mais cultas, e a sociedade, aos poucos, mais democrática — e tudo isso levava a uma maior atenção à qualidade dos oradores, fossem políticos, advogados ou até mesmo clérigos. O movimento decolou especialmente nos Estados Unidos: tanto Yale como Harvard estabeleceram, na década de 1830, uma formação separada para a elocução e, na segunda metade do século, tornou-se uma disciplina exigida em muitas universidades nos Estados Unidos. Nas escolas, enfatizava-se muito a leitura em voz alta, o que significava que se dava atenção especial a clareza, enunciação e pronúncia. Tudo estava ligado a interesse em oratória e retórica.

Na Austrália, o crescimento do "movimento da elocução" também era alimentado por uma divergência cada vez maior entre o inglês que os australianos falavam e a versão da língua que era falada na Grã-Bretanha. Para alguns, a diferença do sotaque australiano era uma insígnia de orgulho nacional, especialmente depois que as seis colônias foram reunidas numa federação, em 1º de janeiro de 1901, formando a Commonwealth da Austrália. Para muitos comentaristas, porém, o sotaque não passava de um sinal de preguiça. "O hábito de falar com a boca meio aberta o tempo inteiro é outra manifestação do 'sentimento de cansaço' nacional", queixou-se um jornalista do *Bulletin*, semanário australiano, na virada do século passado.[4] "Muitos dos mais típicos labregos jamais fecham a boca. Isso, muitas vezes, é sintoma de adenoides pós-nasais e hipertrofia das amígdalas; a doença australiana característica."

O sotaque sul-australiano, com o qual Logue cresceu, era alvo de críticas especiais, dizendo-se que era uma combinação "muito híbrida de sotaque americano, irlandês; um inglês *cockney* interiorano e mal falado". O sotaque revelaria a "preguiça da língua" e a ansiedade de "comunicar tanto quanto possível por meio de um mínimo de sons, os mais fáceis". Essa preguiça se evidenciaria nas frases cortadas e nos sons arrastados.

Em 1902, com 22 anos, Logue tornou-se secretário de Reeves e professor assistente, enquanto estudava no Elder Conservatorium of Music, criado em 1898, "com o objetivo de proporcionar um completo sistema de instrução na arte e na ciência da música", graças a um legado de Sir Thomas Elder, rico filantropo nascido na Escócia.

Como seu professor, Logue também começou a dar recitais; ele também se envolveu amadoristicamente com a arte dramática. Um evento na YWCA (Young Women's Christian Association) de Adelaide, na noite de quarta-feira, 19 de março de 1902, permitiu-lhe exibir suas proezas nos dois sentidos. "O salão estava cheio, e a plateia gostou muito", informou no dia seguinte o jornal local, o *Advertiser*. "O sr. Logue parece muito jovem, mas tem uma voz clara e poderosa, além de uma presença graciosa no palco. Evidenciou, em suas escolhas, considerável talento dramático — mas, no presente, ainda não inteiramente amadurecido — e uma apreciação artística dos personagens que interpretou e das histórias que contou." O crítico do jornal disse que Logue fora bem-sucedido em todos os poemas e excertos que recitara, embora se saísse melhor em *Edinburgh After Flodden*, de W. E. Aytoun.

O orgulho de Logue com essas críticas foi contido pela tragédia: em 17 de novembro daquele ano, seu pai morreu, com apenas 47 anos, depois de uma longa e dolorosa luta contra uma cirrose hepática. No dia seguinte, um obituário de George Logue foi publicado no *Advertiser*, e um grande número de pessoas compareceu ao enterro.

Já com 23 anos, Logue sentia-se confiante o bastante para se estabelecer por conta própria em Adelaide, como professor de elocução. "Lionel Logue vem anunciar que iniciou a prática de sua profissão, e atenderá em suas salas, de 27 de abril em diante, no número 43 da Grenfell Street, prédios Grenfell. Mais informações, se solicitadas", dizia um anúncio, publicado três dias antes no *Advertiser*. Ao mesmo tempo, ele continuava com seus recitais, e até criou a Companhia Dramática e de Comédias Lionel Logue.

Em 11 de agosto de 1904, o *Advertiser* publicou um comentário particularmente efusivo de um "recital de elocução" que Logue dera no Lyric Club, na véspera, à noite. O título era: "Em segundo lugar, depois de ter nascido um inglês, eu seria o que sou — um 'simples colono'." Logue, observou o comentarista, era o "feliz possuidor de uma voz singular e uma entonação musical e gracioso domínio do gesto, no qual não há o mínimo indício de redundância". Concluía a matéria: "O sr. Logue nada tem a temer de seus concorrentes, e seu recital se caracterizou pela expressão dramática, pureza de enunciação e uma aguçada apreciação do humor, que lhe valeram uma entusiástica aprovação da plateia."

E então veio a primeira das várias reviravoltas na vida de Logue. Apesar de sua fama crescente em Adelaide, ele decidiu se mudar para mais de 2 mil quilômetros a oeste, a fim de trabalhar para uma empresa de engenharia envolvida com a instalação do primeiro abastecimento de energia elétrica nas minas de ouro de Kalgoorlie, no oeste da Austrália. A cidade crescera depressa, desde que a descoberta de ricos depósitos auríferos aluviais, no início da década de 1890, deflagrara uma corrida ao ouro. Por volta de 1903, Kalgoorlie vangloriava-se de uma população de 30 mil pessoas, tendo ainda 93 hotéis e oito cervejarias. Mas os tempos do minerador solitário estavam encerrados, e a mineração em larga escala e a grandes profundidades começara a predominar.

Logue não ficou lá muito tempo, mas, após completar seu contrato, havia economizado dinheiro suficiente para relaxar durante alguns meses, enquanto planejava a etapa seguinte de sua vida. Não surpreende que tenha decidido seguir para as imediações mais desenvolvidas de Perth, a capital do estado. O oeste da Austrália era tradicionalmente encarado como remoto e sem importância pelos moradores do leste, mas isso havia mudado com a descoberta do ouro em Kalgoorlie, e o local se tornara uma força a ser considerada, especialmente nos debates da Federação anteriores a 1901.

Instalado em Perth, Logue criou outra escola de elocução, e também, em 1908, fundou o clube de oratória da cidade. No ano anterior, ele conhecera Myrtle Gruenert, uma funcionária administrativa que, aos 22 anos — era cinco anos mais moça do que ele —, partilhava sua paixão pela arte dramática de amadores. Jovem imponente, vários centímetros mais alta do que Lionel, ela descendia de alemães: o avô, Oskar Gruenert, viera da Saxônia, na Alemanha ocidental. Seu pai, Francis, contador, tinha orgulho de suas raízes germânicas e era secretário do clube Verein Germania, no oeste da Austrália. Francis estivera doente por algum tempo e, em agosto de 1905, morrera de repente, com apenas 48 anos, deixando a esposa, Myra, com 47, Myrtle, então com 20 anos, e seu irmão, Rupert.

Lionel e Myrtle casaram-se em 20 de março de 1907, na Catedral de St. George, sendo o sacerdote que os casou o decano de Perth; o evento foi, segundo parece, importante o suficiente para garantir um artigo elogioso na edição do dia seguinte do *West Australian*. A noiva, como informou o jornal, estava linda em seu vestido de casamento de gaze de seda branca. O véu de tule branco, bordado nos cantos com ramagens floridas também de seda branca, foi arrumado em seu cabelo com uma grinalda. Depois da cerimônia, houve uma recepção no Salão de Chá Alexandra, em Hay Street, onde a mãe de Myrtle, vestida com uma túnica azul-marinho de *voile* de seda, recebeu os convidados. O casal passou a lua de mel em Margaret River, ao sul de Perth, visitando as cavernas que, alguns anos antes, haviam se tornado uma grande atração turística.

Os recém-casados foram morar em Emerald Hill Terrace, 9. Quando o primeiro filho do casal, Laurie Paris Logue, nasceu, em 7 de outubro de 1908, eles se mudaram para Collin Street. Myrtle, com quem Logue passaria as quatro décadas seguintes, tinha uma personalidade formidável e enérgica. "Minha esposa é uma mulher extremamente atlética", ele declarou a um repórter que o entrevistava, vários anos depois. "Ela faz esgrima, luta boxe, nada, joga golfe, é uma boa atriz e uma ótima esposa." Ela era, como Logue certa vez declarou, seu "estímulo para coisas maiores". Parece que foi ideia de Myrtle, dois anos depois, que ambos partissem para uma ousada viagem de volta ao mundo, por seis meses, na direção leste, atravessando a Austrália, depois cruzando o Pacífico até o Canadá, e de volta para casa via Grã-Bretanha e Europa. A viagem deveria ser paga em parte com dinheiro emprestado a eles pelo tio de Lionel, Paris Nesbit, um divertido advogado, transformado em político. O pequeno Laurie, cujo segundo aniversário haviam acabado de comemorar, deveria ser deixado aos cuidados da mãe de Myrtle, Myra.

A inspiração decorria, em parte, de um desejo simples de conhecer o mundo. Mas Logue também estava desejoso de alargar sua experiência profissional. Àquela altura, se tornara uma figura bem conhecida em Perth, por conta dos recitais e das muitas peças que dirigira ou nas quais figurara. Também aumentava a prática em trabalhos particulares com políticos e outras destacadas figuras locais, a fim de melhorar a qualidade de suas vozes, embora, quando indagado por um repórter sobre o nome de seus pacientes, ele se mostrasse a pessoa mais discreta do mundo: "Todo orador gosta que os ouvintes imaginem que sua oratória é um dom não premeditado da natureza, e não o resultado de um estudo prolongado e paciente", disse ele, à guisa de explicação.

Os Estados Unidos, em particular, eram o lar de muitos dos mais importantes nomes no campo da elocução e da oratória, com os quais Logue teria muito a aprender. Tanto ele quanto Myrtle, segundo parece, pensavam que, se gostassem do que vissem em suas viagens, poderiam instalar-se no exterior, mandando buscar Laurie e a mãe de Myrtle para viverem com eles. As muitas longas cartas que Myrtle (e, em menor medida, Logue) escrevera para casa tinha o objetivo de proporcionar um quadro nítido da viagem do casal.

Eles partiram de sua terra no dia de Natal, em 1910, e navegaram para oeste, em torno da Austrália, via Adelaide, Melbourne e Sydney, até Brisbane, com paradas de vários dias em cada lugar. Sydney Harbour, segundo Myrtle, era "maravilhoso, soberbo, não há palavras que possam descrevê-lo". Ela ficou menos impressionada com Brisbane, que considerou "um lugar temível, atrasado, com aspecto pouco salutar e quente como o

Inferno". Durante as várias paradas, tiveram oportunidade de visitar amigos e parentes; Lionel — ou "Liney", como Myrtle o chamava em suas cartas — impressionou os outros passageiros com suas habilidades em críquete, golfe e hóquei; e, sempre segundo dizem, contou com suas proezas em falar em público para divertir os passageiros e a tripulação com suas histórias.

Não causa surpresa que eles logo tenham sentido falta do pequeno Laurie e justificassem para si mesmos a decisão de deixá-lo para trás. "Não quero pensar demais em meu filhinho, senão vou chorar", escreveu Myrtle, numa das primeiras cartas enviadas à mãe. "Ele foi tão doce quando parti: 'Não chore, mãezinha.' Não deixe que ele se esqueça de mim, querida mãe (...) Os seis meses logo passarão, e voltaremos com uma maravilhosa experiência e uma visão da vida fantasticamente alargada."

A próxima etapa de sua viagem cruzando o Pacífico revelou-se mais traumática: Logue passou os primeiros oito dias do percurso, a partir de Brisbane, enjoado em seu beliche e sem tocar em comida nenhuma. Não eram apenas as ondas. A água potável ingerida em Brisbane era ruim, e muitos passageiros caíram doentes. Logue ficou convencido de que estava envenenada com chumbo. "Ele é o pior marinheiro possível, coitadinho, não sei o que aconteceria se estivesse sozinho", escreveu Myrtle. "Reduziu-se a uma sombra."

A situação melhorou depois que eles alcançaram Vancouver e terra firme, em 7 de fevereiro. Daí, continuaram de trem, atravessando Minneapolis e St. Paul, até chegarem a Chicago, onde alugaram na YMCA (Young Men's Christian Association) um quarto que dava para o lago Michigan, por cinco dólares por semana. "A cidade", escreveu Myrtle, "supostamente seria uma das mais perversas do mundo", mas, ao contrário do que esperavam, eles a adoraram. Pretendiam ficar apenas uma ou duas semanas, mas acabaram permanecendo mais de um mês.

A vida numa grande cidade americana era uma experiência cultural fascinante. Myrtle ficou especialmente impressionada com as *drugstores*, onde se podia comprar tudo, desde remédios patenteados até charutos, com os cafés e com o número de automóveis. Mas a falta de educação das mulheres locais, que "olham fixamente, põem os cotovelos na mesa, passam manteiga em seu pão no ar com os cotovelos na mesa, roem os ossos dos frangos e usam palitos de dentes em todas as ocasiões possíveis", não foi apreciada.

Os Logue eram imensamente festejados. Graças a amigos de amigos, alguns dos quais haviam conhecido no navio, eram convidados para jantares em casas elegantes e restaurantes de luxo, e conseguiram comparecer a algumas cerimônias de prestígio. Também assistiram a várias peças e shows. Lionel era espirituoso e se revelava uma boa companhia; como australianos, ele e Myrtle também devem ter sido uma espécie de novidade para os locais. Mas nem tudo foi festa. Durante o dia, eles iam para a Northwestern University, onde assistiam a aulas e palestras dadas por Robert Cumnock, um professor de elocução que fundara a Escola de Oratória da universidade e que Myrtle considerava "simplesmente encantador". Logue também deu recitais e conversou com os estudantes sobre a vida na Austrália.

E então seguiram adiante, via Cataratas do Niágara, para Nova York, que os espantou por seu tamanho. "Ontem, entrei num trem do metrô, andei nele durante quase uma hora e ainda estava em Nova York", escreveu Myrtle, pasma.[5] Eles também ficaram espantados com o grande número de estrangeiros na cidade, muitos dos quais lutavam para falar até o inglês mais básico. A Broadway, com seus quilômetros de "anúncios com luzes elétricas", ofuscou a ambos pelo brilho, e Logue levou a esposa para assistir à primeira grande ópera da vida dela. Foram até o alto da Estátua da Liberdade e aproveitaram os divertimentos de Coney Island. Também aqui as várias apresentações trazidas de casa lhes garantiram uma rápida introdução na sociedade local — e foram levados para algumas noitadas bem caras pela cidade. Estas contrastavam radicalmente com a aspereza da vida em Nova York: "Nova York é, de fato, uma cidade de atrocidades e desrespeito à lei", escreveu Myrtle à sua mãe. "Os jornais parecem folhetins policiais, e estamos sempre com um revólver, uma beleza que Lionel comprou ao chegar."

Como fizera em Chicago, Logue procurou especialistas em sua área, entre eles Grenville Kleiser, um professor de elocução nascido no Canadá que escrevera vários livros e guias de autoaperfeiçoamento em oratória e elocução. Logue também falou no clube local de oratória e deu palestras na YMCA. Durante uma viagem a Boston, ele conheceu Leland Todd Powers, destacado professor de elocução que criara a Escola da Palavra Falada; discursou para os estudantes de lá e também para os da prestigiosa Escola de Oratória de Emerson.

Curiosamente, durante sua estada na Costa Leste, Logue também conheceu o futuro presidente Woodrow Wilson, que, na ocasião, era reitor da Universidade de Princeton. "Um americano da mais elevada estirpe", declarou Logue quando voltou, numa entrevista sobre sua viagem concedida ao *Sunday Times* de Perth.[6] "Ele tem olhos aguçados e penetrantes, que parecem atravessar a pessoa de ponta a ponta. Um homem de grande intelecto e caráter, mas inteiramente cordial e despretensioso. Muitos acham que ele será o próximo presidente dos Estados Unidos." Ávido colecionador de autógrafos, guardou como se fosse um tesouro uma carta escrita por Wilson, com sua caligrafia escolar, bem-arrumada e clara.

Era tempo de continuar a viajar. Em 3 de maio, Lionel e Myrtle embarcaram com destino a Londres no *Teutonic*, da linha White Star — a empresa que, no ano seguinte, lançaria o malfadado *Titanic*. Sua estada nos Estados Unidos fora uma longa aventura. "Passamos um período maravilhoso nos Estados Unidos. É um lugar encantador para se viver, mas muito ruim para criar crianças", escreveu Logue para a sogra. "Os americanos são um povo maravilhoso e estranho — é um país de suborno, desonestidade e prostitutas (...) No entanto, é também um dos países mais fascinantes do mundo."

Os Logue atracaram em Liverpool em 11 de maio e pegaram o trem que os levaria a Londres, numa viagem de quatro horas. O campo inglês, proclamou Myrtle numa carta enviada à mãe, é "uma terra mágica, extremamente pitoresca, extensões verdes divididas em lotes, com lindas sebes de pilriteiros, e os canais com balsas rebocadas na terra por um velho cavalo e um homem". Mas suas primeiras impressões da capital do Império (depois de um jantar e de uma caminhada por Piccadilly e Trafalgar Square) não foram especialmente positivas; parecia "provinciana", em comparação a Nova York.

Mas Londres subiu rapidamente no conceito deles, e Myrtle logo se mostrava entusiasmada com o que viam. Fizeram as visitas óbvias, ao Museu Britânico, à Torre de Londres, ao museu de Madame Tussaud, Hampton Court e, claro, ao Palácio de Buckingham — do qual Logue, em anos vindouros, iria se tornar um visitante frequente. Myrtle não ficou impressionada com seu exterior: "É um lugar velho, sujo e cinzento, tão horrendo que me faltam palavras para descrevê-lo; e, na frente dos portões, fica o lindo novo monumento em homenagem a Victoria, inaugurado há um mês", ela escreveu. "Esta bela obra põe em relevo a monstruosidade que é o Palácio de Buckingham."

Fizeram muitas visitas a teatros, onde viram, entre outros, o grande Charles Hawtrey, que amaram, e Marie Lohr, nascida na Austrália, de quem não gostaram: como as moças inglesas, ela era magra demais e alcançara a fama com demasiada rapidez, o que não lhe fizera bem, pensou Myrtle. Ela e Logue também comeram muito em restaurantes, embora se decepcionassem com o fato de todos eles em Londres fecharem bem mais cedo que os de Nova York.

Viajaram para Oxford também, onde amigos de amigos os convidaram para o Eights Week, a competição anual em que os remadores universitários disputam corrida no rio. Passaram as manhãs visitando as várias universidades e ficaram encantados com a visão das centenas de balsas alegremente enfeitadas, de onde os homens, usando roupas de flanela brancas, e as moças, com belos vestidos, observavam os remadores. Um amigo também os levou para andar de balsa, e eles se deitaram sobre as almofadas enquanto ele remava e lhes apontava todas as vistas. Deixaram Oxford com bastante relutância, depois do que Logue descreveu, numa carta para a sogra, como "seis dias no paraíso".

Um dos pontos altos da visita do casal à Grã-Bretanha foi em 22 de junho, quando estavam em meio à multidão que lotou as ruas no dia da coroação do Rei George V, o "rei marinheiro" que sucedera ao pai, Edward VII, em maio do ano anterior. Londres era uma massa fervilhante de pessoas, e com as ruas decoradas com tantas bandeiras e luzes elétricas que Myrtle achou que parecia um reino encantado. As pessoas começaram a ocupar os melhores pontos de observação na noite da véspera, dormindo nas calçadas, pois todos tinham de estar em seus lugares por volta das 6 horas da manhã seguinte. Um amigo de Logue chamado Kaufmann, que ele conhecera no *Teutonic*, conseguiu para ele um passe de repórter, dando-lhe acesso diretamente às portas da Abadia de Westminster.

Munidos do passe, às 9h30 Logue e Kaufmann caminharam para lá, e a polícia lhes deu permissão para atravessarem até uma posição a poucos metros do Palácio de Buckingham, de onde desfrutaram de uma magnífica vista do rei e da rainha, em sua carruagem dourada. "Era uma multidão muito entusiasmada, mas todos os ingleses têm medo de fazer barulho", ele escreveu à sogra.

O dia seguinte foi o da marcha da realeza por Londres propriamente dita, e Logue e Myrtle tiveram assento na arquibancada do Almirantado, bem em frente ao novo Arco de mesmo nome. Embora tenham precisado esperar das 7h15 até as 13h30, o tempo voou, e eles "se comportaram como crianças quando o rei e a rainha se aproximaram, na linda carruagem oficial, com os oito famosos cavalos cor de creme, cada qual com seu postilhão e líder". Os Logue também encontraram tempo para visitar Edith Nesbit, autora de *The Railway Children* e prima distante deles. Foram à linda casa de Edith, no campo de Kent. Foi uma viagem que Myrtle, em particular, considerou encantadora.

De início, eles pretendiam continuar a viajar pela Europa, mas agora havia um problema: Logue investira grande parte das economias e ações no Bullfinch Golden Valley Syndicate, que criara uma grande excitação na Bolsa de Valores de Perth no mês de dezembro anterior, após declarar que encontrara ouro numa nova mina, perto de Kalgoorlie. Mas as previsões da empresa se revelaram inteiramente exageradas, e o preço das ações desabou poucos meses depois, levando junto a maior parte das economias do casal. Eles telegrafaram para o tio Paris, pedindo que enviasse um pouco mais de dinheiro, mas sentiram a necessidade de economizar e foram passar alguns dias em casa de parentes, em Birminghan.

Em 6 de julho, partiram de volta para casa, saindo de Liverpool a bordo do *SS Suevic*, da White Star Line, um navio projetado especialmente para o percurso australiano, e mais tarde, naquele mês, o casal chegou a King George Sound, Albany, oeste da Austrália. "Já basta de viagens por algum tempo?", perguntaram a Logue, na mesma entrevista ao *Sunday Times* de Perth. Nessa entrevista ele mencionou o encontro com Woodrow Wilson. "Sim, basta", respondeu ele. "A Austrália é o melhor país do mundo."

De volta, Logue pôde aproveitar suas experiências na Grã-Bretanha. Quando uma apresentação especial sobre a coroação, chamada *Royal England*, foi encenada no New Theatre Royal, em Perth, naquele mês de agosto, Logue foi escolhido para fazer o comentário que acompanharia um espetáculo de "imagens animadas feitas especialmente por C. Spencer, que ficou em posição privilegiada ao longo do percurso".

Logue mal podia imaginar que um dia seria consultado pelo filho do rei sobre suas dificuldades de fala, mas esse e outros desempenhos parecidos o transformavam numa figura notável no cenário social de Perth. Em dezembro de 1911, sua recém-criada escola de interpretação, que incluía muitos amadores locais conhecidos, fez a primeira apresentação: na noite de sábado, dia 16, eles mostraram a produção de *One Summer's Day*, uma comédia do dramaturgo inglês Henry Esmond. Dois dias depois, um elenco inteiramente diferente apareceu numa produção de *Our Boys*, cuja renda seria revertida para uma instituição de caridade local.

Myrtle, enquanto isso, também começava a causar impacto: em abril de 1912, o *West Australian* noticiou que ela abrira "uma escola de cultura física (ginástica sueca) e esgrima para mulheres e meninas, no ginásio Wesley", um salão espaçoso e bem-ventilado no fundos do Queen's Hall. Myrtle, declarava a reportagem, "voltara recentemente do exterior, onde pudera estudar os métodos mais atualizados em uso tanto na Inglaterra quanto nos Estados Unidos".

No mês seguinte, a troupe de Logue estava de volta, no His Majesty's Theatre, com uma produção beneficente da sofisticada comédia de Hubert Davies, *Mrs. Gorringe's Necklace*. O beneficiário, dessa vez, era o Lar dos Menores Abandonados de Parkerville. "O sr. Logue e seus alunos devem ser calorosamente parabenizados", declarou o *West Australian*. "Não havia nada mecânico na apresentação, nenhuma dependência da simples recitação; e, no conjunto, a peça era um franco e benévolo apelo à natureza do homem simples." Myrtle também se uniu a ele no palco: seu desempenho como sra. Jardine foi "um trabalho artístico de voz, interpretação e presença em geral", opinou o jornal.[7]

Enquanto isso, os recitais de elocução do próprio Logue atraíam grandes e entusiásticas plateias. "O anúncio de um recital do sr. Lionel Logue foi o suficiente para lotar o St. George's Hall, a noite passada, e os que compareceram foram amplamente recompensados por se aventurarem a sair numa noite chuvosa", dizia uma resenha de agosto de 1914, que o descrevia como "um mestre da sutil arte da elocução, em todas as suas ramificações".

Parece que Logue se saía especialmente bem com as mulheres da plateia — como observou o repórter de um jornal local quando Logue voltou a Kalgoorlie para servir como "juiz de elocução" no festival Eisteddfod ao estilo galês, que, pela descrição da reportagem, lembrava um show de calouros da televisão dos tempos atuais. "O sr. Lionel Logue", comentou o repórter, "é um jovem com ótima aparência, e várias garotas locais não demoraram a perceber isso. Muitas acompanharam as competições todas as noites e passaram a maior parte do tempo olhando apaixonadamente na direção da cabine do juiz. Talvez fosse interessante para essas moças saber que o sr. Logue tem uma esposa encantadora e dois lindos filhos."[8]

Logue também recebia muitos aplausos por seu trabalho com os alunos de elocução. Em setembro de 1913, num jantar no Rose Tea Rooms, na Hay Street de Perth (organizado pelo Clube de Oratória, que Logue fundara cinco anos antes), vários de seus alunos "testemunharam sua apreciação pela capacidade daquele cavalheiro e o sucesso do seu ensino", segundo um relato contemporâneo. Para divertimento das cerca de vinte pessoas presentes, um orador imaginou se Logue poderia dedicar seus consideráveis talentos a fazer com que o grande número de políticos e outros que posavam de oradores parassem de falar tolices e, em vez disso, voltarem-se para o senso comum. Logue respondeu com um tom humorístico adequado, descrevendo o uso correto da língua materna como "a primeira evidência de civilização e refinamento".

Por mais confortável que fosse a vida deles em Perth, os olhos de Lionel e Myrtle haviam sido abertos pela viagem de volta ao mundo, e parece que, aos poucos, chegaram à ideia de tentar estabelecer-se no exterior, talvez em Londres, iniciando uma nova vida. Qualquer perspectiva imediata de uma mudança, contudo, foi frustrada pelo nascimento do segundo filho do casal, Valentine Darte, em 1º de novembro de 1913. Depois, no dia 28 de junho de 1914, o assassinato do Arquiduque Franz Ferdinand, da Áustria, na distante Sarajevo, forçou-os a engavetar seus projetos por tempo indefinido.

Para a Austrália, como para a terra-mãe, a Primeira Guerra Mundial teria um pesado custo em relação a mortos e feridos. De uma população de menos de 5 milhões de pessoas, 416.809

homens se alistaram, dos quais mais de 60 mil morreram e 156 mil sofreram ferimentos ou ficaram incapacitados, por aspirarem gases venenosos, ou ainda foram feitos prisioneiros.

Como na Inglaterra, a irrupção da guerra foi saudada com entusiasmo — e, embora as propostas para introduzir o recrutamento fossem duas vezes rejeitadas em plebiscitos, um grande número de rapazes australianos apresentou-se voluntariamente para combater. A maioria dos aceitos em agosto de 1914 foi enviada primeiro para o Egito — e não para a Europa —, a fim de enfrentar a ameaça que o Império otomano representava para os interesses britânicos, no Oriente Médio e no canal de Suez. A primeira campanha importante na qual a Unidade Militar Conjunta da Austrália e da Nova Zelândia (Anzac) se envolveu foi a de Gallipoli.

Os australianos desembarcaram no local que se tornou conhecido como Enseada de Anzac em 15 de abril de 1915, estabelecendo uma frágil cabeça de ponte nas encostas íngremes acima da praia. Um ataque aliado seguido por um contra-ataque turco terminaram ambos em fracasso, e o conflito logo se estabilizou num impasse que durou o resto do ano. Segundo as cifras compiladas pelo Departamento Australiano de Veteranos, um total de 8.709 australianos morreu ali e 19.441 ficaram feridos. Gallipoli teve um imenso efeito psicológico sobre o país, prejudicando a confiança dos australianos na superioridade do Império britânico. Os Anzac adquiriram rapidamente status de heróis — e seu heroísmo é reconhecido no Dia de Anzac, comemorado, desde então, em todo 25 de abril.

Logue já estava com 34 anos e tinha dois filhos, mas, apesar disso, apresentou-se como voluntário para o serviço militar. Foi rejeitado por motivos médicos: depois que saiu da escola, sofreu uma forte queda enquanto jogava futebol e esmagou o joelho, o que encerrou quaisquer atividades esportivas sérias —

e a oportunidade de servir no Exército. "Entrei num clube de rifle, mas fui obrigado a desistir, porque não podia marchar", declarou ele, numa entrevista concedida a um jornal, publicada durante os anos da guerra. "Temo que, como soldado, eu fosse obrigado, depois da primeira marcha longa, a ficar deitado durante algumas semanas, e assim seria apenas uma despesa desnecessária para meu país."

Embora poupado dos horrores de Gallipoli, Logue, não obstante, agiu no sentido de dar sua contribuição ao esforço de guerra. Colocou todas as energias na organização de recitais, concertos e várias apresentações teatrais de amadores em Perth, para ajudar o Fundo da Cruz Vermelha, o Fundo Francês de Assistência, o Fundo de Ajuda à Bélgica e outras organizações de caridade. Os programas, muitas vezes, eram uma curiosa mistura de atrações sérias com outras engraçadas. Numa apresentação do Freemantle Quartette Party, em julho de 1915, Logue começou com o que o comentarista descreveu como "um recital vividamente descritivo de *The Hell Gates of Soissons*, que aborda, de maneira dramática, o glorioso martírio de 12 homens do Corpo de Engenheiros Reais, enquanto checavam o avanço alemão para Paris, no mês de setembro anterior". Mais tarde, ele fez o público estourar de rir com vários "pequenos gracejos deliciosamente engraçados". Os comentários eram invariavelmente entusiásticos, e as plateias estavam sempre cheias.

Até então, Logue concentrara-se na elocução e na arte dramática, mas tentou aplicar uma parte do conhecimento da voz que isso lhe dera para ajudar soldados que, em consequência da neurose de guerra e dos ataques com gás, passaram a sofrer de problemas de fala. Teve êxito com alguns — inclusive com aqueles aos quais os hospitais disseram que nada mais podia ser feito por eles. As realizações de Logue foram documentadas com alguns detalhes num artigo publicado no *West Australian* em julho de 1919, com a dramática manchete "Os mudos falam".

Seu primeiro sucesso parece ter sido com Jack O'Dwyer, ex-soldado de West Leederville, nos subúrbios de Perth. No início daquele ano, Logue estava sentado no trem perto de um soldado e observou, intrigado, quando ele se curvou para frente, a fim de falar num sussurro com dois companheiros. "O sr. Logue pensou a respeito e, pouco antes de chegar a Fremantle, deu ao soldado seu cartão e o convidou a visitá-lo", informou o jornal. O'Dwyer, como se verificou, fora vítima de gases tóxicos em Ypres, em agosto de 1917, e lhe haviam dito em Londres que jamais voltaria a falar. No Hospital Tidworth, em Salisbury Plain, foi tentado um tratamento por meio de sugestões e hipnose, que falhou. E então, em 10 de março de 1919, o infeliz foi ver Logue.

Logue estava convencido de que poderia ajudá-lo. Pelo que podia perceber, o gás afetara a garganta, o céu da boca e as amígdalas, mas não as cordas vocais — e, nesse caso, havia esperanças. Nessa etapa, porém, isso não passava de teoria. Ele tinha de colocar a questão em prática. Depois de uma semana, Logue conseguiu obter uma vibração nas cordas vocais de O'Dwyer, e o paciente pôde produzir um claro e nítido "ah". Logue continuou com o trabalho, tentando mostrar a ele como formar sons, parecendo um pai que ensina o filho a falar. Menos de dois meses depois, O'Dwyer recebeu alta, inteiramente curado.

Logue descreveu assim o tratamento (que, como deixou claro para os jornais, fora feito gratuitamente): tratava-se de "ensinar ao paciente a produção da voz, combinado ao estímulo e à confiança dele quanto ao resultado" — a mesma combinação do processo físico com o psicológico que se mostraria tão importante em seu futuro trabalho com o rei. O procedimento contrastava radicalmente com métodos muito mais brutais, inclusive terapia com choques elétricos, que haviam sido tentados em pacientes na Grã-Bretanha — aparentemente sem nenhum resultado.

Encorajado pelo tratamento de O'Dwyer, Logue repetiu o sucesso com cinco outros ex-soldados — entre eles, G. P. Till, que inalou gases tóxicos combatendo com as forças australianas em Villers-Bretonneux, no Somme. Quando foi procurar Logue, em 23 de abril daquele ano, as cordas vocais de Till não vibravam, e tudo que ele conseguia produzir eram sons mínimos. Logue lhe deu alta em 17 de maio, estando ele plenamente recuperado. "Na verdade, não consegui parar de falar por cerca de três semanas" revelou Till aos repórteres. "Meus amigos me perguntavam: 'Você não vai parar de falar nunca?' E eu respondia: 'Tenho muito tempo perdido para compensar.'"

CAPÍTULO 3

Passagem para a Inglaterra

Em 19 de janeiro de 1924, Lionel e Myrtle partiram para a Inglaterra a bordo do *Hobsons Bay*, um navio de dois mastros e uma única chaminé, da Linha Commonwealth e Dominion. Viajaram na terceira classe. Com eles, estavam seus três filhos, Laurie, então com 15 anos, Valentine, 10, e um terceiro filho, Antony Lionel (em geral chamado pela família de Boy), nascido em 10 de novembro de 1920. O navio de 13.837 toneladas, com 680 passageiros e 160 tripulantes a bordo, fizera sua viagem inaugural de Londres para Brisbane havia menos de três anos. Depois de 41 dias no mar, o navio entrou fumegando no porto de Southampton, em 29 de fevereiro.

Foi apenas por acaso — outra das decisões casuais que modelaram sua vida — que Logue, então empregado como professor de elocução na Escola Técnica de Perth, acabou a bordo do *Hobsons Bay*. Ele e um médico amigo haviam planejado levar suas famílias para umas férias juntos. As malas da família Logue estavam arrumadas, e o carro deles pronto para partir, quando o telefone tocou: era o médico.

— Desculpe, mas não posso ir com você — ele disse, segundo uma matéria publicada mais tarde por John Gordon, jornalista e amigo de Logue.[9] — Um amigo adoeceu. Tenho de ficar com ele.

— Bem, essas férias terminaram — disse Logue à esposa.

— Mas você precisa de umas férias — respondeu ela. — Por que não vai para o Leste sozinho?

— Não — ele respondeu. — Fui para o Leste no ano passado.

— Então, por que não Colombo?

— Bem — respondeu Logue, hesitante. — Se eu fosse para Colombo, provavelmente desejaria ir para à Inglaterra.

— Inglaterra? Por que não! — exclamou Myrtle.

Animando-se rapidamente com a ideia, Myrtle fez o marido telefonar para um amigo que dirigia uma agência de venda de passagens marítimas. Quando Logue perguntou sobre a possibilidade de conseguir duas cabinas num navio para a Inglaterra, seu amigo riu.

— Não seja tolo — respondeu o amigo. — Este é um ano de Wembley. Não há uma cabine livre em nenhum navio e provavelmente não haverá.

O amigo não precisou explicar o que queria dizer com "Wembley." Naquele mês de abril, George V e o Príncipe de Gales deveriam inaugurar a Exposição do Império britânico, um dos maiores espetáculos da face da Terra, em Wembley, a noroeste de Londres. A exposição era a maior do gênero já realizada e pretendia ser uma vitrina para um Império em seu pináculo que era agora o lar de 458 milhões de pessoas (um quarto da população mundial) e abrangia um quarto da área terrestre total do mundo. O objetivo declarado da exposição era "estimular o comércio, fortalecer os laços que unem o País-Mãe a seus Estados-Irmãos e Filhos, colocar em contato mais próximo, capacitar todos que devem fidelidade à bandeira britânica a se encontrar em terreno comum e aprender a se conhecer".

Três prédios gigantescos — Palácios da Indústria, Engenharia e Artes — foram construídos; também o estádio Império, com suas duas torres diferentes e que, como o estádio Wembley, se tornou o maior centro do futebol inglês, até ser demolido, em 2002. Os visitantes somaram, no total, cerca de 27 milhões de pessoas — muitas delas dos cantos mais distantes do Império, incluindo a Austrália.

Com todas essas pessoas se dirigindo para a Inglaterra, as perspectivas dos Logue de realizarem seu sonho pareciam pouco promissoras, mas meia hora depois o telefone tornou a tocar: era o agente de viagens, que parecia entusiasmado.

— Você é o homem mais sortudo do mundo — disse ele a Logue. — Duas reservas acabaram de ser canceladas. Pode ficar com elas. O navio parte dentro de dez dias.

— Eu lhe darei uma resposta em meia hora — respondeu Logue.

— É agora ou nunca.

Myrtle fez um sinal afirmativo com a cabeça e Logue não hesitou.

— Está bem, ficamos com elas — disse.

A viagem, que levou quase seis semanas, deu a eles tempo suficiente para conhecer os passageiros e a tripulação. Fizeram uma amizade especial com o capitão, um escocês chamado O. J. Kydd, que, oito anos mais tarde, convidaria Logue a passar as férias com ele em sua casa perto de Aberdeen e lhe mostraria o castelo Holyrood, Glencoe, o estreito de Killiecrankie e dezenas de outros lugares sobre os quais Logue lera quando menino.

Não fica claro se Logue e Myrtle planejavam emigrar ou apenas dar outra olhada no país que haviam visitado uma década antes. De qualquer forma, poucos laços os prendiam à Austrália. Os pais de ambos tinham morrido muito tempo antes; em 1921, a mãe de Lionel, Lavinia, também falecera; a mãe de Myrtle, Myra, tivera o mesmo destino em 1923.

A Inglaterra em que a família desembarcou era um país em tumulto. A Primeira Guerra Mundial causara uma enorme convulsão social, e colocar outra vez o país numa marcha de paz também se revelava um desafio imenso. David Lloyd George jurou transformar a Grã-Bretanha numa "terra adequada para heróis, mas era preciso encontrar empregos para os soldados que voltavam, enquanto as mulheres que os substituíram nas fábricas tinham de ser convencidas a voltar para casa. O otimismo logo desapareceu quando o *boom* do pós-guerra se transformou em fracasso, em 1921; os gastos públicos foram cortados, e o total de desempregados aumentou bruscamente. A guerra deixara a Inglaterra profundamente endividada.

Até o triunfalismo imperial, simbolizado pelos eventos em Wembley, era ilusório: a Grã-Bretanha acreditava ser difícil arcar com o ônus da defesa de seu Império, que, graças ao Tratado de Versalhes — pelo qual Lloyd George e os líderes das outras potências Aliadas vitoriosas dividiram o mundo —, ganhara mais 2,9 milhão de quilômetros quadrados de território e 13 milhões de súditos.

O panorama político também estava mudando. Stanley Baldwin, que se tornou primeiro-ministro conservador em maio de 1923, deixou de ter maioria numa eleição-relâmpago, naquele mês de dezembro, abrindo caminho para o primeiro governo trabalhista da Grã-Bretanha. E assim, em janeiro de 1924, Ramsay MacDonald, filho ilegítimo de um trabalhador rural escocês com uma empregada doméstica, foi solicitado por George V a formar uma administração minoritária, com o apoio dos liberais. O rei ficou impressionado com MacDonald. "Ele deseja fazer o que é certo", comentou, em seu diário. "Na data de hoje, há 23 anos, a querida vovó morreu. Imagino o que ela pensaria de um governo trabalhista!"

O governo não durou muito: o trabalhismo foi derrotado na eleição do mês de outubro seguinte, permitindo a volta de Baldwin e dos conservadores, que dominariam a política britânica nas duas próximas décadas, atravessando a Greve Geral de 1926, a Depressão dos anos 1930 e, finalmente, a Segunda Guerra Mundial.

Dias sombrios se estendiam à frente; Logue tinha mais problemas urgentes. Talvez, de início, ele e Myrtle pretendessem passar férias na Inglaterra, mas logo decidiram ficar por mais tempo. Mas como ele poderia sustentar a família? Logue começou a procurar emprego, mas não era fácil. Levara consigo economias num total de 2 mil libras — que valiam muito mais do que valem hoje, mas, mesmo assim, ainda não suficientes para manter por muito tempo uma família de cinco pessoas.

O significado do que ele permitira a si mesmo e sua família enfrentarem deve ter se tornado subitamente claro para Logue. Não conhecia ninguém e trazia apenas uma apresentação: para Gordon, um jornalista nascido em Dundee e dez anos mais novo do que ele, que se tornara, em 1922, subeditor do *Daily Express* (e continuaria a ser, de 1928 a 1952, até se tornar o editor muito bem-sucedido do "jornal-irmão", o *Sunday Express*). Eles permaneceriam muito amigos por toda a vida.

Logue instalou sua família em cômodos modestos em Maida Vale, a oeste de Londres, e visitou escolas locais, oferecendo serviços para tratar de crianças com problemas de fala. O trabalho que conseguiu lhe trouxe algum dinheiro, mas ele sabia que, como suas economias eram pequenas, não seria o bastante para sustentar a família. E assim tomou uma decisão que se revelou importante, refletindo a suprema confiança no próprio talento: alugou um apartamento em Bolton Gardens, South Kensington, e um consultório em Harley Street 146, colocando-se no centro do *establishment* médico da Inglaterra.

A maioria dos prédios da rua era do final do século XVIII, mas só décadas depois o nome da Harley Street se tornou sinônimo de medicina. Um dos primeiros médicos a instalar consultório ali foi John St. John Long, um notório charlatão, que chegara na década de 1830 — e que subsequentemente foi condenado por homicídio culposo, depois que um de seus tratamentos, que envolvia ferir uma moça nas costas, deu tragicamente errado. Outros se seguiram, atraídos não apenas pela proximidade de clientes ricos nas ruas do entorno, mas também pela facilidade de acesso às estações de trem de King's Cross, St. Pancras e Euston, que traziam pacientes de outros lugares do país. Por volta de 1873, 36 médicos tinham endereços ali; por volta de 1900, a população de médicos da rua crescera para 157 e, dez anos mais tarde, para 214.

Harley Street, em suma, já estava bem a caminho de se tornar uma marca registrada, e não apenas um endereço. Mas a localização era tudo. De modo geral, quanto menor o número e mais para o sul, na direção de Cavendish Square, mais prestigioso o endereço. O prédio de Logue era para cima, na direção da extremidade norte, perto do entroncamento com a movimentada Marylebone Road, que segue do leste para o oeste atravessando Londres.

Mas Harley Street era Harley Street, ainda assim. Não há registro do que, exatamente, os outros celebrados habitantes da rua pensavam desse australiano tosco no meio deles. Quando ele chegou, os charlatães de antigamente haviam sido substituídos por médicos modernos, com qualificações adequadas. Logue, em contraste, não tinha curso médico. Mas nenhum de seus vizinhos saberia aconselhar pessoas com problemas de fala ou entender a infelicidade que isso lhes causava.

Instalar uma clínica era uma etapa; depois, vinha a questão mais difícil: conseguir alguns pacientes. Logue começou rapidamente a fazer amigos na comunidade australiana de Londres. Descrito pelo amigo jornalista Gordon como uma pessoa "transbordando vitalidade e personalidade", ele era o tipo de homem do qual ninguém se esquecia. E assim, aos poucos, ele começou a construir uma carreira, tratando vários pacientes, a maioria enviada por outros australianos que moravam em Londres. Ele cobrava polpudas remunerações dos ricos e, com elas, financiava o tratamento dos pobres. Mas, mesmo assim, era uma luta: "Ainda estou lutando para subir; em Londres é preciso ter tempo, trabalho e dinheiro", escreveu ele numa carta para o irmão de Myrtle, Rupert, em junho de 1926. "Preciso de umas boas férias, e logo, senão vou desabar." Sempre em busca de meios para complementar a renda, ele aceitou um emprego de policial especial, ganhando 6 xelins por dia, quando o país ficou paralisado pela Greve Geral, no mês anterior.

A terapia da fala — e o tratamento da gagueira, em particular — ainda estava em sua relativa infância. "Aqueles eram dias pioneiros para a fala, e na distante Austrália pouco se sabia sobre o trabalho denominado Curatum; como consequência, durante muitos anos, tudo o que se podia fazer era experimentar", lembrou Logue, anos mais tarde. "Os erros cometidos naquele tempo dariam para encher um livro."

As pessoas parecem ter sofrido de problemas com a fala praticamente desde que o homem começou a falar. O Livro de Isaías, que se acredita ter sido escrito no século VIII a.C., contém três referências à gagueira.[10] Os antigos egípcios tinham até um hieróglifo para ela. Na antiga Grécia, tanto Heródoto quanto Hipócrates mencionaram a gagueira, embora tenha sido Aristóteles quem apareceu com o relato mais informativo sobre o conhecimento dos gregos, naqueles primeiros tempos, a respeito das dificuldades da fala: em seu *Problemata*, ele descreveu várias formas desses problemas, dentre os quais o *ischnophonos*, que foi traduzido como gagueira. Ele também percebeu que os gagos tendiam a sofrer mais quando estavam nervosos e menos quando bêbados.

O mais famoso gago do mundo antigo foi Demóstenes. Como conta Plutarco, em seu *Vidas paralelas*, ele falava com seixos na boca, praticava diante de um grande espelho ou recitava versos subindo e descendo uma ladeira correndo, como meio de combater seu problema com a fala. Esses exercícios, segundo se dizia, haviam sido prescritos por Sátiro, um ator grego cuja ajuda ele buscou. O imperador romano Claudius, que reinou de 41 a 54 d.C., também era gago, embora não exista nenhum registro de que tenha tentado se curar.

O interesse nos defeitos da fala cresceu no século XIX, graças, em parte, ao progresso da medicina. Mais ou menos na metade do século, a pesquisa fisiológica era conduzida em termos do som e de como o produzimos, bem como em termos da audição. Muito ainda restava ser descoberto: só em meados do século XX, a fonação (articulação dos sons da fala) foi inteiramente entendida. A crescente ênfase que o período deu à elocução também tendeu, inevitavelmente, a focalizar o interesse na infeliz minoria para a qual produzir até uma simples frase era um suplício terrível.

Uma das primeiras pessoas a escrever, nos tempos modernos, sobre a gagueira foi Johann K. Amman, médico suíço que viveu no final do século XVII e início do XVIII e se referiu à aflição como "*hesitantia*".[11] Embora seu tratamento fosse fundamentalmente direcionado ao controle da língua, Amman considerava a gagueira um "mau hábito". Quem escreveu em seguida sobre o assunto inclinou-se a considerá-la uma característica adquirida, em grande parte resultado de medo.

À medida que ia crescendo o conhecimento acerca da anatomia humana, mais explicações fisiológicas começaram a ser procuradas, concentrando-se nas estruturas anatômicas envolvidas nos processos de articulação, fonação e respiração. A gagueira era explicada como uma perturbação em uma ou outra dessas áreas. A atenção tendia a se concentrar na língua: para alguns especialistas, o problema era o fato de ela ser fraca demais; para outros, em contraste, ela teria um excesso de energia.

Em seu aspecto mais inofensivo, essa atribuição de culpa à língua levava à prescrição de exercícios para seu controle e ao uso de vários dispositivos bizarros, como uma placa de ouro bifurcada, desenvolvida por Marc Itard, um médico francês, como uma espécie de suporte para a língua. Os gagos também recebiam a recomendação de segurar pequenos pedaços de cortiça entre os dentes superiores e inferiores. E o que foi mais alarmante: tudo isso levou a uma moda de cirurgia na língua, da qual foi pioneiro, em 1840, Johann Dieffenbach, cirurgião alemão, amplamente imitado em outros lugares, na Europa continental, Grã-Bretanha e nos Estados Unidos. O procedimento variava de um cirurgião para outro, embora, na maior parte dos casos, envolvesse o corte de uma parte da musculatura da língua. Além de se mostrarem ineficazes, essas intervenções eram dolorosas e perigosas, numa época em que não havia anestesia nem assepsia adequadas. Alguns pacientes morreram em consequência direta das cirurgias ou por complicações resultantes.

Em seu livro *Memories of Men and Books*, publicado em 1908, o reverendo A. J. Church lembrou como, na década de 1840, ainda com 14 anos, fora operado por James Yearsley, médico com consultório em Savile Row 15, o primeiro a clinicar como especialista em ouvido, nariz e garganta. "Ele se declarava capaz de curar a gagueira extraindo as amígdalas e a úvula", lembrou Church. Descrente da eficácia da cirurgia, ele comentou: "Acho que o tratamento não me fez bem nenhum."

À medida que o tempo ia passando, a atenção começou a se focar, em vez disso, mais no processo de respiração e enunciação: foram procuradas soluções em exercícios respiratórios e sistemas de controle da respiração. Especialistas que escreveram a respeito, muitos no mundo de fala alemã, procuraram estabelecer quais sons eram os mais problemáticos; descobriram que sempre parecia haver um problema na transição entre consoante e vogal. Também fizeram outras observações, como a de que as pessoas afetadas tendiam a ter menos problemas com a poesia do que com a prosa, e nenhuma dificuldade, absolutamente, ao cantar, e que a deficiência diminuía com a idade. Também se observou que os homens sofriam desproporcionalmente mais do que as mulheres. Enfatizou-se o uso do ritmo como eventual meio de cura.

O surgimento da psicologia como ciência autônoma e o desenvolvimento do behaviorismo e do estudo da hereditariedade ajudaram a conduzir na primeira parte do século XX ao desenvolvimento de uma nova disciplina e uma profissão emergente: a ciência da fala e da audição. Na Europa continental, ela tendia a ser uma especialidade dentro da medicina. Na Inglaterra, ao contrário, os médicos procuravam conselhos sobre a gagueira e obstáculos do gênero entre pessoas que lidavam profissionalmente com a voz e a fala. As novas clínicas talvez estivessem alojadas, na maior parte dos casos, dentro de hospitais, e nominalmente sob supervisão médica, mas os clínicos que nelas trabalhavam, como Logue, tendiam a vir de escolas de fala e arte dramática.

Um dos nomes mais conhecidos no campo, na Grã-Bretanha daquele tempo, era H. St. John Rumsey, por muitos anos terapeuta da fala e conferencista no Guy's Hospital, de Londres. Ele escreveu, em 1922, alguns artigos sobre defeitos da fala para o periódico médico *Lancet*, e esboçou suas ideias no livro *No Need to Stammer* [Não é preciso gaguejar], publicado no ano seguinte. Rumsey argumentava que os dois principais fatores tanto na fala quanto na canção são a produção do tom vocal na laringe e a modelagem desse tom em palavras por meio de movimentos da língua, dos lábios e maxilares. Os mesmos órgãos, claro, são usados tanto na fala quanto no canto, mas, enquanto na fala a tendência é concentrar-se nas palavras e negligenciar a voz, o oposto frequentemente ocorre na música. Por esse motivo, ele dizia, o gago pode, muitas vezes, cantar sem problemas; ele também pode, com frequência, imitar dialetos e sotaques, porque ao fazer isso é compelido a prestar mais atenção ao som das vogais.

Numa ocasião, Rumsey sugeriu uma cura bizarra para a gagueira: dança de salão. Sem dúvida funcionou, ele declarou, para uma moça de 20 anos que o procurou: "Agora, a gagueira dela está desaparecendo e ela é capaz não apenas de seguir, mas também de conduzir uma dança", declarou Rumsey a um repórter.[12] "Sua gagueira se devia à falta de ritmo. Por meio da dança, ela agora é capaz de sentir e ver isso."

Logue compartilhava a ênfase de Rumsey nas explicações físicas para a gagueira. Como um de seus antigos pacientes explicou mais tarde, ele acreditava que o problema era atribuível a uma falta de coordenação entre a mente e o diafragma, e, uma vez que se instalava certa "falta de sincronismo", ela logo se tornava um hábito. A cura de Logue se baseava em fazer os pacientes desaprenderem toda a coordenação errada que haviam desenvolvido e reaprenderem a falar, como se fosse do começo. "Mas vocês devem lembrar-se de que o fundamental para a solução do problema é o diagnóstico", continuou ele.

> Algumas pessoas fracassam quando inspiram, em outras há um trancamento do diafragma, e ainda outras não conseguem fazer a mente acompanhar o curso de suas palavras. Muitas pessoas que habitualmente não gaguejam se descobrem incapazes de falar com suavidade quando estão muito excitadas. Isso, em geral, serve de exemplo para um terceiro tipo de defeito — a mente correndo à frente do fôlego e da articulação. Há uma parada, até que o cérebro possa, por assim dizer, voltar sobre seus passos e desamarrar o nó.[13]

Logue esboçaria suas ideias de uma forma ligeiramente diferente num programa de rádio intitulado *Voices and Brick Walls* [Vozes e obstáculos], que foi transmitido em 19 de agosto de 1925, em Londres, pela 2LO, uma das estações administradas pela novata British Broadcasting Company.[14] O título que escolheu se referia aos três principais obstáculos que acreditava estarem no caminho da boa fala: respiração defeituosa, produção de voz defeituosa e pronúncia e enunciação incorretas.

"Nada, porém, era mais penoso do que a fala defeituosa quando alcança a magnitude da gagueira", ele acreditava.

> Não sei de nada tão capaz de construir um "obstáculo" como esse defeito; o único consolo é o fato de que, com trabalho duro por parte do aluno, ele agora pode ser curado em cerca

de três meses; mas a ignorância demonstrada em torno desse assunto é horrenda.

As pessoas que têm esse tipo de defeito podem, na maioria dos casos, cantar com bastante facilidade, e gritar em jogos sem dificuldade nenhuma; mas o procedimento comum de comprar um bilhete de trem ou pedir uma simples informação na rua é uma agonia indizível.

Aqueles que tiveram de lidar com esses casos durante e depois sabem que imensa ajuda foi e ainda é a Terapia Vocal — trazendo-lhes o alívio da palavra cantada, depois da tortura da palavra falada.

Em sua palestra, Logue ainda descreveu uma experiência curiosa, na qual ele conseguira, por meios visuais, baixar uma voz que tinha um tom alto demais. O paciente foi colocado diante de um suporte com várias luzes coloridas e recebeu uma ordem para emitir um som vocal comum, enquanto olhava a luz mais intensa. Depois, fizeram-no baixar o tom habitual da voz, enquanto as luzes se apagavam, uma a uma. Isso levou a voz, por meio de um grande esforço, para um tom mais baixo. A escala de cores foi iniciada em seguida em uma tonalidade mais branda e a voz mudou de repente, e de forma permanente, para um tom mais baixo.

CAPÍTULO 4

Dores crescentes

O futuro Rei George VI nasceu em 14 de dezembro de 1895, no York Cottage, propriedade rural Sandringham, na margem sul do Wash, segundo filho do futuro George V e bisneto da Rainha Victoria. Canhões estrondearam no Hyde Park e na Torre de Londres. "Nasceu um menino, pesando quase quatro quilos, às 3h30 (S.T.), da forma mais satisfatória possível, e ambos, mãe e filho, passam muito bem", registrou o pai. "Enviei vários telegramas, pedi algo para comer. Fui para a cama às 6h45, muito cansado."[15] O S.T. referia-se não à "*Summer Time*" (hora de verão), mas a "*Sandringham Time*" (hora de Sandringham), uma tradição peculiar adotada por seu pai, Edward VII, caçador entusiasta, que adiantava os relógios em meia hora, como forma pessoal de poupar a luz do dia, a fim de permitir que a caçada se prolongasse antes de escurecer.

Não era uma data auspiciosa no calendário real: nela, em 1861, morrera o amado consorte da Rainha Victoria, o Príncipe Albert, com apenas 42 anos. Depois, em 14 de dezembro de 1878, sua segunda filha, a Princesa Alice, morrera aos 35 anos. A chegada do bebê num dia que era considerado pela família de luto e lembranças melancólicas deixou os pais algo consternados.

Para alívio de todos, Victoria, àquela altura já uma venerável senhora de 76 anos, encarou o nascimento como um bom presságio. "O primeiro sentimento de George foi de pesar, ao saber que o querido filho nasceria num dia tão triste", escreveu ela em seu diário. "Sinto que isso pode ser uma bênção para o querido menino, e pode ser considerado uma dádiva de Deus!" Ela também ficou satisfeita porque seu bisneto seria batizado Albert, embora ele sempre tenha sido chamado de Bertie pelos amigos íntimos e pela família.

O Príncipe George e sua esposa, Mary — ou May, como era chamada na família —, já tinham um filho, Edward (ou David, como era conhecido), nascido 18 meses antes, e não era segredo que o casal gostaria de ter uma filha. Outros consideraram o nascimento de um homem "de reserva" uma boa garantia para a sucessão. Afinal, o próprio Príncipe George, segundo filho de Edward VII, devia sua posição de herdeiro do trono à morte repentina, três anos antes, do irmão mais velho, Eddy, vítima de uma gripe que se transformara em pneumonia, menos de uma semana depois de seu vigésimo oitavo aniversário.

O início da vida de Bertie foi espartano e característico de como se vivia numa casa rural inglesa do período. A propriedade Sandringham, com 20 mil acres de extensão, fora comprada em 1866 pelo futuro Edward VII como um local retirado para caçadas. A casa inicial não era suficientemente majestosa para seu gosto, e ele a derrubou, começando em 1870 a construir uma nova, que foi progressivamente ampliada nas duas décadas seguintes, num estilo que um historiador local descreveu como "elizabetano modificado". Nem especialmente feia nem especialmente bonita, lembrou a um biógrafo da realeza em um hotel escocês para a prática de golfe.[16]

O York Cottage, dado a George e Mary quando se casaram, em 1893, era algo bem mais modesto. Situado a algumas centenas de metros da casa principal, num montículo gramado, foi construído por Edward como um alojamento suplementar, a ser utilizado nas festas com caçadas. "A primeira coisa que surpreende um visitante, na casa em si, é sua pequenez e feiura", escreveu Sarah Bradford, biógrafa real.[17] "Do ponto de vista arquitetônico, é um prédio confuso, sem mérito nenhum, com cômodos pequenos, janelas salientes e curvas, torreões e sacadas, construído com a mistura de uma espécie de arenito, uma pedra escura, de tom marrom-avermelhado, encontrada na propriedade, e um revestimento externo de pedrinhas unidas por argamassa, tendo uma moldura exposta de madeira pintada de negro." Era também extremamente entulhada, sendo o lar não apenas do casal e, no final, de seis crianças, mas abrigando também camaristas, damas de companhia, secretários particulares, quatro pajens adultos, um *chef*, um criado pessoal, criados de quarto, dez lacaios, três encarregados dos vinhos, amas-secas, babás, empregadas domésticas e várias pessoas do tipo faz-tudo.

Os dois meninos e a Princesa Mary, que chegou em 1897, seguida pelo Príncipe Henry, nascido em 1900, Príncipe George, em 1902, e Príncipe John, em 1905, passavam a maior parte do tempo num dos dois cômodos no andar de cima: o quarto para as crianças usarem durante o dia e outro para dormirem, ligeiramente maior, dando para um pequeno lago e, mais adiante, um parque por onde vagavam cervos.

Como outras crianças de classe superior daquele tempo, Bertie e seus irmãos e irmãs foram criados, durante os primeiros anos de vida, por amas-secas e uma governanta, que controlava a área para além da porta de vaivém do primeiro andar, na qual ficavam quase sempre confinados. Uma vez por dia, na hora do chá, vestidos com as melhores roupas e com os cabelos muito bem penteados, eram levados para o andar de baixo e apresentados a seus pais. O resto do tempo ficavam inteiramente aos cuidados das babás, uma das quais, como se revelou mais tarde, era meio sádica. A mulher tinha ciúme até do pouco tempo diário que David passava com os pais e, como foi mais tarde declarado pelo Duque de Windsor em sua autobiografia, beliscava-o com força e torcia seu braço, no corredor, do lado de fora da sala de visitas, de modo que ele estava sempre chorando ao ser levado à presença dos pais e era rapidamente conduzido de volta.

Ao mesmo tempo, praticamente ignorava Bertie, dando-lhe sua mamadeira da tarde enquanto seguiam na carruagem Victoria, que tinha molas em "C" e era notória por dar fortes sacudidelas ao se movimentar. Essa prática, segundo seu biógrafo oficial, John Wheeler-Bennett, foi em parte responsável pelos problemas crônicos de estômago sofridos por ele na juventude. Essa ama-seca, posteriormente, teve uma espécie de esgotamento nervoso.

Não causa surpresa que o relacionamento das crianças com os pais fosse distante. A situação não melhorava com a maneira de ver do pai deles quanto à criação de filhos. O futuro Rei George V desfrutara o que, para aquele tempo, fora uma criação relativamente descontraída, porque seu pai, Edward VII, reagira à severidade com que seus próprio pais, Victoria e Albert, haviam se comportado em relação a ele. Como resultado, sempre que tinha contato com os netos, a rainha manifestava horror pelo comportamento malcriado das crianças.

Longe de criar a própria prole de maneira igualmente liberal, George fez o contrário: o príncipe, segundo seu biógrafo Kenneth Rose, era "um pai afetuoso, mas um vitoriano inflexível". Assim, embora, sem dúvida, amasse seus filhos, ele acreditava em inculcar desde os primeiros anos de vida senso de disciplina — influenciado, em parte, pela estrita obediência à autoridade incutida nele na Marinha, durante a adolescência dele e a de seu irmão. George escreveu uma carta reveladora ao filho no quinto aniversário deste: "Agora que você tem 5 anos, espero que sempre tente ser obediente e faça imediatamente o que lhe dizem, pois descobrirá que isso será muito mais fácil para você quanto mais cedo começar. Sempre procurei fazer o mesmo quando tinha sua idade e descobri que assim era muito mais feliz."[18]

O castigo por transgressões era administrado na biblioteca — que, apesar do nome, era destituída de livros, estando as prateleiras, em vez disso, cheias com a impressionante coleção de selos à qual George dedicava o tempo de lazer quando não estava caçando ou navegando. Algumas vezes, os meninos recebiam uma reprimenda verbal; por infrações sérias, o pai os colocava de joelhos. O cômodo era lembrado pelos meninos como "um lugar de repreensões e reprovações".

A vida das crianças mudou radicalmente depois da morte da Rainha Victoria, em janeiro de 1901. O Príncipe de Gales, que então se tornou Rei Edward VII, ocupou o Palácio de Buckingham, o Castelo de Windsor e Balmoral, enquanto seu filho ficava com a Malborough House, como sua residência em Londres, Frogmore House, em Windsor, e Abergeldie, um pequeno castelo às margens do rio Dee, perto de Balmoral. Como herdeiro do trono (e, a partir daquele mês de novembro, Príncipe de Gales), George começou a assumir deveres mais oficiais, e alguns, inclusive, o tiravam de casa. Naquele mês de março, ele e Mary partiram para uma viagem de oito meses pelo Império, deixando os filhos nas mãos mais indulgentes de Edward e Alexandra. O trabalho escolar foi negligenciado enquanto eles faziam a ronda da Corte entre Londres, Sandringham, Balmoral e Osborne; seu benévolo avô permitia que eles se divertissem.

Era também tempo, para os meninos, de começarem a educação formal. O próprio George não recebera muitos ensinamentos e não considerava que isso fosse grande prioridade para os filhos. David e Bertie não foram mandados para a escola, mas, em vez disso, receberam lições de Henry Hansell, um solteirão alto, macilento, com roupas de *tweed* e um grande bigode, que parecia ter passado a maior parte do tempo em Oxford, em campos de futebol ou de críquete, e não em salas de aulas ou palestras. Um professor que não chegava a estimular ninguém, ele achava que os meninos estariam melhor numa escola secundária, como outros de sua idade; a mãe deles parece ter concordado com isso. Mas George não aceitava com facilidade e atribuía a culpa pela falta de progresso acadêmico dos dois à estupidez deles. No entanto, mais tarde, ele cederia, enviando os dois filhos mais novos para a escola.

Com a quantidade de tempo que passavam juntos — e com a natureza distante de seus pais —, era natural que David e Bertie se tornassem próximos. Era uma relação desigual: como filho mais velho, David cuidava dos irmãos mais novos e lhes dizia o que fazer. Como ele escreveu, anos depois, em sua autobiografia: "Eu sempre conseguia manobrar Bertie." À medida que ia se aproximando a puberdade, Bertie, como todos os irmãos mais novos, parece ter começado a se ressentir dessa manobra — Hansell notou isso e ficou preocupado: "É extraordinário como a presença de um funciona como uma espécie de provocação para o outro", relatou.[19]

Era mais do que a costumeira rivalidade entre irmãos. David não apenas era mais velho; também tinha boa aparência, era sedutor e divertido. Ambos os meninos também tiveram consciência, desde a mais tenra idade, de que ele estava destinado, um dia, a se tornar rei. Bertie fora menos abençoado pelo destino: sofria de má digestão e tinha de usar talas de madeira nas pernas, durante várias horas por dia e enquanto dormia, para se curar de uma deformidade, o joelho valgo, que o deixava, como acontecera com o pai, com os joelhos próximos demais e os pés anormalmente afastados um do outro. Ele também era canhoto, mas, segundo a prática da época, era obrigado a escrever e fazer outras coisas com a mão direita, o que, muitas vezes, causa distúrbios psicológicos.

Para agravar os problemas de Bertie — e, em certa medida, como resultado deles —, havia a gagueira, que já começara a se manifestar quando ele tinha 8 anos. De fato, a incidência da gagueira era elevada, como ficou demonstrado, entre os canhotos de nascença. O som correspondente à letra "k" — como em "*king*" [rei] e "*queen*" [rainha] — era um desafio especial, algo que se revelaria um problema particular para quem nasceu numa Família Real.

O problema não melhorou com a atitude do pai de Bertie, cuja reação à luta do filho era um simples "acabe com isso". Uma grande provação eram os aniversários dos avós de Bertie, caracterizados por um ritual estabelecido: exigia-se que as crianças decorassem um poema, copiassem-no em folhas de papel amarradas com fitas, recitassem os versos em público e depois fizessem uma mesura e as dessem de presente ao aniversariante. Já era bem difícil quando o poema era na língua inglesa — e, mais tarde, depois que iniciaram as aulas de idiomas, tinham de ser também em francês e alemão. Essas ocasiões, para as quais os avós convidavam pessoas, eram um pesadelo para Bertie, de acordo com um de seus biógrafos.

"A experiência de ficar de pé diante do resplandecente grupo de adultos, conhecidos e desconhecidos, e lutar com as complexidades do *Der Erlkönig*, de Goethe, dolorosamente consciente do contraste entre sua apresentação interrompida e as do irmão e irmã 'normais', era humilhante e talvez tenha sido a origem de seu horror aos discursos quando se tornou rei."[20]

Como acontecera com o pai, os dois rapazes foram destinados à Marinha Real. Embora para David isso funcionasse como um rápido período antes de ele assumir seus deveres como Príncipe de Gales, Bertie, segundo se esperava, deveria fazer carreira naval. A primeira etapa foi o Royal Naval College, em Osborne House, o lar anterior da Rainha Victoria, na Ilha de Wight. O Rei Edward recusara-se a ocupar a casa quando a mãe morreu, e então doou-a à nação; a casa principal foi usada como abrigo para oficiais convalescentes, enquanto o bloco de edifícios dos estábulos foi transformado numa escola preparatória para cadetes. A experiência deve ter sido estranha para ambos os rapazes, que haviam visitado "Gangan" — como Victoria era conhecida — na casa durante seus últimos anos.

Bertie tinha 13 anos quando foi admitido na escola, em janeiro de 1909; David chegara dois anos antes. O local se revelou, para os meninos, um contraste radical com Sandringham, tanto do ponto de vista social quanto intelectual.

De acordo com a tradição real, nenhum dos dois irmãos foi criado mantendo contato com outras crianças da mesma idade; em contraste, seus colegas (a maioria dos quais frequentara a escola preparatória) estavam acostumados a viver separados dos pais e com a disciplina, as condições duras, a comida ruim e os curiosos rituais, considerados parte integral de uma educação inglesa da classe superior.

E então houve o *bullying*. Longe de gozar de tratamento preferencial por parte de seus futuros súditos, como resultado de suas origens reais, os dois rapazes eram implacavelmente atormentados. David, em certa ocasião, foi forçado a suportar uma falsa reexecução de Charles I, durante a qual o obrigaram a colocar a cabeça numa janela de guilhotina, enquanto a outra parte era baixada violentamente em cima dela. Bertie, apelidado de "sardinha", por conta de seu físico esguio, foi encontrado por um colega cadete amarrado numa rede, num passadiço que conduzia para fora do refeitório, gritando por socorro. Com a importância dada aos jogos de equipes, os dois rapazes ficavam em desvantagem, pela falta de experiência de jogar futebol ou críquete.

Os problemas de Bertie eram agravados pelo péssimo desempenho acadêmico. A Osborne era essencialmente uma escola técnica, concentrando-se em matemática, navegação, ciência e engenharia. Embora fosse bom no lado prático da engenharia e da arte de navegar, Bertie era um desastre em matemática e, habitualmente, ficava no final da lista das notas, ou bem próximo disso. Mais uma vez, a gagueira sem dúvida desempenhava papel relevante nesse sentido. Embora ela praticamente desaparecesse quando ele estava com amigos, voltava, com efeitos dramáticos, na sala de aula. Achava difícil pronunciar o "f" de fração e, em certa ocasião, deixou de responder quando lhe perguntaram o que era a metade de uma metade, devido à sua inabilidade em pronunciar a consoante inicial de "*quarter*" [quarto] — tudo isso ajudou a contribuir para uma fama infeliz de estupidez. Seu pai, sempre lidando melhor com o filho de longe, pareceu entender. "Watt (o vice-capitão) acha que Bertie é tímido na aula", ele escreveu a Hansell. "Acredito que seja seu desagrado em mostrar a fala hesitante que o impeça de responder, mas ele acabará superando isso, espero."[21]

O processo levaria porém vários anos. Nos exames finais, realizados em dezembro de 1910, Bertie ficou em 68º lugar, entre 68 alunos. "Temo que não haja como esconder-lhe o fato de que P. A. [Príncipe Albert] se tornou uma pessoa tosca", escreveu Watt a Hansell. "Ele perdeu completamente a cabeça nos últimos dias com a excitação de ir para casa; e, infelizmente, como esses eram os dias dos exames, fracassou por completo."

Foi nesse período que seu amado avô, Edward VII, morreu. Em 7 de maio, Bertie olhou para fora da janela da sala de aula, em Marlborough House, e viu o estandarte real içado a meio mastro sobre o Palácio de Buckingham. Dois dias depois, vestidos com o uniforme dos cadetes navais, ele e David observaram, da sacada de Friary Court, St. James's Palace, a cerimônia da proclamação de seu pai como rei. No dia do enterro do avô, marcharam atrás do esquife em Windsor, da estação até a capela de St. George. A ascensão do pai significava que David agora era o primeiro na linha do trono e Bertie, o segundo.

O péssimo desempenho acadêmico de Bertie não o impediu de passar, no mês de janeiro seguinte, para a próxima etapa de sua educação, o Royal Naval College, em Dartmouth, onde David cursava o último ano. Ali, outra vez, Bertie enfrentou as inevitáveis comparações com o irmão mais velho, que não era, ele próprio, grande coisa como estudante, segundo qualquer padrão. "Seria desejável se ele fosse mais dotado da sutileza e da compreensão que possui o Príncipe Edward", escreveu Watt.[22]

Mas a situação melhorou no ano seguinte, e foi igualmente importante nesse sentido o fato de David deixar Dartmouth e ir para o Magdalen College, em Oxford, permitindo ao irmão mais novo emergir de sua sombra. O currículo passou a ser encaminhado de uma forma mais distante do lado acadêmico, voltando-se para o sentido prático da arte de navegar, para a qual ele estava mais capacitado. Ele também era encorajado pelo oficial de seu período letivo, tenente Henry Spencer-Cooper, a praticar os esportes em que se saía melhor, como montaria, tênis e corrida *cross-country*.

Depois de dois anos em Dartmouth, ele embarcou, em janeiro de 1913, para a etapa seguinte de sua preparação: um cruzeiro de treinamento com duração de seis meses, no cruzador *Cumberland*. Durante a viagem pelas Índias Ocidentais e Canadá, Bertie experimentou a adulação que inevitavelmente resultava de ser um membro da Família Real. Foram tantas as apresentações públicas exigidas que ele convenceu um colega cadete a substituí-lo, como seu dublê, em algumas ocasiões de menor importância. Ele também se viu, pela primeira vez, diante da necessidade de proferir discursos, o que se revelaria um suplício imenso por toda a sua vida. Um discurso preparado que ele teve de ler na íntegra, na abertura do Kingston Yacht Club, na Jamaica, mostrou-se especialmente difícil.

Em 15 de setembro de 1913, então com 17 anos, Bertie foi investido no posto de aspirante de Marinha júnior, no navio de guerra HMS *Collingwood*, de 19.250 toneladas. Era a primeira etapa de uma carreira naval que, como acontecera com seu pai, ocuparia sua vida durante os próximos anos, segundo ele esperava. Aparentemente por razões de segurança, era chamado de Johnson.

Mas havia uma grande diferença entre pai e filho. Enquanto o futuro Rei George V amava tanto a Marinha quanto o mar, seu filho venerava a Marinha como uma instituição, mas não gostava muito do mar em si — na verdade, sofria bastante de enjoo. Também continuava a ser atormentado pela timidez — fato registrado por muitos de seus colegas oficiais. Um deles, o tenente F. J. Lambert, descreveu o príncipe como "um rapaz pequeno, com o rosto vermelho e gago". Acrescentou: "Quando ele me informou sobre seu navio, a fala ficou presa e depois saiu numa explosão. Não tinha ideia de quem ele era e quase o xinguei, por lançar salpicos de saliva em cima de mim." Outro, o subtenente Hamilton, escreveu sobre seu comandado: "Johnson é cheio de juventude e alegria, mas não consigo arrancar dele uma só palavra."[23] A proposta de um brinde "ao rei", num salão para oficiais da Marinha Real, tornava-se um tormento, por conta do medo do som "k" (de *king*).

Havia pela frente desafios muito mais sérios: em 3 de agosto de 1914, o Reino Unido declarou guerra à Alemanha, depois de uma "resposta insatisfatória" ao ultimato britânico para que a Bélgica fosse mantida neutra. Em 29 de julho, o *Collingwood*, com outros integrantes dos esquadrões de combate, partiu de Portland para Scapa Flow, nas Orkneys, ao largo da extremidade mais ao norte da Escócia, com a missão de proteger a entrada do Mar do Norte contra os alemães.

Bertie partiu para o norte com o navio, mas, após apenas três semanas, adoeceu com o primeiro dos vários problemas médicos que lançariam uma sombra sobre sua carreira naval. Sofrendo de violentas dores no estômago e com dificuldade para respirar, teve o diagnóstico de apendicite; em 9 de setembro, o órgão atingido foi removido, num hospital em Aberdeen.

Semi-inválido aos 19 anos, enquanto seus contemporâneos combatiam e morriam pelo país, Bertie uniu-se ao Estado-Maior, no almirantado. Mas achou monótono o trabalho lá e, depois de insistir, teve permissão para voltar ao *Collingwood*, em fevereiro do ano seguinte. Estava a bordo há apenas uns poucos meses quando começou novamente a sofrer do estômago. Tinha uma úlcera, como se verificou depois, mas os médicos não conseguiram diagnosticá-la, atribuindo os problemas, em vez disso, a "um enfraquecimento da parede muscular do estômago e, como consequência, aparecimento de muco". Prescreveram-lhe repouso, dieta cuidadosa e enema noturno, mas, logicamente, ele não melhorou.

Bertie passou a maior parte do resto do ano em terra, inicialmente em Abergeldie, e depois em Sandringham, sozinho com o pai; ambos se tornaram íntimos. Nesse período, Bertie aprenderia muito sobre o que era ser um rei em tempo de guerra

— uma experiência que lhe serviria quando ele se encontrou na mesma posição, duas décadas depois.

Em meados de maio de 1916, ele voltou para o *Collingwood* a tempo de participar da Batalha da Jutlândia, no final do mês. Embora novamente hospitalizado, no navio (dessa vez, aparentemente, por ter comido cavalinha em conserva), na noite em que o navio partiu Bertie estava em condições suficientemente boas para ocupar seu lugar "num torreão", no dia seguinte. O papel que o *Collingwood* desempenhou na ação não foi significativo, mas Bertie alegrou-se por ter participado, como registrou, e por ter sido testado sob fogo cruzado.

Para grande alívio seu, os problemas com o estômago pareciam melhorar. Mas então, no mês de agosto, tornaram a atacar, dessa vez violentamente. Transferido para terra firme, foi examinado por vários médicos, em revezamento, e eles finalmente diagnosticaram uma úlcera. Em maio de 1917, porém, ele estava de volta, em Scapa Flow, dessa vez como tenente titular, no *Malaya*, um navio de guerra maior, mais veloz e mais moderno do que o *Collingwood*. No final de julho, ficou mais uma vez doente e foi transferido para um hospital em South Queensferry, perto de Edimburgo. Depois de oito anos treinando ou servindo na Marinha, Bertie percebeu, a contragosto, que sua carreira em serviço havia terminado. "Pessoalmente, sinto que não sou apto para o serviço no mar, mesmo depois de me recuperar desse pequeno ataque", disse ele ao pai.[24] Naquele mês de novembro, depois de muita hesitação, ele finalmente se submeteu à operação para extirpar a úlcera, que transcorreu bem, embora a constante situação de saúde debilitada continuasse a afetá-lo nos anos vindouros, tanto física quanto psicologicamente.

Bertie estava determinado a não voltar para a vida civil enquanto a guerra continuasse, e, em fevereiro de 1918, foi transferido para o Real Serviço Aéreo Naval, que, dois meses mais tarde, se fundiria com o Corpo Aéreo Real, formando a Força Aérea Real. Ele se tornou oficial em comando do Esquadrão número 4, do Boys' Wing, em Cranwell, Lincolnshire, onde permaneceu até o mês de agosto seguinte. Nas últimas semanas da guerra, ele serviu no *staff* da Força Aérea Independente, em seu quartel-general em Nancy; e, depois de sua dissolução, em novembro, permaneceu no continente como oficial do Estado-Maior da Força Aérea Real.

Quando chegou a paz, Bertie, como muitos oficiais que retornavam, foi para a universidade. Em outubro de 1919, foi para o Trinity College, em Cambridge, onde estudou história, economia e educação cívica durante um ano. Não estava muito claro por que ele, como segundo filho, necessitaria desses conhecimentos, mas eles se mostraram de grande utilidade uma década depois.

Embora Bertie fizesse tudo o que se esperava dele, os problemas com a fala (e seu constrangimento por isso), aliados à sua tendência à timidez, continuaram a pesar sobre ele. Não poderia ser maior o contraste com o irmão mais velho, cada vez mais alvo da adulação da imprensa e do público.

Mas nem tudo era exatamente o que parecia. Quando os dois irmãos chegaram à casa dos 20 anos, a relação com o pai começou a mudar. David já fazia, com grande sucesso, viagens pelo Império; mas quem estava em torno dele começou a sentir que ele desfrutava em excesso a notoriedade, o que não era bom para si mesmo nem para o país. O rei começava a se preocupar com o amor quase obsessivo do filho mais velho pelo que era moderno — e que George desprezava —, com o desagrado dele pelo protocolo e a tradição reais e, acima de tudo, com sua predileção por mulheres casadas, um traço que ele parecia ter herdado de Edward VII. Pai e filho começaram a entrar em choque frequentemente, muitas vezes por causa de coisas bem insignificantes, como vestuário, assunto que interessava quase obsessivamente ao rei. Como lembrou o príncipe mais tarde, sempre que seu pai começava a lhe falar sobre dever, a palavra em si já criava uma barreira entre eles.

Em contraste, Bertie, aos poucos, se tornava o favorito do pai. Em 4 de junho de 1920, com 24 anos, foi feito Duque de York, Conde de Inverness e Barão Killarney. "Sei que se comportou muito bem, numa situação difícil para um jovem, e que fez o que lhe pedi", escreveu-lhe o rei. "Espero que me considere seu melhor amigo e sempre me diga tudo e sempre me encontrará pronto para ajudá-lo e lhe dar bons conselhos."[25]

Em sua função de presidente da Boys' Welfare Society, que então cresceu e se transformou na Industrial Welfare Society, o duque, como o chamaremos daqui em diante, começou a visitar minas de carvão, fábricas e ferrovias, desenvolvendo um interesse significativo pelas condições de trabalho e recebendo o apelido de "príncipe industrial". A partir de julho de 1921, ele também instituiu uma interessante experiência social: uma série de acampamentos anuais de verão, realizados inicialmente num aeródromo em desuso em New Romney, na costa de Kent, e mais tarde em Southwold Common, em Suffolk, visando reunir rapazes de uma ampla gama de procedências sociais. O último se realizaria na véspera da guerra, em 1939.

O duque subiu ainda mais no apreço do pai depois de seu casamento, em 26 de abril de 1923, com a bela *socialite* Elizabeth Bowes Lyon. Embora a noiva tivesse levado uma vida ainda mais protegida que a do marido, era uma plebeia — apesar de nascida nos altos escalões. O rei, que, segundo o Royal Marriage Act de 1772, precisava dar seu consentimento, não hesitou em fazê-lo. A sociedade mudara, ele parece ter ponderado, tornando aceitável que seus filhos se casassem com pessoas comuns — desde que viessem das mais elevadas linhagens da nobreza britânica.

Bertie e Elizabeth conheceram-se num baile, no início do verão de 1920. Filha do Conde e da Condessa de Strathmore, Elizabeth tinha 20 anos e acabara de chegar à sociedade de Londres para aclamação geral. Um grande número de jovens desejava muito casar-se com ela, mas Elizabeth não estava com pressa de dizer sim a nenhum deles — nem mesmo ao duque. Não era apenas pelo fato de ser avessa a se tornar um membro da Família Real, com todas as limitações que isso impunha. O duque também não lhe parecia uma grande conquista: embora gentil, encantador e de boa aparência, era tímido e não falava bem, em parte por causa da gagueira.

O duque se apaixonou por ela, mas suas primeiras tentativas de seduzi-la não foram bem-sucedidas: parte do problema, como ele confidenciou, em julho de 1922, a J. C. C. Davidson — um jovem político conservador —, era que não podia pedir uma mulher em casamento, pois, como filho do rei, não seria aceitável colocar-se numa posição de talvez ser recusado. Por um motivo, enviou um emissário a Elizabeth, a fim de pedir-lhe a mão em casamento em seu nome — e a resposta foi negativa.

Davidson lhe deu um conselho simples: nenhuma moça altiva aceitaria uma proposta de segunda mão, e assim, se o duque estava realmente tão apaixonado por ela quanto afirmava, devia fazer a proposta pessoalmente. Em 16 de janeiro de 1923, os jornais estavam cheios de notícias sobre o noivado dos dois. Três décadas mais tarde, após ficar viúva, a então Rainha-Mãe escreveu a Davidson para "lhe agradecer o conselho que dera ao rei em 1922".[26]

O casamento, realizado em 26 de abril de 1923 na Abadia de Westminster — usada pela primeira vez para as núpcias de um filho do rei —, foi um evento alegre. A noiva usava um vestido de gaze de seda *moiré*, em tom creme, com uma longa cauda de filó e um véu de renda de Flandres, as duas peças emprestadas a ela pela Rainha Mary. O duque estava com seu uniforme da Força Aérea Real. Havia 1.780 lugares na Abadia — como o *Morning Post* noticiou no dia seguinte, era "uma grande e resplandecente congregação, incluindo muitos dos personagens que estão na liderança da nação e do Império". "Você é mesmo um homem de sorte", escreveu o rei a seu filho. "Sinto sua falta (...) você sempre foi sensato e é fácil trabalhar com você (muito diferente do caro David) (...) Tenho certeza de que Elizabeth será uma esplêndida parceira em seu trabalho."

No entanto, em meio à alegria, havia também um lembrete de que o casamento do duque era uma espécie de espetáculo secundário em comparação com a ocasião em que seu irmão mais velho finalmente se casasse. Num suplemento especial, publicado na véspera do casamento, um jornalista do *The Times* expressara satisfação com a escolha da noiva feita pelo duque, "verdadeiramente britânica até o âmago", e falara com aprovação da "garra e da perseverança" dele. Mas concluiu, como muitos na ocasião, falando do contraste entre Bertie e seu "brilhante irmão mais velho", acrescentando: "Há apenas um casamento que as pessoas esperam com interesse ainda mais profundo — o que dará uma esposa ao herdeiro do trono e, de acordo com o curso natural dos acontecimentos, uma futura rainha da Inglaterra para os povos britânicos." O jornal e seus leitores ficariam desapontados.

O casamento foi um momento decisivo na vida do duque: ele se tornou muito mais feliz e mais à vontade consigo mesmo — e com o rei. A devoção de seu pai a Elizabeth também ajudou:

embora ele fosse rigoroso no tocante à pontualidade, perdoava a nora pelos atrasos crônicos. Certa ocasião, quando ela apareceu para um almoço quando todos já estavam sentados, ele murmurou: "Você não está atrasada, minha querida. Com certeza, nós nos sentamos cedo demais." O nascimento da primeira filha do casal, Elizabeth, a futura rainha, em 21 de abril de 1926, aproximou ainda mais a família.

Moraram inicialmente no White Lodge, no meio do Richmond Park, uma grande propriedade, um tanto intimidadora, que o Rei George II construíra para si na década de 1720. Mas o casal de fato queria morar em Londres, e, depois de uma longa procura por algo adequado e dentro de seu orçamento, mudaram-se, em 1927, para Piccadilly 145, uma casa de pedra próxima de Hyde Park Corner, voltada para o sul, com a vista do Green Park, na direção do Palácio de Buckingham.

O duque continuava com suas visitas a fábricas e parecia descontraído e feliz com esse trabalho. Mas as oportunidades mais formais — especialmente quando precisava discursar — eram uma questão inteiramente diferente. O contínuo problema com a fala pesava sobre ele. O temperamento alegre e sociável da infância começou a se perder por trás de uma máscara sombria e um jeito acanhado. O problema do marido e o efeito que tinha nele afetavam também a duquesa; segundo um relato contemporâneo, sempre que ele se levantava para responder a um brinde, ela agarrava a beirada da mesa até suas juntas ficarem brancas, com medo de que ele gaguejasse e não conseguisse dizer uma só palavra.[27] Isso também contribuía para o nervosismo dele e o levava a explosões de mau gênio, que só a esposa era capaz de aquietar.

A plena extensão dos problemas de fala do duque tornou-se dolorosamente óbvia para todos em maio de 1925, quando ele sucederia ao irmão mais velho como presidente da Exposição do Império, em Wembley. A ocasião deveria ser marcada por um discurso que ele pronunciaria no dia 10. No ano anterior, milhares de pessoas haviam observado quando a esguia figura do Príncipe de Gales, com seus cabelos dourados, pedira formalmente permissão ao pai para inaugurar a exposição. O rei falara brevemente, em resposta —, e, pela primeira vez, suas palavras foram transmitidas para a nação pela então British Broadcasting Company (mais tarde Corporation). "Tudo se passou com o maior sucesso", anotou o rei em seu diário.[28]

Agora era a vez de o duque fazer o mesmo. O discurso em si era muito curto, e ele o ensaiara sucessivas vezes, mas seu terror de falar em público se fazia sentir. Igualmente aterrorizante era o fato de que ele estaria falando diante do pai pela primeira vez. À medida que ia se aproximando o grande dia, ele ficava cada vez mais nervoso. "Espero muito fazer isso bem", escreveu ao rei. "Mas estarei muito assustado, pois você nunca me ouviu falar e os alto-falantes tendem a desconcertar inteiramente a pessoa. Então, espero que entenda o fato de eu estar mais nervoso do que habitualmente."[29]

A situação não melhorou com um ensaio de última hora em Wembley. Depois de já ter proferido algumas frases do discurso, o duque percebeu que não saía nenhum som dos alto-falantes e se virou para os oficiais a seu lado. Ao fazer isso, alguém virou o interruptor certo e as palavras dele: "Esses malditos aparelhos não estão funcionando", estrondearam através do estádio vazio.

O verdadeiro discurso do duque, transmitido não apenas na Inglaterra, mas em todo o mundo, terminou com uma humilhação. Embora ele conseguisse, por pura determinação, ir até o fim lutando para tudo dar certo, seu desempenho foi marcado por alguns momentos embaraçosos, quando os músculos de seus maxilares se moveram freneticamente e não saiu som nenhum. O rei tentou colocar as coisas de maneira positiva: "Bertie chegou ao fim do discurso, tudo bem, mas houve algumas pausas longas", ele escreveu para o irmão mais novo do duque, Príncipe George, no dia seguinte.[30]

Foi imensamente negativo o efeito psicológico que o discurso teve em Bertie e na família, e o problema causado à monarquia por seu desempenho horroroso. Esses discursos deveriam ser parte da rotina diária do duque, o segundo na linha sucessória, mas ele claramente falhara ao enfrentar o desafio. As consequências, tanto para seu próprio futuro quanto para o da monarquia, pareciam sérias. Como disse um biógrafo contemporâneo, "tornava-se cada vez mais evidente que medidas drásticas teriam de ser tomadas, para ele não se transformar num indivíduo tímido e isolado, destino comum dos que sofrem de defeitos da fala".[31]

Por coincidência, Logue, aquele dia, estava em meio à multidão em Wembley ouvindo o discurso do duque. Inevitavelmente, interessou-se por aquilo que ouvira. "Ele é velho demais para que eu consiga uma cura completa", disse ao seu filho Laurie, que o acompanhava. "Mas eu conseguiria quase isso. Tenho certeza." Por uma coincidência igualmente estranha, ele teria essa oportunidade — embora apenas alguns meses depois.

Há diferentes versões para a maneira como o duque se tornaria o mais famoso paciente de Logue. Mas, segundo John Gordon, do *Sunday Express*, tudo começou no ano seguinte, quando um australiano que conhecia Logue se encontrou com um preocupado camarista real.

— Tenho de ir aos Estados Unidos ver se posso trazer até aqui um especialista em defeitos da fala para cuidar do Duque de York — explicou o camarista. — Mas é tão inútil. Nove especialistas já o examinaram. Todos os tratamentos possíveis foram tentados. E nenhum teve o mínimo sucesso.

O australiano tinha a solução:

— Há um jovem australiano que acabou de vir para cá. Parece bom. Por que não tentar um tratamento com ele?

No dia seguinte, 17 de outubro de 1926, o camarista foi a Harley Street conhecer Logue. Este causou boa impressão, e o camarista perguntou se ele seria capaz de fazer algo pelo duque.

— Sim — respondeu Logue. — Mas ele deve vir encontrar-se comigo aqui, o que lhe impõe um esforço que é essencial para o sucesso. Se eu o procurar em casa, perderemos o valor disso.

Há outra versão, mais curiosa, segundo a qual o papel de intermediário foi desempenhado por Evelyn "Boo" Laye, uma glamourosa estrela das comédias musicais. O duque tivera uma paixão por ela desde que a vira pela primeira vez no palco, com a idade de 19 anos, em 1920. Laye, soprano lírico, mais tarde se tornaria amiga dele e também de sua esposa. Cinco anos mais tarde, ela se apresentava no Adelphi Theatre, no papel-título do musical *Betty in Mayfair* e, depois de uma programação estafante de oito apresentações por semana, começava a ter problemas com a voz.

Segundo Michael Thornton, escritor e amigo de longa data de Laye, a cantora consultou Logue, que diagnosticou "voz incorreta" e prescreveu alguns exercícios de respiração profunda para o diafragma — o que rapidamente aliviou seus problemas. Laye ficou profundamente impressionada. E assim, no verão de 1926, quando ela encontrou a Duquesa de York e a conversa das duas tratou da próxima viagem para a Austrália e de todos os discursos que o duque teria de proferir lá, Laye recomendou Logue.

"A duquesa ouviu com grande interesse e perguntou se ela lhes daria os dados do sr. Logue", lembra Thornton. "A duquesa pareceu considerar um ponto de grande importância o fato de Lionel Logue ser australiano e ela e o duque estarem partindo para a Austrália."[32]

Pouco depois, Laye telefonou para Patrick Hodgson, secretário particular do duque, e lhe deu o número do telefone de Logue.

A própria Laye continuou a consultar Logue por muitos anos, especialmente em 1937, quando encarou o extenuante papel como protagonista ao lado de Richard Tauber, o grande tenor austríaco, na opereta *Paganini*. Com o encorajamento de Logue, ela também começou a dar ao futuro rei aulas de canto, que visavam melhorar a fluência de sua elocução quando ele falasse.

Quem quer que fosse responsável pela apresentação inicial, o primeiro encontro entre o duque e Logue quase não aconteceu. Embora a esposa quisesse muito que ele procurasse conselhos profissionais, Bertie se tornava cada vez mais frustrado com o fracasso dos vários tratamentos a que fora persuadido a se submeter — especialmente os que assumiam a origem nervosa de sua gagueira, o que parecia piorar a situação, ao invés de melhorar. Mas a duquesa estava determinada a dar a Logue uma oportunidade, e, por sua causa, ele afinal sucumbiu e concordou em marcar uma consulta. Aqueles poucos minutos mudariam sua vida.

CAPÍTULO 5

Diagnóstico

"Mental: Inteiramente normal, tem uma aguda tensão nervosa que lhe foi trazida pelo defeito (...)" Um cartão, escrito com uma caligrafia pequena, comprida e fina, com o título "Sua Alteza Real, o Duque de York — Cartão de Consulta", registra as primeiras impressões que Logue teve do duque, depois de ele ter subido os dois lances de escada que levavam ao seu consultório, em Harley Street, às 3 horas da tarde de 19 de outubro de 1926.

"Físico: Bem constituído, com bons ombros, mas a linha da cintura muito flácida", continuava a anotação no cartão.

Bom desenvolvimento do peito, respiração no alto dos pulmões boa. Ele nunca usou o diafragma, ou a parte inferior do pulmão — e isso resultou em completa falta de controle do plexo solar em situações de tensão nervosa, com consequentes episódios de fala com problemas, depressão. Contrai dentes e boca e mecanicamente fecha a garganta. Abaixa o queixo e fecha a garganta às vezes. Um hábito fora do comum de cortar palavras pequenas (*an*, *in*, *on*) e dizer a primeira sílaba de uma palavra e a última de outra, cortando o centro, além de apresentar uma hesitação muito frequente.

Nesse primeiro encontro, Logue percebeu que a origem dos problemas do paciente era o tratamento que ele sofrera tanto nas mãos do pai quanto nas dos professores particulares, que pareciam ter pouca simpatia por suas dificuldades na fala. O duque lhe falou sobre o incidente no qual, quando criança, era incapaz de dizer a palavra *"quarter"* [quarto] e seus contínuos problemas com *"king"* e *"queen"*.

"Posso curá-lo", declarou Logue no final do encontro, que durou uma hora e meia, "mas será necessário um tremendo esforço de sua parte. Sem esse esforço, a cura será impossível."

Logue identificou o problema do duque, como era o caso de muitos de seus pacientes: uma questão de respiração defeituosa. Concordaram em manter consultas regulares. Logue prescreveu uma hora de esforço concentrado todos os dias, consistindo em exercícios respiratórios que ele próprio inventara, gargarejos regulares com água quente e ficar de pé junto a uma janela aberta, entoando as vogais uma por uma, cada qual durante 15 segundos.

Logue insistiu, porém, que não deveriam se encontrar na casa do duque nem em nenhum outro dos prédios reais, mas em seu consultório em Harley Street ou, então, em seu pequeno apartamento em Bolton Gardens. Apesar da diferença social entre eles, esses encontros deveriam ocorrer em termos de igualdade — o que significava um relacionamento descontraído, e não um relacionamento do tipo formal, que um príncipe normalmente teria com uma pessoa comum.

Como Logue lembrou mais tarde: "Ele entrou em minha sala, um homem magro e quieto, com olhos cansados e todos os sintomas externos de um homem sobre quem um defeito habitual de fala começara a deixar sua marca. Quando saiu, podia-se ver que havia mais uma vez esperança em seu coração."

Aos poucos, o progresso começou a ocorrer — como revelam as anotações de Logue sobre o caso, embora breves:

30 out.: Diafragma muito mais firme, nítido avanço.
16 nov.: Boa melhora geral, controle muito maior, diafragma quase sob completo controle.
18 nov.: Enquanto ele progride, o estalo na garganta se torna muito perceptível, ao passo que outras falhas são eliminadas. O diafragma agora está forçando o ar através dos músculos da garganta.
19 nov.: Não cometeu nenhum erro durante uma hora, apesar do fato de estar muito cansado.
20 nov.: O maxilar inferior tornou-se flexível.

Depois da entrevista inicial, o duque teve um total de 82 encontros entre 20 de outubro de 1926 e 22 de dezembro de 1927, segundo uma conta finalmente redigida por Logue em 31 de março de 1928. A consulta inicial custou a ele 24 libras e 4 xelins; as outras aulas, um total de 172 libras e 4 xelins. Logue cobrou-lhe mais 21 libras por "aulas dadas em viagem para a Austrália", num total grandioso de 197 libras e 3 xelins — o equivalente a quase 9 mil libras hoje.

Essa "viagem para a Austrália" era a principal razão para as visitas do duque a Harley Street. No mês de janeiro seguinte, ele e a duquesa deveriam embarcar para uma viagem de volta ao mundo durante seis meses, a bordo do cruzador *Renown*. O ponto alto seria no dia 9 de maio, quando o duque deveria inaugurar um novo Parlamento da Commonwealth, em Canberra. Era uma ocasião altamente simbólica. O *Daily Telegraph* declarou que o discurso do duque lá seria tão histórico quanto a proclamação da Rainha Victoria como imperatriz da Índia, em

1877. Com todos os olhos — e, mais gravemente, ouvidos — voltados para ele, Bertie não podia se arriscar a uma repetição do fiasco em Wembley.

As origens da viagem remontavam a mais de um quarto de século antes, quando se deu a transformação das então colônias australianas em estados, unidos numa federação sob o governo do Império. Esse governo e o Parlamento perante o qual ele era responsável tinham inicialmente como local Melbourne, no estado de Victoria. Essa, porém, era apenas uma solução temporária; embora o povo de Victoria tivesse gostado de que sua capital se tornasse a federal, Sydney, a capital de Nova Gales do Sul, também desejava essa honra.

Uma década mais tarde, chegou-se finalmente a um acordo: o governo adquiriu uma área de 1.448 quilômetros quadrados do estado de Nova Gales do Sul, que seria designada território federal e serviria como local de uma nova capital australiana, Canberra. Embora a Primeira Guerra Mundial provocasse um hiato, o trabalho de construção finalmente começou em 1923, e o ano de 1927 foi escolhido para a transferência do poder para Canberra e a convocação da primeira sessão do Parlamento. Stanley Bruce, o primeiro-ministro, pediu ao Rei George V que enviasse um de seus filhos para realizar a cerimônia de inauguração.

O irmão mais velho do duque, o Príncipe de Gales, viajara pela Austrália em 1920, recebendo profusos aplausos, e o rei achou que era tempo de seu filho mais novo desempenhar uma importante missão imperial. Mas ele não estava inteiramente convencido de que Bertie se mostraria à altura — entre outros motivos, por conta da gagueira. Bruce também tinha suas dúvidas: ele ouvira o duque falar várias vezes durante a Conferência Imperial de 1926 e não ficara impressionado. Bertie estava igualmente em dúvida sobre sua capacidade de dar conta do exaustivo programa de discursos que seria exigido. Embarcar numa viagem tão longa também significaria separar-se da duquesa e da única filha do casal, a Princesa Elizabeth, que nascera no mês de abril anterior.

Apesar dessas preocupações, em 14 de julho o governador-geral enviou um telegrama ao rei pedindo que o duque e a duquesa abrissem o Parlamento; cinco dias depois, chegou de Londres a confirmação oficial.

Foi com esse pano de fundo que o duque teve seu primeiro encontro com Logue, exatamente três meses depois — e parece que daí resultou um considerável apoio psicológico. Segundo Taylor Darbyshire, um dos primeiros biógrafos do duque, "a grande vantagem daquela primeira consulta foi que ela dera ao duque a convicção de que podia ser curado (...) Desiludido tantas vezes antes, a mudança de perspectiva causada pela descoberta de que seu problema era físico e não, como ele sempre temera, mental restabeleceu sua confiança e renovou sua determinação".[33]

Uma coisa era identificar o problema, e outra inteiramente diferente era corrigi-lo. Nos sete meses anteriores à viagem, o duque encontrava-se regularmente com Logue durante uma hora, fosse em Harley Street ou na casa dele, em Bolton Gardens. Cada momento disponível que ele tinha fora de seus deveres oficiais era passado praticando os exercícios prescritos. Se estivesse caçando, dava um jeito de voltar cedo para passar uma hora trabalhando com Logue antes do jantar. Se tivesse um compromisso oficial, encontrava uma pausa que lhe permitisse ter sua lição.

"O que aqueles sete meses impuseram ao duque em termos de labuta e esforço nunca foi adequadamente entendido pela nação", lembrou o amigo de Logue, o jornalista do *Sunday Express* John Gordon, anos depois. Todo esse esforço começou finalmente a apresentar resultados: o duque começou a pronunciar consoantes difíceis, nas quais ele anteriormente tropeçava. Cada avanço o impulsionava a se lançar novamente nos exercícios com determinação ainda maior.

Certa ocasião, um vizinho esnobe enviou uma carta lacônica a Logue, dizendo-lhe para instruir seu visitante no sentido de não estacionar o carro na frente de sua casa. Quando o australiano respondeu que diria ao duque para colocar o carro em outro lugar, o tom do vizinho mudou completamente: "Ah, não, não faça isso. Ficarei encantado se o duque continuar a deixá-lo aqui."

Algumas semanas antes da data de partida para a viagem, o duque enfrentou um teste de suas habilidades com a fala. The Pilgrims Society, um clube que organizava jantares com o objetivo de incrementar as relações anglo-americanas, queria realizar um jantar de despedida para ele. Seus membros — uma mistura de políticos, banqueiros, homens de negócios, diplomatas e outras figuras influentes — estavam acostumados a ouvir alguns dos melhores oradores do mundo. Nessa ocasião, Lorde Balfour, que havia sido primeiro-ministro mais de duas décadas antes, estava na presidência e alguns dos mais talentosos oradores da Grã-Bretanha na lista de brindes. Em suma, seria um desafio para o melhor orador, quanto mais para alguém que ainda lutava para pronunciar a letra "k".

O duque, então, decidiu enfrentar corajosamente o desafio. Ele próprio preparou e revisou o discurso e, no dia do banquete, saiu cedo do campo onde caçava para fazer um ensaio final com Logue. "A fama do duque era tão ruim que os presentes não esperavam mais do que algumas poucas palavras hesitantes. Em vez disso, viram-se diante de um orador sorridente, confiante, que, embora sem grandes lances de oratória, lhes falou com surpreendente confiança e convicção. Como diz Darbyshire: "Os que estavam naquele jantar não esqueceriam facilmente da surpresa que lhes estava reservada."

Embora tivessem em grande medida mantido uma certa reserva quando à questão sensível dos problemas de fala do duque, os jornais também manifestaram surpresa diante do fato de ele se sair tão bem. "O Duque de York está melhorando rapidamente como orador", informou o *Evening News*, em 27 de dezembro. "Sua voz está boa, inconfundivelmente a voz da família. Ele ainda se prende excessivamente às anotações para ter mais liberdade em suas maneiras; mas, apesar disso, mostra-se principesco." Outro jornal acrescentou: "Todos sabem das dificuldades que tem para falar. Mas praticamente superou os obstáculos para sua expressão vocal e, como comentou seu velho secretário particular, Sir Ronald Waterhouse, quando a reunião se dispersava: 'Foi maravilhoso! O discurso que ele proferiu foi o melhor de sua vida.'"

O duque revelou, mais tarde, que tratara o discurso como um verdadeiro teste do progresso obtido sob as instruções de Logue e que ter tido tanto sucesso o fizera alcançar um ponto decisivo na carreira; finalmente, a deficiência parecia estar desaparecendo.[34]

Mas os desafios que o duque enfrentaria na viagem eram de uma escala inteiramente diferente. Ele gostaria de ter consigo seu professor, mas Logue recusou-se a ir, comentando que a autoconfiança era parte importante da cura. Foi exercida pressão sobre Logue para que mudasse de ideia, mas ele se manteve firme, declarando que seria um "erro psicológico".

Parece que o duque não se aborreceu com ele — uma aparente aceitação de sua parte, também, da importância da autoconfiança. Na véspera da partida, ele escreveu: "Meu caro Logue, devo enviar-lhe algumas linhas para lhe dizer como lhe sou grato por tudo o que fez para me ajudar com meu problema de fala. Penso que me proporcionou um bom começo no caminho de me libertar dele e tenho certeza de que, se eu levar adiante seus exercícios e instruções, não haverá retrocesso. De qualquer forma, estou cheio de confiança quanto a esta viagem agora. Outra vez, muitíssimo obrigado."[35]

O duque e a duquesa partiram de navio de Portsmouth em 6 de janeiro de 1927. O rei e a rainha despediram-se deles em Victoria; havia uma tristeza especial com relação à partida do casal — também tiveram de dizer adeus à filha, ainda bebê, Elizabeth. "Senti muito partir na quinta-feira, e o bebê estava tão doce, brincando com os botões do uniforme de Bertie, que isso quase me fez desistir", escreveu mais tarde a duquesa à rainha.[36] As cartas frequentes que chegavam de casa, informando sobre o progresso da menina, ajudavam muito pouco a consolá-los em sua ausência.

Bertie também sentia o peso da seriedade das responsabilidades formais que tinha diante de si. Vinte e seis anos antes, seu pai, na ocasião Duque de Cornwall e York, inaugurara a federação abrindo a primeira sessão do Parlamento da Commonwealth, em Melbourne. Agora, seu segundo filho seguia seus passos. "É a primeira vez que você me envia numa missão referente ao Império, e posso garantir-lhe que farei o possível para ser o sucesso que todos nós esperamos", ele escreveu ao pai.[37] Decidido a ter o melhor desempenho, Bertie empenhou-se nos exercícios que Logue lhe preparara. Dedicou-se ao programa com considerável energia, mesmo quando muitos dos que se encontravam em torno dele descansavam no calor tropical.

Navegaram para oeste, parando em Las Palmas, Jamaica e Panamá. Numa carta efusiva do Panamá, em 25 de janeiro, o duque descreveu como estivera praticando os exercícios de leitura e pronunciou três discursos curtos — um na Jamaica e dois no Panamá —, saindo-se bem em todos, apesar do calor incômodo. Ele escreveu:

> Desde que estou aqui, não fiquei paralisado por conta de alguma palavra nas conversas em nenhuma ocasião. Não importa com quem eu tenha falado. A leitura diária é árdua, por falta de tempo, mas faço isso em momentos avulsos, especialmente depois de me exercitar, quando estou sem fôlego. Isso também não me perturbou.
>
> Seus ensinamentos, devo dizer, deram-me uma grande confiança e, enquanto eu puder continuar e pensar nisso o tempo inteiro, nos próximos meses, tenho certeza de que descobrirá que não recuei. Não penso mais sobre a respiração; esse alicerce é sólido, e mesmo um mar agitado não me abala quando estou falando. Tento abrir minha boca e, com certeza, sinto que está mais aberta do que antes. Você se lembra do meu medo de "*the king*" [o rei]. Digo esta palavra todas as noites, ao jantar, a bordo. Não me preocupa mais.

A carta, como sempre manuscrita, foi assinada "Cordialmente, Albert."[38]

Patrick Hodgson, o secretário particular do duque, também apreciava assegurar a Logue o progresso que seu aluno fazia. "Apenas algumas linhas — num clima muito quente — para lhe informar que Sua Alteza Real está em grande forma e a melhora de sua fala vem sendo bem mantida", ele escreveu, em meados de fevereiro, a bordo do navio, perto de Fiji. "Ele discursou muito bem na Jamaica e no Panamá e, embora talvez haja um pouquinho mais de hesitação do que quando você está próximo, à disposição, ele está cheio de confiança e no geral muito melhor do que eu esperaria que ficasse em sua ausência."[39] Hodgson concluiu com a promessa de voltar a escrever quando o duque já tivesse discursado um pouco mais.

Depois, a viagem seguiu para oeste, até a Nova Zelândia. Ao amanhecer do dia 22 de fevereiro, sob um forte aguaceiro, eles passaram pelo canal estreito, entraram na baía de Waitemata e chegaram ao porto de Auckland. Os temidos discursos começaram imediatamente: só na primeira manhã, Bertie teve de proferir três. "O último, na prefeitura, foi bastante longo, e posso dizer-lhe que fiquei realmente satisfeito com a maneira como o fiz, pois tinha perfeita confiança em mim mesmo e não hesitei em momento nenhum", escreveu Bertie à sua mãe, cinco dias depois, de Rotorua. "Os ensinamentos de Logue estão funcionando bem, mas claro que, quando me canso, ainda fico preocupado."[40] As semanas seguintes se passaram num redemoinho de jantares, eventos, recepções ao ar livre, bailes e outras funções oficiais, durante as quais o duque se saiu com distinção. O único contratempo aconteceu em 12 de março, quando a duquesa ficou doente, com amigdalite, e, a conselho dos médicos, voltou para Wellington, a fim de convalescer na residência oficial.

O primeiro pensamento do duque foi abandonar a parte final da viagem pela South Island e voltar para Wellington com ela. Intensamente tímido por natureza, ele passara a depender muito do apoio da esposa. Tal era o entusiasmo com que a duquesa era saudada pelas multidões — uma antecipação das boas-vindas que a Princesa Diana receberia mais de meio século depois, quando ela e o Príncipe Charles viajaram pela Austrália e Nova Zelândia — que Bertie estava convencido de que era ela que eles realmente queriam ver.

O duque persistiu, porém, e ficou agradavelmente surpreso com a resposta. Impressionados com seu autossacrifício, o povo lhe deu uma acolhida especialmente calorosa, enquanto ele continuava a viagem sozinho. Quando se reuniu com a duquesa, a bordo do *Renown*, em 22 de março, ele pôde olhar para trás com certa satisfação pelo que realizara, mesmo sem ela a seu lado.

Mas o verdadeiro desafio ainda estava por vir, na parte australiana da excursão, que começou quatro dias depois, quando desembarcaram sob um sol brilhante no porto de Sydney Bertie estava aparentemente impávido diante do que o esperava. "Sinto sempre uma confiança tão grande em mim mesmo e não fico remoendo um discurso, como fazia antigamente", escreveu ele. "Agora sei o que fazer, e esse conhecimento me tem sido útil repetidas vezes."[41]

Os dois meses seguintes, durante os quais o casal real viajou de um estado para outro, foram inteiramente cheios de compromissos — incluindo, claro, discursos. Um dos mais comoventes foi o de Melbourne, em 25 de abril, para comemorar o Dia de Anzac, assinalando o décimo segundo aniversário dos desembarques em Gallipoli. Ele o fez com sucesso.

E então, em 9 de maio, chegou o principal evento da viagem: a abertura do Parlamento. O duque dormira mal na véspera, por conta do nervosismo, e aumentara seu encargo propondo um discurso extra. Esperava-se uma plateia tão grande que ele decidiu por uma rápida fala para a multidão do lado de fora, enquanto abria as grandes portas da nova casa do Parlamento com uma chave de ouro. *Dame* Nellie Melba cantou o Hino Nacional; soldados desfilavam e aviões zumbiam no céu — um deles caiu e se espatifou de uma altura de cento e tantos pés, a cerca de dois quilômetros da arquibancada de inspeção, matando o piloto. Embora perto de 20 mil pessoas estivessem presentes (e um número calculado de dois milhões ouvissem em casa, pelo rádio), o duque ganhou o combate com seus nervos. "Foi", escreveu ao rei o general Lorde Cavan, seu chefe do Estado-Maior, "um tremendo sucesso e inteiramente ideia de Sua Alteza Real".[42]

Quando entrou na pequena Câmara do Senado para proferir seu discurso formal aos membros de ambas as casas do Parlamento, o duque foi atingido imediatamente pelo calor, que se intensificou quando as luzes foram acesas para os fotógrafos e operadores cinematográficos, cuja cobertura deveria ser apresentada nos noticiários da Pathé para espectadores na Inglaterra. "Tão tremenda era a luz que elevou a temperatura do Senado de 18 para 27 graus, aproximadamente, em vinte minutos, embora, por um pedido especial, um terço dela fosse desligado", comentou Cavan.[43] No entanto, o duque prosseguiu vigorosamente, num desempenho que todos os interessados consideraram esplêndido.

No almoço oficial, os quinhentos convidados se uniram ao duque, brindando seu pai com laranjada e limonada — Canberra era, por lei, inteiramente abstêmia. Essa abstinência forçada não conseguiu refrear o sentimento de orgulho e alívio do duque pelo que fizera; isso se refletiu numa carta que ele escreveu ao pai, na qual homenageou a assistência que recebera de Logue. "Não fiquei muito nervoso quando fiz o discurso, porque o que proferi do lado de fora se passou sem nenhum impedimento e não hesitei nem uma só vez", ele contou. "Senti-me aliviado, porque fazer discursos ainda me assusta, embora os ensinamentos de Logue realmente tenham feito maravilhas por mim, pois agora sei como impedir e superar qualquer dificuldade. Tenho uma confiança maior em mim agora, e estou certo de que ela vem do fato de ser capaz de falar de forma correta, afinal."[44] O duque também se certificou de que Logue soubesse como ele estava grato: na noite do discurso, Hodgson enviou para a residência de seu professor, em Bolton Gardens, um telegrama, dizendo simplesmente: "Grande sucesso. Discursos em Canberra. Todos satisfeitos."[45]

Em 23 de maio, o duque e a duquesa finalmente retornaram para casa, com os parabéns ainda tinindo nos ouvidos. "Sua Alteza Real tocou profundamente o povo por sua juventude, sua simplicidade e comportamento espontâneo", escreveu para o rei Sir Tom Bridges, governador do sul da Austrália, "enquanto a duquesa recebeu uma tremenda ovação e nos deixa com a responsabilidade de ter um continente apaixonado por ela. Essa visita fez um bem indizível e, com certeza, atrasou 25 anos o relógio da desunião e deslealdade, no que diz respeito a este Estado."[46]

O drama, contudo, ainda não havia terminado inteiramente. Três dias depois que o *Renown* deixou o porto de Sydney e seguia na direção do oceano Índico, um grave incêndio irrompeu numa das salas de caldeiras e chegou perto de atingir todo o abastecimento de óleo do navio. As chamas foram extintas na última hora, mas a gravidade do incidente foi tamanha que, a certa altura, houve planos para abandonar o navio.

O duque e a duquesa desembarcaram em Portsmouth em 27 de junho, dando aos moradores a oportunidade de avaliar o progresso de Bertie por meio de um discurso que ele proferiu em resposta às palavras de boas-vindas do prefeito. Basil Brooke, o tesoureiro do duque, que estava entre os presentes, escreveu a Logue para dizer como ficara "realmente perplexo" com o que ouvira. "Praticamente não houve hesitação, e achei o discurso inteiramente maravilhoso", escreveu ele. "Achei que gostaria de saber disso."[47]

Enquanto os três irmãos do duque o encontravam em Portsmouth, o rei e a rainha o cumprimentaram, e à sua esposa, na estação Victoria. Durante os seis meses de afastamento, o casal real viajara quase 48 mil quilômetros por mar e vários milhares de quilômetros por terra. O calor da recepção que receberam demonstrara claramente a alta consideração que ainda merecia a monarquia, tanto na Austrália quanto na Nova Zelândia, e havia poucas dúvidas de que, com sua presença, eles haviam fortalecido mais esse devotamento à Coroa e ao Império.

O que era igualmente importante: a viagem dera ao duque uma nova confiança na própria capacidade. Ele estava agudamente consciente da maneira como seu desempenho melhorara sua situação aos olhos do rei. As conversas com o pai não pareciam mais tão assustadoras quanto antigamente. "Não devo vangloriar-me e devo bater na madeira enquanto escrevo que não tive um dia ruim desde que cheguei à Escócia", escreveu ele a Logue, em 11 de setembro, em Balmoral. "Andei conversando muito com o rei e não tive nenhum problema, absolutamente. Também posso fazer com que ele ouça e não tenho de repetir tudo novamente."[48] O duque também disse que contara ao médico do rei, Lorde Dawson, de Penn, que estava sendo tratado por Logue, e ele notou a diferença imediatamente — e, em seguida, o duque recomendou-lhe enviar todos os seus casos de gagueira para Logue "e para mais ninguém!!!".[49]

Num almoço na Mansion House, onde a cidade lhes deu as boas-vindas na volta, o duque falou durante meia hora, de forma agradável, suave e com grande encanto sobre suas experiências na viagem. Logue começou a pensar que seu paciente não apenas estava superando os problemas como também se encaminhava para se tornar de fato um orador de primeira classe. Mas, por maior que fosse o progresso alcançado por ele na Austrália, Bertie percebeu que ainda tinha de trabalhar com a gagueira e as falas em público. E, assim, alguns dias depois de voltar a Londres, retomou suas visitas regulares a Harley Street.

Nas sessões que se seguiram, o duque trabalhava com trava-línguas, frases difíceis de pronunciar, que Logue lhe prescrevia. Apesar da imensa distância social entre eles, a relação de ambos se transformou em amizade, e não apenas contato profissional, com a ajuda do estilo franco e sem rodeios de Logue.

"A característica destacada, nos dois anos que passou comigo, é a enorme capacidade de trabalho que possui Sua Alteza Real", disse Logue a Darbyshire, o biógrafo do duque. "Logo que ele começou a melhorar, sentiu necessidade de que o discurso fosse perfeito, e nada menos do que esse ideal o satisfaria. Durante dois anos, nunca faltou a um encontro comigo — algo de que ele pode, com justiça, se orgulhar. Percebeu que o desejo de se curar não era suficiente, mas que pedia fortaleza de caráter, trabalho duro e autossacrifício, e tudo isso ele deu, sem se queixar. Agora ele 'chegou ao seu reinado' de satisfação e confiança na dicção."

A duquesa também desempenhava um papel importante (embora discreto) ao estimular o marido a seguir adiante. Embora grande parte disso ocorresse em particular, os outros, na presença dele, vez por outra podiam entrever ligeiramente um olhar de relance ou uma atitude dela, como numa ocasião em que o duque se levantou para falar, depois de um almoço, e pareceu estar lutando mais do que o habitual. Ele estava prestes a desistir quando os presentes viram a duquesa estender a mão e apertar-lhe os dedos, como se quisesse encorajá-lo a continuar. Sem titubear, ele o fez.

CAPÍTULO 6

Traje de gala com plumas

Os carros estavam enfileirados, com os para-choques encostados uns nos outros, ao longo de quase toda a extensão da alameda que conduzia até o Palácio de Buckingham. Era a noite de 12 de junho de 1928, e um pequeno grupo de mulheres vestidas com esmero, usando plumas e pérolas, estava prestes a ser apresentado ao Rei George V e à Rainha Mary. Em sua maioria, vinham dos escalões superiores da sociedade inglesa; mas também, entre elas estava Myrtle Logue.

Era uma honra rara — mas um dos privilégios adicionais recentes, com o trabalho de Lionel. Em 20 de dezembro de 1927, Patrick Hodgson, o secretário particular do duque, escrevera para dizer que Myrtle seria apresentada a uma das cortes do próximo ano pela esposa de Leo Amery, o secretário para o Império. Em 28 de maio, chegou a muito esperada "convocação" do lorde camareiro, para comparecer à primeira das duas cortes reais a se realizarem aquele mês no Palácio de Buckingham.

O convite estipulava que as damas deveriam estar vestidas "em traje de gala, *com* plumas e caudas"; os cavalheiros que as acompanhassem deveriam usar "traje de gala completo". A roupa de Myrtle era adequadamente majestosa: um vestido de cetim parecendo pergaminho sobre *georgette* rosa-claro, com alças de diamantes nos ombros e uma cauda de tecido prateado, preso a um tule cor-de-rosa que lhe saía de cima do ombro esquerdo e se prendia ao busto por uma fivela de diamantes, caindo em dobras ao longo das costas até o quadril direito, onde a prendia outra fivela de diamantes.

Era pouco depois das 18 horas quando ela e Lionel entraram de carro na alameda, mas não se movimentaram muito até as 20h30, quando, um a um, os carros começaram a avançar vagarosamente na direção do Palácio de Buckingham, chegando lá, finalmente, às 21 horas. Os procedimentos deveriam começar às 21h30. O senso de reverência de Myrtle pela ocasião misturava-se à frustração pela longa demora e pelo inesperado caos.

"A espera na alameda foi aterrorizante", escreveu ela, num relato do que ocorrera durante o dia, mais tarde publicado num jornal australiano. "A massa engalfinhando-se em cima do estribo do automóvel a fim de espiar lá dentro! Era revoltante demais — milhões de pessoas —, e, depois, se a pessoa olhasse cheia de cansaço para a alameda, olharia diretamente para os olhos dos rapazes — aliás, dos velhos também —, que viajavam para cima e para baixo em seus carros e espiavam de soslaio para dentro das carruagens. Felizmente, Lionel estava comigo; caso contrário, eu morreria de medo e de raiva."

Às 21 horas, tiveram afinal permissão para entrar no Palácio e em sua suntuosa antecâmara, onde plumas balançantes, véus de tule e joias compunham uma visão inesquecível. Depois de outra espera, dessa vez de cerca de uma hora, o lorde camareiro, aproximou-se deles — os homens foram levados para fora, a fim de esperar em outra antecâmara, enquanto as mulheres permaneceram de pé, enfileiradas, com as caudas dos vestidos puxadas para cima dos ombros. Ao entrarem no salão do trono, dois camaristas puxavam-lhes as caudas dos braços e as arrumavam no chão, sussurrando: "Uma mesura para o rei e outra para a rainha." Enquanto os nomes das mulheres eram estrondeados em voz tão alta a ponto de quase assustá-las, elas eram apresentadas ao rei, fazendo uma mesura, sem sorrir. Ele respondia com um aceno de cabeça, olhando seriamente para cada uma, enquanto elas passavam, antes que a rainha fizesse o mesmo.

E então, com uma fanfarra de trombetas, tudo terminava. Os cavalheiros da sala das senhoras saíam recuando, seguidos pelo rei e a rainha, com os pajens carregando as caudas de suas roupas, curvando-se para a direita e para a esquerda. Todas as mulheres baixavam-se em mesura até o chão, e os homens ficavam de pé em posição de sentido, com as cabeças curvadas. Mais tarde, sentindo-se abatidos e cansados, Lionel e Myrtle procuraram os salões de refeições, para degustarem frango e champanhe. Depois de posarem para fotos, tomaram o caminho de casa. "Nunca acreditaria que pudesse ser um suplício tão grande", lembrou Myrtle, embora escrevesse em resposta a Hodgson dizendo o quanto apreciara a noite. Em 26 de julho, ele convidou os dois para uma recepção ao ar livre.

Nessa época, o casal comprou um pequeno bangalô para férias, chamado Yolanda, em Thames Ditton Island, no rio Tâmisa. Era cercado por rosas, e o gramado ia até a beira da água. "Lionel precisa de um lugar de repouso e paz para passar a primavera e o verão, e estávamos ficando muito cansados de levar as crianças por todo o continente por mais ou menos um mês, perdendo a parte mais linda do ano inglês. Então decidimos ficar na Inglaterra durante o verão", explicou Myrtle. "Este lugar é adorável! Estivemos aqui todas as semanas durante a primavera e o verão. Pescamos, nadamos e gostamos de andar de barco e simplesmente 'preguiçar'; e nos divertimos totalmente."

Nos meses que se seguiram, os jornais ingleses publicaram cada vez mais matérias sobre o progresso do duque — e todas eram reunidas por Logue e coladas num grande álbum com capa verde, que ele repassava à família.

Ao se referir ao comparecimento do duque a um banquete em Mansion House, em Londres, com a finalidade de levantar fundos para o Queen's Hospital for Children, o *Standard* comentou, em 12 de junho de 1928: "O duque melhorou muito como orador, e sua hesitação desapareceu quase por completo. Seu apelo em favor das crianças foi feito com verdadeira eloquência." Um comentarista da *North-Eastern Daily Gazette* chegou à mesma conclusão no mês seguinte, depois de um discurso do duque em outro evento beneficente, para o hospital, dessa vez no Savoy. "Numa apreciação geral, não estou certo se seus discursos não se igualam aos do Príncipe de Gales", comentou o jornal. "E este é um padrão bastante elevado. O duque aprendeu as duas mais valiosas lições para um orador: ser espirituoso e breve. Ele usou um sorriso muito cativante, nesse jantar, quando disse esperar que os oradores seguintes tivessem o efeito do depenador elétrico que ele vira recentemente numa mostra agrícola — um aparelho que despia um frango de suas penas no menor tempo possível."

O *Evening News* retomou o mesmo assunto no mês de outubro seguinte. "O Duque de York cresce em fluência como orador", comentou o jornal. "Ele está acentuadamente mais confiante do que há dois anos, mais confiante, de fato, do que era alguns meses atrás. Seus discursos revelam que tem praticado continuamente." O *Daily Sketch* ficou impressionado com o fato de o duque "estar se liberando cada vez mais do impedimento que antigamente interferia em seu verdadeiro dom para a retórica adequada e rematada". Ouvindo a "música" na voz do duque durante um discurso no Stationers' Hall, um comentarista um pouco mais imaginativo do *Yorkshire Evening News* lembrou-se de outros exemplos de grandes oradores que superaram dificuldades: "Pensei em Demóstenes e na história de sua vitória sobre seus lábios hesitantes; no sr. Churchill e sua conquista; no sr. Disraeli, cujo primeiro discurso foi uma grande humilhação; no sr. Clynes, que, na adolescência, costumava ir a uma pedreira a fim de praticar a arte de falar."[50]

Enquanto os jornalistas observavam a melhora na fala do duque, a maneira como ele conseguira alcançá-la (e o papel especial desempenhado por Logue) permanecia um mistério para os que o ouviam falar, e o professor se divertia ironicamente com isso. Em outro recorte de jornal da época, com a manchete "O sucesso do Duque de York em treinar para falar", Logue sublinhou a palavra "treinar". Numa curta reportagem, em 28 de novembro de 1928, o *Star* atribuiu o fato de o duque ter superado a "antiga dificuldade para falar" à influência de seu camarista, comandante Louis Greig, que se tornara amigo íntimo desde que se encontraram pela primeira vez, quase duas décadas antes, quando Greig era oficial-médico assistente no Royal Naval College, em Osborne.

No entanto, era apenas uma questão de tempo para que o segredo acabasse vazando, diante do número de visitas feitas pelo duque à Harley Street e do aparecimento frequente de Logue a seu lado. Em 2 de outubro de 1928, Logue recebeu uma carta, no consultório, de Kendall Foss, correspondente da agência de notícias americana United Press Associations em Londres. Ele escrevia da sucursal da agência, em EC4, Temple Avenue.

Caro senhor, soube que é conhecedor dos fatos relativos à cura do impedimento da fala do Duque de York.

Embora algumas informações dispersas sobre esse assunto sejam correntes em Fleet Street, eu gostaria, naturalmente, de saber a verdade, antes de publicar a matéria.

Por deferência para com Sua Alteza Real, escrevo-lhe para marcar um encontro, na esperança de que tenha a bondade suficiente de nos fornecer os dados para uma reportagem exclusiva, a ser publicada nos Estados Unidos.

Confiando ter notícias favoráveis de sua parte, subscrevo-me Kendall Foss, da United Press.

Logue parece ter telefonado para Hodgson pedindo conselhos, mas disseram-lhe que ele "estava de férias, perdido no 'Continente'". Foss continuou a insistir nos dias seguintes, com telefonemas tanto para Harley Street quanto para Bolton Gardens. Em 10 de outubro, exasperado, Logue escreveu, em resposta: "Embora lhe agradeça a carta cortês de 2 de outubro, me é inteiramente impossível dar qualquer informação a respeito do assunto."

Impávido, Foss continuou com as pesquisas. Sua matéria finalmente foi publicada em 1º de dezembro de 1928, na primeira página do *Pittsburgh Press* e em vários outros jornais dos Estados Unidos. "O Duque de York é o homem mais feliz do Império britânico", começava. "Não gagueja mais (...) O segredo acerca da cura do defeito de sua fala tem sido bem-guardado. Desde a infância, ele sofria de problemas e mais ou menos há dois anos vem se submetendo a um tratamento que se mostrou bem-sucedido. Mas a história nunca foi publicada na Grã-Bretanha." O relato seguinte, escrevera Foss, "só fora obtido depois de pesquisas e indagações altamente exaustivas. Quase ninguém na Grã-Bretanha parecia capaz de fornecer informações".

Foss prosseguia contando a história de Logue, suas técnicas e como ele começara a trabalhar para o duque. Também comentou como, no passado, quando o casal real entrava numa sala, a duquesa caminhava na frente e saía conversando, para poupar o marido do constrangimento de um passo em falso. Agora, em contraste, disse ele, "ela fica para trás, observando timidamente o homem de quem está obviamente orgulhosa".

Logue foi citado apenas confirmando que o duque era seu paciente, mas a ética profissional o impedia de dizer mais. A secretária particular do duque também se mostrou pouco disposta a entrar em detalhes.

Essas reticências não refrearam os elogios do jornalista ao trabalho de Logue. "Obviamente, a análise feita por Logue quanto à dificuldade do Duque de York era correta", concluiu Foss. "Os que nunca ouviram o duque falar, a não ser recentemente, disseram jamais sonhar que ele antes sofresse agonias de constrangimento por conta de sua fala. De forma muito parecida com a de Demóstenes, na antiga Atenas, o duque superou uma deficiência e está fazendo de si mesmo um orador perfeito."

As comportas agora estavam abertas. No dia seguinte, o jornal de Gordon, o *Sunday Express*, apresentou a própria versão — que então percorreu o mundo inteiro. "Milhares de pessoas que ouviram recentemente o Duque de York discursar comentaram a notável mudança em seus discursos", escreveu o jornal. "O *Sunday Express* pode agora revelar o interessante segredo por trás disso." O artigo prosseguia em boa parte dentro do mesmo terreno de Foss, comentando como algo que começara como uma leve gagueira se transformara num defeito que "espalhou sua sombra sobre toda a vida do duque" deixando-o literalmente sem palavras ao encontrar estranhos, o que resultou no início de sua recusa em falar com as pessoas.

Apesar de sua estreita amizade com Gordon, Logue não se permitiu ser nem um pouco mais acessível quanto a seu papel do que fora com Foss. "Obviamente, não posso discutir o caso do Duque de York ou de quaisquer outros pacientes meus", declarou ele ao jornal. "Fui interrogado sobre esse assunto muitas vezes, durante o ano passado, por jornais tanto ingleses quanto americanos, e tudo que posso dizer é que é muito interessante." A matéria do *Sunday Express* foi republicada ou teve continuações em jornais não apenas na Grã-Bretanha, mas também em outras partes da Europa — e especialmente na Austrália, onde a contribuição de Logue foi comentada com compreensível orgulho.

Talvez devido ao duque, a gagueira continuou como assunto relevante para a imprensa. Em setembro de 1929, houve um acirrado debate nas páginas do *The Times* e de outros jornais nacionais sobre a descoberta feita pelos cientistas de que as mulheres tinham uma tendência muito menor a gaguejar do que os homens. Em termos de "descobertas", essa não era particularmente surpreendente: as pessoas que trabalhavam na área há muito, notavam uma preponderância de pacientes do sexo masculino. Isso não impediu que os jornais dedicassem muitos centímetros de colunas de editoriais a respeito; os leitores também relatavam suas experiências — embora tivessem opiniões divergentes quanto à causa da discrepância entre os sexos.

Logue, zelosamente, recortava os artigos e as cartas dos jornais e os colava, enchendo página após página de seu álbum. Convidado pelo *Sunday Express* a se juntar à discussão, ele apresentou seu ponto de vista, que a edição de 15 de setembro publicou com a manchete: "Por que as mulheres não gaguejam. Elas falam sem ouvir."

"Um motivo é que os homens saem mais para o mundo, e as condições os tornam mais inibidos", declarou Logue. "As mulheres muitas vezes tagarelam entre si sem sequer se preocuparem com o que a outra está dizendo." Com relação às mulheres que de fato gaguejam, elas fariam tudo para esconder a atribulação, acrescentou ele, citando o exemplo de uma paciente sua que viajava todos os dias da City para casa, em Earl's Court, mas costumava comprar um bilhete para Hammersmith, porque não conseguia pronunciar direito o som inicial de "k" da palavra "Court". "Outra sempre levava a soma exata da passagem de ônibus, a fim de esconder o defeito."

A confirmação de como o duque se tornara confiante quanto à gagueira (e o seu domínio sobre ela) veio no mês seguinte, com a publicação de um livro sobre ele, de Taylor Darbyshire, jornalista da Australian Press Association que o acompanhara, e à sua esposa, na viagem do casal à Austrália e à Nova Zelândia. O livro, com 287 páginas, descrevia como uma "íntima e autorizada história de vida do segundo filho de Suas Majestades o rei e a rainha, feito por alguém com prerrogativas especiais e publicado com a aprovação de Sua Alteza Real" — o que chamaríamos hoje de uma biografia autorizada.

O livro, amplamente divulgado nos jornais, abordava muitos detalhes acerca de todos os aspectos da vida do duque até aquele momento. Mas eram as páginas que Darbyshire dedicava à gagueira e ao trabalho de Logue para curá-la que mais interessavam à imprensa. Matérias intituladas: "Como o duque venceu," "Defeito na fala superado pelo espírito forte" e "O homem que curou o duque", davam detalhes do que um jornal chamou de "sua luta juvenil para se preparar a ocupar seu lugar na vida pública".

Dessa vez, diante da sanção do duque ao livro, Logue se sentiu capaz de conversar com a imprensa sobre o próprio papel — e sobre os esforços feitos por seu famoso paciente. "A verdadeira causa do impedimento da fala do duque era que seu diafragma não funcionava adequadamente, em associação com o cérebro e a articulação; e, consequentemente, o defeito era apenas físico", disse, numa entrevista publicada por vários jornais, em 26 de outubro. "Logo que ele começou a trabalhar com exercícios de voz, houve melhora imediata."

"Nunca tive um paciente tão tolerante e assíduo", continuou Logue. "Ele nunca faltou a uma só consulta e me disse que estava preparado para fazer qualquer coisa se pudesse ser curado." Logue declarou que agora o duque estava de fato curado, "mas ainda continua a realizar os exercícios físicos, em benefício da sua saúde". O duque, ele disse, era "o paciente mais corajoso e determinado" que já tivera.

As notícias sobre a gagueira do duque — e o australiano pouco convencional que o livrava dela — também se espalharam para além das Ilhas Britânicas. Em 2 de dezembro, a revista *Time* publicou uma matéria curta, intitulada "Grã-Bretanha: C-C-C-Curada". "Durante muitos anos, falar em público fora uma tortura para o gago Duque de York", dizia. "Bem conhecido é o fato de que, para evitar dizer R-R-R-Rei (*K-K-K-King*) em momentos oficiais, ele habitualmente se refere ao pai como 'Sua Majestade'. Especialistas, lembrando a extrema timidez do duque na infância, durante anos trataram sua gagueira psicologicamente, como se fosse causada pelo nervosismo. Os tratamentos foram inúteis, pois Sua Alteza Real continuava a gaguejar."

Na semana anterior, a revista noticiara: "A Grã-Bretanha se animou com a alegre notícia. A gagueira do duque está tão perto da cura total que ele pode dizer '*king*' [rei] sem as hesitações preliminares. Único entre os especialistas a alcançar isso, o dr. Logue percebeu que o impedimento era físico, e não mental. Prescreveu massagens e exercícios para a garganta." Exatamente de onde se tirou a ideia de que Logue era um médico não ficou claro — embora ele, sem dúvida, se sentisse honrado com o título.

As melhoras do duque prosseguiram apesar de um medo opressivo com relação à saúde de seu pai. Enquanto participava da cerimônia do Dia do Armistício, no Cenotáfio, em novembro de 1928, o rei contraiu um forte resfriado, que não tratou e que então evoluiu para uma septicemia aguda. Tornou-se claro que ele ficaria incapacitado durante algum tempo, e em 2 de dezembro seis conselheiros de Estado foram indicados para tratar dos negócios públicos nesse ínterim; o duque era um deles, bem como seu irmão mais velho e sua mãe.

Edward estava fora, numa viagem pelo leste da África, e, apesar das advertências quanto à gravidade das condições de saúde do pai, não partiu imediatamente para casa — o que deixou os auxiliares horrorizados. Finalmente convencido da seriedade da situação, ele voltou às pressas. Durante a viagem, recebeu uma carta do duque, demonstrando que, apesar da gravidade da doença do rei, nenhum dos dois irmãos havia perdido o senso de humor. "Há uma história maravilhosa circulando, que veio do East End", escreveu o duque, "e diz que o motivo para sua volta apressada é que, na eventualidade de alguma coisa acontecer com papai, vou ocupar o trono em sua ausência!!! Exatamente como na Idade Média (...)." Edward divertiu-se tanto com a carta que a guardou e a incluiu em suas memórias.

O rei foi operado e, embora sua vida estivesse em risco por algum tempo, ele começou aos poucos a se recuperar no novo ano. Só no mês de junho seguinte ele estaria suficientemente forte para participar outra vez das cerimônias públicas. O duque fora posto sob tensão tanto pela preocupação com o pai quanto pelos deveres adicionais que teve de cumprir, mas encarou tudo sem se perturbar, como revelou numa carta a Logue em 15 de dezembro de 1928, agradecendo-lhe o livro encaminhando como presente de aniversário.

"Não sei se o enviou como um gentil lembrete para que eu vá vê-lo com mais frequência, mas apreciei sua amável consideração ao fazê-lo", escreveu o duque. "Como pode imaginar, ultimamente minha cabeça está cheia de outras coisas, e, na verdade, mesmo com toda essa tensão minha fala *não* foi afetada nem um pouco. Então, tudo está indo bem."[51]

Tais livros de presente de aniversário iriam tornar-se uma espécie de tradição. Não importava onde estivesse, ou ocupado com o quê, Logue enviaria ao duque, no dia 14 de dezembro, um ou mais volumes cuidadosamente selecionados, pelo resto da vida. O duque, mesmo depois de se tornar rei, respondia com uma carta de agradecimento escrita de próprio punho, na qual inevitavelmente falava sobre o progresso de sua fala, bem como fazia rápidos comentários sobre outros aspectos de sua vida. Logue guardava as cartas como tesouros, e elas acabaram fazendo parte de seu acervo.

CAPÍTULO 7

A calmaria antes da tempestade

A década de 1930 revelou-se a mais tumultuada do século XX. A quebra de Wall Street, em outubro de 1929, levara os exuberantes anos 1920 a uma trêmula parada, introduzindo a Grande Depressão, que, por sua vez, conduziu a uma indizível miséria econômica no mundo inteiro. Também ajudou a ascensão de Adolf Hitler, que se tornou chanceler alemão em janeiro de 1933, deflagrando a cadeia de eventos que levaria à eclosão da Segunda Guerra Mundial seis anos depois.

Para o duque, porém, os primeiros seis anos da década, pelo menos, foram uma época de paz e calma. "Foi quase o último período de paz ininterrupta que ele viveria", escreveu seu biógrafo oficial, "e um momento em que parecia ter alcançado um equilíbrio apropriado entre seus árduos deveres como servidor do Estado e sua feliz existência como marido e pai".[52]

Mas, aos poucos, exigiu-se do duque que desempenhasse papel relevante no funcionamento da Coroa. Além de servir como conselheiro de Estado durante a doença do pai, ele o representara em outubro de 1928 no funeral, na Dinamarca, de Marie Dagmar, a viúva que era imperatriz da Rússia, e no casamento, em março do ano seguinte, de seu primo, o príncipe coroado Olav, da Noruega. No mesmo mês, ele também foi indicado Lorde Alto Real Comissário para a Assembleia-Geral da Igreja da Escócia. Outros deveres, e, inevitavelmente, mais discursos iriam seguir-se.

Houve mudanças também no campo doméstico: em 21 de agosto de 1930, nasceu sua segunda filha, Margaret Rose, e em setembro do ano seguinte o rei deu a ele e à duquesa o Royal Lodge, no Windsor Great Park, para que fosse sua casa de campo.

À medida que iam crescendo, as duas princesas rapidamente se tornaram estrelas da mídia. Jornais e revistas de ambos os lados do Atlântico gostavam muito de publicar matérias e fotografias sobre elas — e o faziam muitas vezes com o encorajamento da própria Família Real, que percebia seu valor publicitário. Extraordinariamente, o terceiro aniversário da menina "Lilibet", como Elizabeth era chamada na família, foi considerado uma ocasião importante, suficiente para dar a ela um lugar na capa da revista *Time*, em 21 de abril de 1929 — embora seu pai, àquela altura, não fosse ainda sequer herdeiro do trono.

Nesse ínterim, as circunstâncias pessoais de Logue também estavam mudando. Em 1932, ele e Myrtle saíram de Bolton Gardens, mudando-se para os altos cumes de Sydenham Hill, uma área que, em grande parte, abrigava vilas vitorianas com generosos jardins e oferecia vistas maravilhosas da cidade. A casa deles, "Beechgrove", em Sydenham Hill 111, era afastada, ampla, embora um tanto deteriorada, tinha três andares, com 25 quartos, e datava da década de 1860. Ficava a algumas ruas de distância do Palácio de Cristal, o gigantesco prédio de ferro fundido e vidro construído para abrigar a Grande Exposição de 1851, inicialmente situado no Hyde Park, mas deslocado para o sudeste de Londres quando a exposição terminou. Quando o Palácio de Cristal foi destruído por um terrível incêndio, em novembro de 1936, atraindo uma multidão de 100 mil pessoas, Logue e Myrtle tiveram assento nas primeiras fileiras.

Nessa época, Laurie já era um rapaz robusto, no final de seus 20 anos, com quase 1,80 metro de altura e uma envergadura atlética herdada da mãe. Partira para Nottingham a fim de aprender sobre o fornecimento de alimentos com Messrs Lyons. Seu irmão Valentine estudava medicina no Hospital St. George, que, naquele tempo, ficava em Hyde Park Corner, enquanto Antony, o mais novo, frequentava o Dulwich College, a uns 3 quilômetros de distância. A casa precisava de vários criados para ser administrada, mas todo o espaço extra tornou-se útil, porque a família aceitou inquilinos, a fim de aumentar sua renda.

Para o encantamento de Myrtle, ela também tinha cerca de 5 acres de jardim, incluindo aleias de rododendros e uma extensão de floresta aos fundos que, se verdadeiros os boatos, fora usada para enterrar os mortos no período da grande epidemia de peste. Havia também uma quadra de tênis. Como lembrança de sua terra natal, ela conseguiu cultivar ali caucho e acácias australianas, embora em estufa, por causa do clima frio de Londres.

A essa altura, a relação de Logue com o duque estava provocando emoções diversas. Como qualquer professor, ele devia sentir orgulho do que alcançara — porém, quanto mais progredia o pupilo real, menos seus serviços eram necessários. Não obstante, ele mantinha contatos com o duque, escrevendo-lhe regularmente e continuando a lhe mandar felicitações e o livro de aniversário. As cartas escritas a ele pelo duque, juntamente com esboços das que ele escrevia, eram todas infalivelmente coladas em seu álbum.

Em 8 de março de 1929, por exemplo, Logue escreveu ao duque perguntando como iam seus discursos. "É a época em que envio um pequeno questionário para todos os meus pacientes, apenas para saber como andou seu desempenho e perguntar se a fala está inteiramente satisfatória, não apresentando nenhum problema", escreveu ele. "Como sempre o tratei exatamente como a qualquer outro paciente, espero que não se importe com o meu questionário." Cinco dias depois, o duque escreveu em resposta, dizendo que, embora a casa estivesse cheia de gripe, "nas poucas ocasiões em que falei em público tudo saiu bem".[53]

No mês de setembro seguinte, o duque escreveu a Logue de Glamis Castle, em resposta à sua carta de congratulações pelo nascimento da Princesa Margaret Rose. "Foi um longo tempo de espera, mas tudo correu muito bem", escreveu ele. "Minha filha mais nova vai muito bem e possui um bom par de pulmões Minha esposa está maravilhosamente bem, de modo que não tenho nenhuma preocupação sob esse aspecto. Minha fala anda perfeitamente correta e a preocupação não a afetou, absolutamente." E então, naquele mês de dezembro, houve o costumeiro agradecimento, na ocasião do aniversário real, "pelo 'pequeno liiiivro', que é perfeito de todas as maneiras e não ocupa espaço no bolso".

Os auxiliares do duque também interessavam-se muito pelo trabalho de Logue com ele, como revela uma esclarecedora carta manuscrita por Patrick Hodgson, secretário particular do duque, enviada em 8 de maio de 1930:

Caro Logue,
    Se puder convencer o duque a tentar falar mais com as pessoas quando vai a cerimônias, estará prestando um grande serviço. Ele se comporta bem durante o jantar, mas, quan-

do as pessoas são levadas até ele e lhe são apresentadas, ele aperta suas mãos, mas permanece inteiramente mudo. Acho que o único motivo é a timidez, mas causa má impressão em estranhos. Sei que ele teme se aproximar das pessoas e então descobrir que as palavras não saem; mas, se puder levá-lo a acreditar que é bom para ele fazer o esforço, seria uma verdadeira ajuda, porque ele terá de passar por muitas situações do gênero durante este verão.

Mas os encontros de Logue com o duque se tornavam cada vez mais raros — apesar de suas tentativas, por meio das cartas, de encorajar seu paciente real a encontrar tempo para uma consulta. Embora se encontrassem em março de 1932, dois anos se passariam antes de tornarem a fazê-lo.

"Você deve estar imaginando o que aconteceu comigo", escreveu o duque, em 16 de junho de 1932, de Rest Harrow, Sandwich, Kent, onde ele e a família foram passar uma semana, para relaxar. "Você se lembra de eu lhe dizer que não me sentia bem e estava cansado, em março. Procurei um médico, que me informou que minhas vísceras haviam caído e os músculos inferiores estavam fracos, de modo que, naturalmente, eu estava doente. Agora, com massagens e um cinto, estou melhorando, mas levará algum tempo para que eu me sinta outra vez inteiramente bem. Costumava queixar-me com você da minha respiração, 'muito baixa', como eu dizia, pois aqueles músculos estavam fracos, meu diafragma dava a impressão de que não havia nada para sustentá-los. Agora, a respiração está muito mais fácil com a ajuda do cinto, e eu falo muito melhor, com um esforço bem pequeno."

O duque finalizava a carta prometendo ir ver Logue outra vez em breve, embora avisasse que estava ocupado e poderia se passar algum tempo antes de isso ser possível. De fato, a visita não ocorreu naquele ano, nem no seguinte — em grande parte por causa da crescente confiança do duque em sua habilidade para falar em público, o que significava que as sessões não eram mais necessárias.

Naquele mês de setembro, o duque refletiu sobre o imenso progresso que alcançara desde aquelas primeiras consultas com Logue. Continuava a ter receios de falar em público, fazendo-o de forma lenta e deliberada, "mas nada mais acontece, de fato, durante um discurso, que me deixe preocupado". As hesitações eram também em menor número: Logue o aconselhou a parar de pausar entre palavras isoladas e, em vez disso, fazer pausas entre grupos de palavras.

Os efeitos da Depressão começavam a se fazer sentir: no final de 1930, o desemprego na Inglaterra mais do que dobrara, passando de 1 milhão para 2,5 milhões de pessoas — o equivalente a um quinto da força de trabalho segurada. Até a Família Real sentiu a necessidade de ser vista fazendo sacrifícios (embora, em grande medida, simbólicos). Um dos primeiros decretos do rei, depois que Ramsay MacDonald, o líder trabalhista, formou seu governo nacional, em agosto de 1931, foi uma redução de 50 mil libras na soma concedida pelo Parlamento inglês para as despesas com a Casa Real, enquanto durasse a emergência. De sua parte, o duque desistiu das caçadas e de sua cavalariça. "Veio como um grande choque para mim o fato de que, com os cortes financeiros que tive de fazer, minhas caçadas seriam uma das coisas de que devo abrir mão", escreveu ele para Ronald Tree, o treinador dos cães de caça Pytchley, em Northamptonshire, onde ele caçara nas duas temporadas anteriores, enquanto alugava a Naseby House.[54] "É preciso também vender meus cavalos. Esta é a pior parte de todas, e me separar deles será terrível."

Aqueles que, como Logue, tinham de trabalhar para ganhar o sustento sofriam ainda mais. Com todos apertando os cintos, os serviços que ele prestava estariam entre os primeiros itens a serem cortados pelas pessoas. Embora Logue fosse cuidadoso para que não o vissem negociando sua ligação com a nobreza, isso deve tê-lo ajudado a sobreviver num período tão difícil. O duque, sempre grato pelo que Logue fizera por ele, fazia questão de recomendá-lo a seus amigos.

A cobertura que Logue recebeu no *Sunday Express* em dezembro de 1928 também parece ter sido boa para os negócios, como ele mencionou numa carta ao duque, no mês de fevereiro seguinte: "Desde o Natal, recebi mais de cem cartas de pessoas do mundo inteiro pedindo-me para aceitá-las como pacientes", escreveu ele. "Algumas são muito engraçadas, mas todas são patéticas."[55] Apesar desse apoio, em 1932 a queda econômica teve seus efeitos, como ele escreveu para o duque, naquele mês de janeiro: "Foi um ano muito duro para mim, com tanta gente perdendo o emprego."

Logue, enquanto isso, planejava instalar uma nova clínica, como ele contou ao duque em sua carta anual de aniversário, em dezembro de 1932. Bertie pareceu adequadamente entusiasmado. "Fiquei muito interessado ao saber de seu novo investimento numa clínica", escreveu ele em resposta, no dia 22. "Tenho certeza de que age corretamente ao se lançar por conta própria e acho que muita gente o conhece agora como o único capaz de proporcionar cura duradoura para os defeitos da fala. Muitas vezes falo com as pessoas a seu respeito e lhes dou seu endereço, quando me pedem." O duque conclui a carta com a seguinte frase: "Com a esperança de vê-lo em breve."

O encontro não aconteceu, e em maio de 1934, Logue tornou a escrever, queixando-se da falta de contato, embora, ao mesmo tempo, elogiasse o duque, dizendo-lhe o quanto sua voz melhorava. Uma semana depois, o duque respondeu: "Desculpe não ter visto você durante tanto tempo (dois anos, como diz), mas raras vezes senti que precisava da ajuda que pode dar-me", escreveu ele. "Sei que isso é o que deseja que eu sinta, mas, ao mesmo tempo, parece ingratidão da minha parte não ter ido visitá-lo." Ele prosseguiu: "Meu cinto fez maravilhas por mim nos últimos dois anos, e agora, finalmente, mandei reduzi-lo até um nível abaixo do diafragma, o que me capacita a respirar sem o antigo suporte."[56]

Embora ocupado, o duque prometeu ir vê-lo em breve. "Você ainda tem sua sala em Harley Street? Eu ainda poderia subir correndo aquelas escadas, eu acho", escreveu.

Finalmente, encontraram-se em 1934 — porém, uma vez mais, foi um encontro sem continuidade.

Logue, enquanto isso, continuava a emergir das sombras. Depois do livro de Darbyshire, apareceu um artigo sobre ele no *News Chronicle*, em 4 de dezembro de 1930, na coluna "Diário de um homem que anda pela cidade". Seu autor, que assinava com o pseudônimo "Quex", mostrava-se impressionado com a juventude do homem que acabara de comemorar seu 53º aniversário. "Seus olhos azuis têm o brilho da juventude", dizia o texto. "Seu cabelo é encaracolado e cheio. Ele tem a pele de um colegial, quase nenhuma ruga no rosto, e com um rubor que é mais inglês do que australiano."

"Bem", respondeu Logue. "Admito que ainda corro quase 2 quilômetros, embora não goste lá muito de fazer isso; e você sabe que é possível manter a juventude de espírito se fizer amigos e conservá-los."

Refletindo sobre sua carreira, ele comentou: "Realmente extraordinário é o número de pessoas que nunca ouvem de fato as próprias vozes. Experimentei com meia dúzia de pessoas no gramofone. Falam no receptor, e, quando as vozes são reproduzidas, surpreende ver quantas são incapazes de reconhecer a gravação que elas mesmas fizeram. Não há dúvida de que, na pessoa mediana, a memória visual é mais desenvolvida do que a auditiva."

Curiosamente, Logue declarou que seus poderes de observação eram tais que, mesmo que estivesse fora do alcance de seu ouvido, ele podia olhar para um grupo de pessoas e distinguir qual delas sofria de um defeito de fala: "Desde que ajam de maneira natural, não se sentem imóveis e não evitem fazer seus gestos normais."

Logue esboçou suas teorias com mais detalhes num artigo do *Daily Express* em 22 de março de 1932. Intitulado "Sua voz pode ser sua fortuna", fazia parte de uma série sobre "Saúde e Conversas Domésticas". Não se fazia nenhuma menção à sua relação profissional com o duque, mas é justo supor que os leitores deviam ter consciência disso. "A maior falha da fala moderna é o ritmo em que é usada", escreveu Logue.

> Há uma ideia equivocada de que "pressa" implica realização, enquanto na verdade significa um uso errado de energia e é inimiga da beleza.
>
> A voz inglesa é uma das mais belas do mundo, mas seu efeito é muitas vezes comprometido pela produção errada. Apenas um número mínimo de pessoas percebe que trunfo ela pode ser. Não foi Gladstone quem disse que "Tempo e dinheiro gastos na melhora da voz resultam em lucros mais altos do que qualquer outro investimento?" Esta é uma declaração drástica, mas concordo com ela.

Poucas pessoas conhecem suas próprias vozes porque é difícil "ouvir" a si mesmo. Por isso, aconselho todos que puderem a ouvir suas vozes reproduzidas. Em geral, as pessoas ficam surpresas quando fazem isso, porque é muito raro conhecerem como soam suas vozes. Os defeitos da fala estão entre os males da civilização; são quase desconhecidos entre as raças nativas. O nervosismo é responsável por grande parte do problema. A voz é uma indicação segura não apenas da personalidade, mas das condições físicas da pessoa. Estudei vozes a minha vida inteira, e posso dizer quais são as peculiaridades físicas de uma pessoa apenas ouvindo sua fala, mesmo que esteja em outro cômodo.

Todo paciente requer uma maneira ligeiramente diferente de ser tratado, e é necessário um estudo da psicologia de cada indivíduo. Condições que darão a um homem confiança suficiente para superar um defeito na verdade deflagrarão em outro um defeito parecido.

Certa vez, tive como pacientes dois irmãos. Um falava com facilidade quando estava com a família, mas não conseguia falar com estranhos. O outro era fluente com estranhos, mas o contrário com amigos ou parentes. Ambos foram curados, mas com métodos diferentes, embora os defeitos tratados fossem quase idênticos. Os homens quase têm o monopólio dos defeitos da fala. A proporção é de uma mulher para cem homens.

Quando uma mulher tem um defeito, em geral é grave, mas ela quase sempre obtém sucesso quando decide superá-lo. Acho que isso se deve a seu poder de concentração, o qual, sempre digo, é maior do que o de um homem.

Gaguejar é um dos defeitos da fala mais comuns, e quase sempre isso pode ser curado. De fato, exceto em raros casos de deformidade física, a maioria dos defeitos da fala pode ser superada, desde que o paciente queira. Sem essa vontade de melhorar, o tratamento de nada adianta. Tive pacientes aos quais precisei dizer: "Não posso fazer nada por você", (mas) com a cooperação do paciente, até casos extremos de afonia (perda completa de voz) são tratáveis.

Como parte de seu objetivo de trazer mais respeitabilidade para sua profissão, Logue também obteve êxito na criação da Sociedade Britânica de Terapeutas da Fala, em 1935. O duque estava entre aqueles a quem ele contou. Logue enviou para ele uma cópia da circular inaugural da Sociedade. O duque respondeu com uma carta igualmente entusiástica, em 24 de julho de 1935. "Estou tão satisfeito de saber que você finalmente pôde materializar seu sonho e espero muito que a Sociedade seja um sucesso", ele escreveu.

O objetivo declarado da Sociedade era "estabelecer a profissão da terapia da fala numa base satisfatória, neste país e no exterior, e elevar e manter padrões adequados de conduta profissional, compatíveis com uma íntima relação com a profissão médica". Muitos de seus membros, como Logue, eram professores com experiência como praticantes particulares; alguns trabalhavam em equipes de hospitais. Mais tarde, a Sociedade criaria um Hospital-Escola Nacional de Terapia da Fala, no qual, após um curso de dois anos, em que se estudavam várias disciplinas, incluindo fonética, anatomia, pediatria, ortodontia e doenças do ouvido, nariz e garganta, os estudantes eram qualificados como auxiliares médicos (terapeutas da fala).

Inevitavelmente, diante do alto número de pessoas com gagueira (e do desespero de muitos para alcançar a cura), a área era atraente para charlatães desejosos de ganhar dinheiro. O conselho executivo da Sociedade ficou especialmente alarmado, no verão de 1936, com as atividades de um certo Ramon H. Wings, um pretenso "especialista no método alemão para o tratamento da gagueira", que colocava imensos anúncios nas estações do metrô, em cartazes em muros e na imprensa, prometendo aulas e conselhos gratuitos. As palestras de Wings atraíram plateias de até mil pessoas, em busca de cura rápida e garantida para seu problema.

Após serem atraídos, os pacientes recebiam uma consulta pessoal grátis, na qual lhes era oferecido um curso com dez aulas, a um preço de 10 guinéus. Seriam então divididos em grupos entre vinte e cem pessoas, e, depois de umas poucas sessões, os melhores entre eles se tornavam professores e, em alguns casos, realmente encenavam grandes encontros públicos por conta própria, produzindo uma espécie de efeito cascata. Depois de dez aulas, o próprio Wings se mudava para outra cidade e recomeçava todo o processo. Considerando tudo, a iniciativa era um empreendimento bastante lucrativo.

Os membros do Conselho Executivo ficaram irados com as promessas de Wings de cura rápida, as quais, segundo pensavam, despertavam esperanças pouco realistas nos pacientes. Reconhecidamente, essas sessões em grupo, com um líder carismático podiam, por meio de um processo de sugestão em massa, conduzir a uma melhora acentuada em "certos casos neuróticos" — durante a qual os testemunhos entusiásticos para futuros anúncios ficavam garantidos. Mas tais melhoras eram apenas temporárias. Problemas como gagueira, ceceio, fenda palativa e fala retardada só poderiam ser tratados com tempo e individualmente. A preocupação dos terapeutas, claramente, não era apenas com seus pacientes; estavam igualmente preocupados com o efeito dessa competição injusta para seus próprios membros, já que, como integrantes da Sociedade, estavam proibidos de fazer qualquer tipo de anúncio e conseguiam os pacientes por meio de encaminhamentos de médicos.

Numa carta para o subsecretário de Estado no Departamento de Estrangeiros, datada de 2 de outubro de 1936, a Sociedade pedia que se tomasse uma providência contra Wings. "O sr. Wings está ganhando entre 5 e 10 mil libras por ano, e a maior parte desse dinheiro vem da exploração de pessoas crédulas e ignorantes", declaram. "A menos que seja feita alguma coisa, e rapidamente, para cessar essa competição injusta e o método cascata de aumentar o número de pretensos especialistas, dando aulas grátis, seguidas por cursos de tratamento, nossos terapeutas da fala ingleses se verão apenas com seu hospital e trabalho gratuito, e pouca coisa mais. Os pacientes, já desiludidos uma vez com uma cura famosa, em geral passam anos antes de voltar a se entregar a qualquer pessoa, num esforço para curar seu defeito." Não fica claro se alguma medida foi tomada.

Em dezembro daquele ano, o duque escreveu novamente para Logue, depois que ele elogiou um discurso seu. "De modo geral, estou muito satisfeito com o contínuo progresso", disse o duque. "Preocupo-me muito em ensaiar meus discursos, pois ainda tenho, vez por outra, de mudar palavras. Estou perdendo aquela 'sensação de medo' aos poucos, às vezes bem devagar. Depende muito de como me sinto e do assunto sobre o qual vou falar."

Com o duque fazendo tamanho progresso, Logue, agora com 55 anos, talvez tivesse aceitado o fato de que o trabalho dos dois juntos estava, em grande medida, encerrado. Estaria errado ao pensar assim. A vida do duque estava prestes a mudar para sempre — e, com ela, a de Logue.

Desde a doença de George V, em 1928, houvera preocupações sobre sua saúde; um reaparecimento do problema brônquico, em fevereiro de 1935, tornou necessário um período de recuperação em Eastbourne. O rei recuperou-se o suficiente para participar integralmente das celebrações de seu Jubileu de Prata, no mês de maio daquele ano, quando, segundo parece, ficou sinceramente surpreso com as boas-vindas entusiásticas das multidões. "Não tinha a menor ideia de que se sentiam assim com relação a mim", disse ele, ao voltar de um passeio de carro pelo East End, em Londres. "Estou começando a pensar que devem gostar de mim pelo que sou."[57] Quando apareceu em Spithead, no mês de julho, para passar em revista a frota, muitos espectadores ficaram convencidos de que ele continuaria a reinar por vários anos mais.

Mas qualquer melhora era relativa. O rei, que acabara de comemorar seu septuagésimo aniversário, estava doente, e depois que voltou de Balmoral naquele outono, os mais próximos notaram uma séria deterioração em sua saúde. A morte de sua irmã mais nova, Princesa Victoria, na manhã do dia 3 de dezembro, veio como um golpe tremendo, e, dessa vez, seu senso esmagador de dever público falhou — ele cancelou a abertura oficial do Parlamento. Foi para Sandringham, aquele Natal, para as celebrações costumeiras, e fez o programa de rádio para o Império, mas os ouvintes puderam detectar a deterioração de sua saúde.

Na noite de 15 de janeiro de 1936, o rei foi para seu quarto, em Sandringham, queixando-se de um resfriado; não sairia vivo daquele cômodo. Foi ficando cada vez mais fraco, ora consciente ora não. "Sinto-me péssimo", escreveu ele na última anotação em seu diário. Na noite do dia 20, seus médicos, liderados por lorde Dawson de Penn, emitiram um boletim com as palavras que se tornariam famosas: "A vida do rei move-se tranquilamente para o seu fim."

O fim veio às 23h55, menos de uma hora e meia depois — apressado por Dawson, que admitiu, em anotações médicas (tornadas públicas apenas meio século depois), ter administrado uma injeção letal de cocaína e morfina. Isso, parece, foi em parte para impedir mais sofrimento para o paciente e tensão para a família, mas também para garantir que a morte pudesse ser anunciada na edição matinal do *The Times*, e não "nos jornais vespertinos, menos apropriados". O jornal, aparentemente avisado para segurar sua edição pela esposa de Dawson em Londres, a quem o médico dera informações pelo telefone, zelosamente atendeu ao pedido. "Um fim tranquilo à meia-noite", essa foi a manchete, na manhã seguinte.

O duque sentiu uma dor profunda. As consequências para sua vida também foram dramáticas. Embora ele cumprisse sua parcela justa de deveres reais, até aquele momento permanecera em grande medida fora de cena. Com a elevação do irmão mais velho ao trono, como Edward VIII, Bertie ascendeu à condição de herdeiro presuntivo, o que significava que ele tinha de assumir muitas das atividades que Edward até então realizara. "Tudo o que nós, de Piccadilly 145, sabíamos era que, de repente, víamos muito menos o belo tio David, com seus cabelos dourados", escreveu Marion "Crawfie" Crawford, a babá das crianças. "Havia ainda menos ocasiões em que ele aparecia para ruidosas brincadeiras com suas sobrinhas."

CAPÍTULO 8

Os 327 dias de Edward VIII

Nenhum soberano britânico ascendeu ao trono com mais boa vontade acumulada do que Edward, o filho mais velho de George V. Fosse por sua coragem, por sua aparência radiante ou por sua declarada consideração pelos homens (e mulheres) comuns, o novo rei parecia encarnar tudo o que havia de melhor no século XX. "Ele é dotado de genuíno interesse (...) por pessoas de todos os tipos e condições, e é perito num estudo admirável e enriquecedor para qualquer homem e inestimável para um soberano — o estudo da humanidade", entusiasmava-se o *The Times* de 22 de janeiro de 1936. Seu reinado, entretanto, duraria menos de um ano, encerrando-se com uma das maiores crises já vividas pela monarquia britânica — que obrigou seu irmão mais jovem a assumir um trono que não desejava e para o qual não fora preparado.

Embora se fazendo notar desde cedo por seu charme e boa aparência, Edward foi um jovem tímido. Assim, em 1916, aos 22 anos, foi apresentado por dois de seus camaristas a uma experiente prostituta em Amiens, que, conforme um relato, "varreu sua extraordinária timidez".[58] A partir de então, pareceu querer compensar o tempo perdido.

Tal como o avô Edward VII, Edward adorava a vida noturna de Londres. Diana Vreeland, uma colunista de moda bem-relacionada, parece ter cunhado o termo "Príncipe Dourado" e declarado que todas as mulheres de sua geração eram apaixonadas por ele.[59] Edward demonstrava pouco interesse pelas tentativas de seus rigorosos pais de encontrar para ele uma esposa adequada e entregava-se a uma série de relacionamentos eventuais, dos quais o mais escandaloso durou 16 anos, com Freda Dudley Ward, casada com um membro liberal do Parlamento. Depois de terminar a relação simplesmente se recusando a atender seus telefonemas, o príncipe trocou-a por Thelma, ou Lady Furness, a esposa americana do Visconde de Furness, magnata da indústria naval, e irmã gêmea de Gloria Vanderbilt. Tiveram um caso rápido.

Foi na casa de seu marido, em Burrough Court, perto de Melton Mowbray, em 1930 ou 1931 (dependendo do relato a que dermos crédito), que Thelma apresentou ao príncipe a amiga íntima, a sra. Wallis Simpson. Mulher razoavelmente atraente, que se vestia com estilo e estava na casa dos 30, ela nascera Bessie Wallis Warfield, em 1896, numa antiga família da Pensilvânia que vivera um período difícil — experiência que parecia ter-lhe deixado uma "cicatriz consumista". Em 1916, com apenas 20 anos, casou-se com Earl Winfield Spencer, um aviador americano, mas ele bebia demais, e o divórcio veio em 1927. Um ano depois, ela subiu na escala social ao se casar com Ernest Simpson, empresário americano radicado em Londres que frequentava a nata da sociedade.

Como o Duque de Windsor mais tarde observaria em suas memórias, o relacionamento de ambos começou de um jeito curioso. Em busca de um assunto neutro para iniciar uma conversa, ele perguntou se, como americana, ela sofria com a falta de aquecimento central quando visitava a Grã-Bretanha. Sua resposta o surpreendeu:

— Desculpe-me, sir — disse ela, com olhar zombeteiro —, mas o senhor me decepcionou.

— De que maneira? — perguntou o príncipe.

— Essa mesma pergunta é feita a toda mulher americana que vem a seu país. Eu esperava algo mais original do Príncipe de Gales.[60]

A objetividade de suas maneiras rendeu-lhe a simpatia de Edward, que passava a maior parte do tempo cercado de bajuladores. A princípio, parecem ter sido apenas amigos, mas a amizade se transformou em caso amoroso depois que Thelma voltou aos Estados Unidos em janeiro de 1934, para visitar a irmã. Assim, naquele verão, o príncipe convidou Wallis e o marido para um cruzeiro a bordo do *Rosaura*, uma barca de 700 toneladas recém-convertida em luxuoso navio de lazer por Lorde Moyne, político e empresário cuja família fundara a cervejaria Guinness. Ernest precisou declinar o convite para ir aos Estados Unidos a negócios, mas Wallis aceitou-o. Foi nessa ocasião, declarou ela mais tarde, que ela e o príncipe "cruzaram a linha que demarca a indefinível fronteira entre amizade e amor".[61]

O fato de o Príncipe de Gales ter uma amante — ainda que uma amante americana casada — não era especialmente problemático, mesmo sendo o clima da época bem diferente daqueles em que um então detentor do título, o futuro Edward VII, corria atrás das mulheres em Londres. Quer dizer, desde que ela permanecesse na condição de amante. Mas o Príncipe de Gales não se mostrava disposto a reproduzir a concordância de seus antecessores com a distinção entre mulheres que serviam para ser amantes e as que possuíam os devidos requisitos para se tornar rainhas em potencial. Isso significava problemas — embora ainda houvesse alguns meses pela frente.

Depois que se tornou rei, a popularidade de Edward cresceu na mesma medida de seu amor por tudo o que fosse contemporâneo e estivesse na moda. Durante uma visita às aldeias mineradoras de carvão de Gales do Sul, especialmente atingidas pela Depressão, ele maravilhou a multidão declarando "Algo precisa ser feito". Os que o cercavam se impressionaram menos: ele dispensou muitos funcionários do Palácio a quem via como símbolos e perpetuadores de uma velha ordem e se indispôs com muitos dos que ficaram, cortando seus salários em nome do equilíbrio das finanças reais — embora, ao mesmo tempo, gastasse prodigamente em joias Cartier e Van Cleef & Arpels para Wallis.

Para a exasperação dos ministros, Edward chegava muitas vezes atrasado aos compromissos ou cancelava-os na última hora. Suas Caixas Vermelhas, contendo os papéis de Estado em que os monarcas devem trabalhar com presteza, eram devolvidas com atraso, os papéis muitas vezes parecendo não lidos ou manchados pelo fundo de copos de uísque. O Ministério das Relações Exteriores tomou a atitude sem precedentes de guardar uma cópia de cada documento enviado para ele. Edward cansava-se depressa do que descreveu como "o tédio incessante da vida diária do rei"; a advertência de George V de que, como monarca, seu filho mais velho "se arruinaria em um ano" começava a ganhar ares de profecia.

O rei estava distraído — e não era difícil encontrar a fonte de sua distração. Ainda assim, enfrentava um sério impasse: Wallis Simpson não iria embora; nem ele teria permitido que fosse. Numa tentativa de dar nó em pingo d'água, falou-se em torná-la Duquesa de Edimburgo, ou num casamento morganático — aquele em que nenhum dos títulos e privilégios do marido passa à esposa ou aos filhos, muito embora não houvesse precedente desse tipo de união na Grã-Bretanha. Para alarme de todos os partidos políticos, houve até mesmo uma sugestão de que Edward poderia deixar seu destino nas mãos do país.[62]

Stanley Baldwin, o primeiro-ministro conservador, e outros membros do cenário político, consideravam a sra. Simpson absolutamente inadequada para ser rainha — e temiam que os chefes de governo dos Domínios pensassem o mesmo. Como chefe da Igreja da Inglaterra, Edward não podia se casar com uma mulher duas vezes divorciada e com dois ex-maridos vivos. Circularam rumores de que ela exercia sobre ele algum tipo de controle sexual; houve quem sugerisse que, além dele, ela mantinha não apenas um, mas dois outros amantes. Chegaram a dizer que era uma agente nazista.

Enquanto Wallis esteve casada com Ernest, o caso foi um escândalo em potencial, mas não uma crise política e constitucional. Ainda que, nesse aspecto, os fatos também evoluíssem. Embora parecesse não haver dúvidas de que o adultério de Wallis com o rei tenha precipitado o fim de seu casamento, era comum entre cavalheiros adeptos de poupar embaraços às esposas o hábito de posar como a parte culpada. Ernest escolhera o dia 21 de julho, oitavo aniversário de casamento, para ser pego em flagrante pelos funcionários do luxuoso Hotel de Paris, em Bray-on-Thames, perto de Maidenhead, com uma senhorita. "Florzinha" Kennedy. No mês seguinte, o rei e a sra. Simpson saíram em novo cruzeiro — dessa vez pelo leste do Mediterrâneo a bordo do iate a vapor *Nahlin*. A viagem foi amplamente coberta pela imprensa europeia e americana, mas seus colegas britânicos mantiveram-se num autoimposto silêncio.

Assim, quando, a 27 de outubro, o caso chegou ao Tribunal de Ipswich (escolhida na suposição de que uma audiência em Londres chamaria demais a atenção da imprensa), era Wallis quem se divorciava do marido por adultério, e não o contrário. A cidade jamais vira algo igual.[63] Com o motorista do rei ao volante, Wallis entrou em Ipswich num Buick canadense numa velocidade tal que um cinegrafista que a perseguia a 104 quilômetros por hora foi deixado para trás. A segurança em torno do tribunal era rigorosa: todas as equipes de filmagem foram retiradas da cidade, e dois fotógrafos tiveram as câmeras destruídas a golpes de cassetete. O acesso ao tribunal também foi restringido: o prefeito, ele próprio magistrado de Ipswich, só foi admitido depois de argumentar com seus próprios policiais. Todos os assentos da galeria situados de frente para a sra. Simpson quando ela ocupasse o banco das testemunhas ficaram vazios. Permitiu-se o acesso a apenas a alguns lugares às suas costas.

Membros da equipe do Hotel de Paris dirigiram-se então ao banco e descreveram como haviam levado o chá matinal para o sr. Simpson e encontraram com ele, na cama de casal, uma mulher que não era a sra. Simpson. Em dezenove minutos estava tudo terminado, e Wallis tinha seu mandato de separação provisória, sendo o marido responsável pelas custas do processo. Quando ela saiu, a polícia fechou as portas do tribunal por cinco minutos, para manter a imprensa a distância. Seu Buick desapareceu de Ipswich tão depressa quanto chegara, e a polícia manteve uma viatura atravessada na estrada, interrompendo o tráfego por dez minutos.

Mas Edward e Wallis ainda não estavam livres para casar. Pelas leis da época, o mandato de separação provisória só poderia se transformar em divórcio seis meses depois — o que significava, em termos formais, que ela ficaria sob a supervisão de um funcionário conhecido como supervisor real até 27 de abril de 1937. Se, durante esse período, ela fosse vista em circunstâncias comprometedoras com qualquer homem, poderia ser levada de novo aos tribunais e, se a decisão fosse contra ela, nunca mais poderia se divorciar do marido num tribunal inglês. Tratava-se apenas de uma formalidade. Segundo a revista *Time*, cerca de trinta e seis horas depois de obter o mandato provisório, Wallis "bebia alegremente no Palácio com o rei e alguns amigos". Mais tarde, Edward "escoltou-a" de volta à casa, em Cumberland Terrace.

Agora, o tempo corria — e o governo enfrentava um dilema. Enquanto os jornais americanos ofereciam escandalosos e detalhados relatos do caso, a imprensa britânica continuava a manter um extraordinário autocontrole. O *The Times*, a fonte dos registros, mencionou o divórcio, mas apenas ao pé de uma coluna de notícias locais numa página interna. Os jornais americanos e de outros países levados para a Grã-Bretanha contendo histórias a respeito da relação do rei com a sra. Simpson recebiam tarja preta sobre as notícias, ou tinham as páginas retiradas.

Havia um limite de tempo para se manter tal censura, e não apenas pelos britânicos que viajavam para o exterior e liam ou ouviam no rádio o que se passava em seu país. Em 16 de novembro, Edward chamou Baldwin ao Palácio de Buckingham e lhe disse que pretendia casar-se com a sra. Simpson. Se pudesse fazê-lo e continuar rei, então "tudo bem", disse ele — mas, se os governos da Grã-Bretanha e seus Domínios se opusessem, então estava "preparado para ir".

O rei, entretanto, chegou a ter alguns eminentes apoiadores, entre eles Winston Churchill, o futuro primeiro-ministro britânico dos tempos da guerra, que foi criticado pela Câmara dos Comuns quando se pronunciou a favor de Edward.

"Que crime cometeu o rei?", questionou Churchill, mais tarde. "Não juramos lealdade a ele? Não estamos presos a esse compromisso?"

A princípio, pelo menos, ele também parecia acreditar que a relação de Edward com a sra. Simpson esmoreceria, a exemplo de suas várias relações anteriores.[64]

Logue teria observado o desenrolar dos dramáticos eventos de dezembro de 1936 com tanta surpresa e choque quanto todos os outros súditos do Rei Edward. Suas relações com o Duque de York também foram deixadas de lado, embora ele tivesse sido convidado a comparecer a uma festa nos jardins do Palácio de Buckingham em 22 de julho.

Houve ainda importantes progressos no ambiente doméstico de Logue: naquele setembro, seu filho mais velho, Laurie, que era o segundo na chefia do departamento de sorvete de Lyons, casou-se com Josephine Metcalf, de Nottingham. Seu filho Valentine, médico e cinco anos mais moço que Laurie, pertencia agora à equipe do Hospital St. George's, onde recebera o prestigioso Prêmio Brackenbury de cirurgia. "Eu gostaria que ele seguisse a minha carreira, mas está determinado a ser cirurgião", escreveu Logue ao duque.

Nesse ínterim, ele não desistira de reatar relações com a realeza. Em 28 de outubro — um dia depois de Wallis Simpson receber o mandato de separação provisória —, Logue voltou a escrever ao duque sugerindo um encontro.

"Foi em julho de 1934 que pela última vez tive a honra de falar com Vossa Alteza Real", ele escreveu, "e, embora eu acompanhe tudo o que o senhor faz e diz com o maior interesse, não é o mesmo que vê-lo pessoalmente, e eu cogitava se o senhor poderia dispor de algum tempo em sua muito ocupada vida para vir a Harley Street — apenas para ver se toda a 'maquinaria' está funcionando bem."[65]

O duque poderia ser desculpado por não ter respondido ao convite de Logue: a crise em torno da relação de seu irmão com a sra. Simpson encaminhava-se para o clímax, e, pelo menos naquele momento, ele tinha assuntos mais urgentes a tratar do que seus problemas de fala.

Em 3 de dezembro, a imprensa britânica quebrou o autoimposto silêncio em relação ao caso. O catalisador de tal mudança foi curioso: num sermão para uma conferência eclesiástica, Alfred Blunt, apropriadamente designado bispo de Bradford, mencionara a necessidade que tinha o rei da graça divina — o que foi interpretado, de forma errada, como visto depois, por um jornalista presente, como uma referência não tão velada ao caso do rei. Quando o artigo foi veiculado pela Press Association, a agência nacional de notícias, os jornais viram nele o sinal pelo qual todos esperavam: era possível fazer referência à vida amorosa do monarca.

Nos meses anteriores, apenas um número relativamente pequeno de britânicos tinha conhecimento dos fatos. Agora, os jornais logo recuperaram o tempo perdido, enchendo páginas com matérias a respeito de reuniões de crise no Palácio, fotografias da sra. Simpson e entrevistas com homens e mulheres nas ruas, com perguntas sobre o que pensavam do caso. "Eles têm muito em comum", essas eram as primeiras palavras de um entusiástico perfil do casal real publicado no *Daily Mirror* de 4 de dezembro. "Ambos amam o mar. Ambos amam nadar. Ambos amam golfe e jardinagem. E logo descobriram que amavam um ao outro."

Os York haviam passado os últimos dias na Escócia. Despertando no trem noturno em Euston, na manhã de 3 de dezembro, viram-se diante de cartazes anunciando jornais com as palavras "O casamento do rei". Ficaram ambos profundamente chocados em virtude do que aquilo poderia significar para eles. Quando o duque falou com o irmão, encontrou-o "num estado de grande exaltação". O rei, aparentemente, ainda não decidira o que fazer, dizendo que perguntaria ao povo o que gostaria que ele fizesse, e então viajaria para o exterior por algum tempo.[66] Nessa ocasião, afastou Wallis, para protegê-la. Ela vinha recebendo cartas anônimas, e tijolos foram atirados à janela da casa que ela alugara no Regent's Park. Temia-se que o pior estivesse por vir.

No mesmo dia, o duque telefonou ao irmão, que estava entrincheirado no Forte Belvedere, seu retiro no Windsor Great Park, para marcar um encontro, mas sem sucesso. Continuou tentando nos dias seguintes, mas o rei se recusou a vê-lo, afirmando que ainda não se decidira quanto à atitude a tomar. Apesar do grande impacto que a decisão tomada viria a ter na vida de seu irmão mais novo, Edward não lhe pediu conselhos.

Muitas pessoas passam a vida profissional sonhando em ocupar os mais altos cargos, mas o duque não tinha desejo nenhum de se tornar rei. Seu pressentimento aumentava. O duque estava "mudo e abatido", e "num terrível estado de preocupação por David não querer vê-lo ou conversar pelo telefone", afirmou a Princesa Olga, esposa do Príncipe Paul da Iugoslávia e irmã da Duquesa de Kent.[67] Na noite de 6 de dezembro, um domingo, o duque telefonou ao Forte e foi informado de que o rei estava em reunião e ligaria mais tarde. Nunca recebeu tal ligação.

No dia seguinte, afinal, conseguiu fazer contato: o rei convidou-o para ir ao Forte depois do jantar. "O horrível e exasperante suspense da espera terminava", escreveu o duque em seu relato. "Encontrei-o [o rei] andando de um lado para o outro no aposento, e ele me comunicou sua decisão de sair."[68] Quando o duque voltou para casa naquela noite, soube que a esposa estava muito gripada. Ela recolheu-se ao leito, onde ficou pelos dias seguintes, enquanto os dramáticos eventos evoluíam ao seu redor.

"Bertie e eu estamos muito nervosos, e a pressão é terrível", escreveu ela à sua irmã May. "Cada dia dura uma semana, e a única esperança que temos é o afeto e o apoio de nossa família e dos amigos."[69]

Os acontecimentos se precipitaram. Num jantar no dia 8, ao qual compareceram diversos homens, inclusive o duque e o primeiro-ministro, o rei deixou claro que já tomara uma decisão. De acordo com Baldwin, ele "simplesmente andava de um lado para o outro da sala dizendo 'Esta é a mulher mais maravilhosa do mundo'".

O duque, enquanto isso, permanecia numa disposição sombria. Foi um jantar, ele escreveu, "do qual é provável que eu nunca me esqueça".

Às 10 horas do dia 10 de dezembro, no salão octogonal do Forte Belvedere, o rei assinou um breve instrumento de abdicação no qual jurou "renunciar ao trono para mim mesmo e para meus descendentes". O documento foi testemunhado pelo duque, que agora o sucedia como George VI, e também por seus dois irmãos mais moços, os Duques de Gloucester e de Kent.

Na noite seguinte, após um jantar de despedida com a família no Royal Lodge, o homem que já não era rei fez um pronunciamento à nação no Castelo de Windsor. Ele foi apresentado por Sir John Reith, o diretor-geral da BBC, como "Sua Alteza Real, o Príncipe Edward".

"Percebi ser impossível continuar a carregar o pesado fardo de responsabilidade e me desincumbir dos deveres reais como gostaria sem a ajuda e o apoio da mulher que amo", declarou ele.

O reinado de Edward durara apenas 327 dias, o mais curto de qualquer monarca britânico desde o contestado reinado de Jane Grey, quase quatro séculos antes.

Após voltar ao Royal Lodge para as despedidas familiares, saiu logo depois de meia-noite e foi levado a Portsmouth, onde o destroier HMS *Fury* o esperava para cruzar o Canal e levá-lo para o exílio. Começava a compreender a enormidade do que fizera; passou a noite bebendo muito e cruzando de um lado para o outro a sala dos oficiais, em estado de grande agitação. O Duque de Windsor, como ele seria conhecido dali em diante, viajou da França para a Áustria, onde esperaria o divórcio de Wallis ter validade absoluta, no mês de abril.

Em 12 de dezembro, no Conselho de Ascensão, o Duque de York, agora Rei George VI, declarou sua "adesão aos estritos princípios do governo constitucional e... resolução de zelar acima de tudo pelo bem-estar da Commonwealth Britânica de Nações". Sua voz era baixa e clara, mas, inevitavelmente, as palavras estavam pontuadas pela hesitação.

Logue foi um dos que escreveram congratulações quando enviou seus usuais cumprimentos de aniversário dois dias depois. "Seja-me permitido oferecer meus muito humildes mas sinceros bons auspícios por sua ascensão ao trono", escreveu ele. "É outro de meus sonhos que se realiza, um sonho muito prazeroso." Vendo uma chance de reativar antigos laços, acrescentou: "Seja-me permitido escrever à Vossa Majestade no Ano-Novo e oferecer meus serviços."[70]

Os jornais saudaram com entusiasmo a solução da crise e a chegada do novo rei. Bertie podia não ter o charme e o carisma do irmão mais velho, mas era sólido e confiável. Tinha também o benefício de uma esposa bela e popular e duas filhas jovens, cujos movimentos a imprensa acompanhava desde o nascimento. "O mundo inteiro as idolatra hoje em dia", declarou o *Daily Mirror* em matéria a respeito das Princesas Elizabeth e Margaret, a quem chamava de "as grandes pequenas irmãs".

Alguns observadores estrangeiros permitiram-se um ponto de vista mais cínico. "Nem o Rei George nem a Rainha Elizabeth tiveram vidas nas quais qualquer fato pudesse ser considerado de interesse público pela imprensa do Reino Unido, e a última semana foi exatamente como desejava a maioria de seus súditos. Na verdade, uma espécie de Calvin Coolidge entrou no Palácio de Buckingham com uma Shirley Temple como filha", comentou a revista *Time*.[71]

Assombrava o rei a questão de seu impedimento de fala. Graças a Logue, ele fizera grande progresso desde a humilhante aparição em Wembley, uma década antes, mas não estava completamente curado do nervosismo. Por razões óbvias, a tática adotada era não chamar a atenção para o problema, o que fez com que Logue se horrorizasse quando Cosmo Lang, arcebispo de Canterbury, mencionou a gagueira num discurso feito em 13 de dezembro, dois dias após a abdicação.

Com palavras que chocaram a maioria dos ouvintes, Lang, figura muito influente, começou sua fala atacando o rei anterior, que, ele disse, traíra a suma e sagrada confiança nele depositada em nome de um assumido "desejo de felicidade privada".

"Ainda mais estranho e triste é que ele tenha ido procurar a felicidade de uma forma não condizente com os princípios cristãos de casamento, e num círculo social cujos padrões e modos de vida são alheios aos melhores instintos e tradições de seu povo", vociferou o arcebispo. "Que aqueles que pertencem a esse círculo tenham consciência de ser hoje censurados pelo julgamento da nação que amou o Rei Edward."

A assertividade dos comentários do arcebispo gerou uma resposta irritada de diversas pessoas que escreveram para os jornais — e acalmaram o Duque de Windsor, que ouvia as notícias no castelo de Enzesfeld, na Áustria, onde se hospedava com o Barão e a Baronesa Eugen Rothschild.

Ainda mais pernicioso, contudo, era o que o arcebispo tinha a dizer a respeito do novo rei. "Em atitude e maneira de falar, ele é mais tranquilo e reservado do que o irmão", disse ele. "E aqui devo acrescentar parênteses que talvez não sejam de pouca ajuda. Quando seu povo vier a ouvi-lo, perceberá uma hesitação momentânea e eventual em sua fala. Mas ele conseguiu controlá-la por completo e, para quem o escutar, esse problema não precisa provocar nenhuma espécie de embaraço.

O arcebispo, sem dúvida, tinha a melhor das intenções ao dizer tais palavras. Em discurso no dia seguinte na Casa dos Lordes, elogiou as "brilhantes qualidades" do novo rei — sua "objetividade, simplicidade, assídua devoção ao dever público" —, embora ele não tenha dito de forma tão direta, estavam em flagrante contraste com o irmão a quem sucedera.

Os comentários do arcebispo Lang foram reproduzidos pela imprensa americana. "Os trezentos conselheiros pessoais ouviram de amigos íntimos uma pergunta: 'Ele ainda gagueja?'", publicou a revista *Time* em 21 de dezembro. "Não se encontrou um só conselheiro pessoal disposto a afirmar que Sua Majestade já não gagueja."

Embora a imprensa britânica se recusasse a discutir essas questões, os comentários de Lang alimentaram uma campanha maledicente de fofocas contra o novo rei e sua adequação para reinar. Tal campanha intensificou-se depois que, em fevereiro, ele anunciou que adiaria uma cerimônia de coroação em Durbar, na Índia, que o irmão planejara para o inverno seguinte, atribuindo o adiamento ao peso dos deveres e responsabilidades que enfrentara desde sua inesperada ascensão ao trono. Por alguns, porém, isso foi considerado gesto de fraqueza e fragilidade; diversos componentes do grupo cada vez menor de partidários do Duque de Windsor sugeriram que Bertie poderia não sobreviver à prova da coroação, sem mencionar as tensões próprias da realeza.

Na Austrália, a ascensão de Bertie ao trono levara os jornais a voltar a se concentrar no papel desempenhado por um de seus compatriotas na cura do seu impedimento de fala. Uma rara nota de dissenso, contudo, apareceu na seção de cartas do *Sydney Morning Herald* de 16 de dezembro de 1936, assinada por H. L. Hullick, secretário honorário do Clube dos Gagos de Nova Gales do Sul, que discordava do diagnóstico de Logue quanto a ser de natureza física o distúrbio de fala do rei.

> Tenho ampla autoridade [escreveu Hullick] para declarar que a gagueira nunca deriva de causas físicas. Tal teoria foi descartada no século XIX e nunca passou de mera conjectura, sem nenhuma base lógica. A gagueira é um distúrbio emocional, e, a menos que seja tal fato levado em consideração no tratamento, não se pode melhorar a disfunção vocal.
> Na condição de gago por quase toda a vida que apenas recentemente obtive alívio, posso apreciar melhor que qualquer outro os esforços que Sua Majestade deve ter feito para superar seu impedimento, e isso consolida meu profundo respeito por ele. Nada sei a respeito do sr. Lionel Logue, mas já ouvi falar de pelo menos outros quatro senhores que também reivindicam ter curado a gagueira do Duque de York.

A carta de Hullick provocou enérgica reação de diversos outros leitores, inclusive uma carta de Esther Moses e Eileen M. Foley, de Bondi, publicada em 24 de dezembro:

> Desejamos informar ao secretário do Clube dos Gagos alguns fatos relativos ao sr. Lionel Logue, de Harley Street, antes do sul da Austrália, e a seu indubitável sucesso no tratamento de Sua Majestade, o Rei George VI, então Duque de York.
> Por ocasião de uma visita a Londres, em 1935 e 1936, tivemos o privilégio de nos hospedar na casa particular do sr. e sra. Logue em Sydenham Hill, e temos portanto condições de provar a tal leitor que sem sombra de dúvida o sr. Logue curou Sua Majestade da gagueira, depois de todos os outros especialistas terem falhado.
> Para justificar tal afirmativa, lemos cartas escritas de próprio punho por Sua Majestade ao sr. Logue, nas quais ele afirmava sua gratidão pelo sucesso do tratamento. Tal tratamento foi realizado pouco antes da visita real do Duque e da Duquesa de York à Austrália em maio de 1927, e em muito contribuiu para o sucesso de sua viagem.
> Grande crédito é devido a Sua Majestade, a rainha Elizabeth, que durante toda a viagem seguiu sem cessar as instruções a ela pessoalmente transmitidas pelo sr. Logue. O leitor escreve que ouviu falar de "pelo menos quatro outros senhores" que alegam ter "curado a gagueira do duque". Poderá ele, ou algum desses quatro senhores, produzir prova semelhante do sucesso de seu tratamento?

CAPÍTULO 9

À sombra da coroação

Em 15 de abril de 1937, Logue recebeu um telefonema pedindo-lhe que fosse ver o rei no Castelo de Windsor dentro de quatro dias. Não lhe foi revelado o motivo da visita, mas não era difícil imaginar. "Olá, Logue, é um prazer vê-lo", disse o rei, em traje cinza com uma listra azul e adiantando-se com um sorriso tão logo entrou na sala. "O senhor pode me ajudar muito."

Logue, sempre profissional, ficou contente ao observar que a voz do antigo paciente ganhara um tom mais profundo, tal como, tantos anos antes, ele previra que aconteceria.

A razão do convite logo se esclareceu. Em 12 de maio, após cinco meses como rei, Bertie seria coroado na Abadia de Westminster. Seria um evento imponente, cujas dimensões apequenariam o jubileu de George V em 1935 ou mesmo sua coroação, a que o próprio Logue comparecera mais de duas décadas antes, durante a viagem ao redor do mundo. Todas as cidades tinham decorações nas ruas, enquanto as lojas de Londres competiam entre si para produzir a mais impressionante demonstração de lealdade à monarquia. Grandes multidões eram esperadas na capital.

Para o rei, a maior fonte de preocupação era a cerimônia em si, e em especial as respostas que deveria dar na Abadia. Seria ele capaz de pronunciar as palavras sem tropeços? Igualmente atemorizante seria o pronunciamento transmitido ao Império que ele deveria fazer ao vivo naquela noite, no Palácio de Buckingham.

À medida que ia se aproximando a ocasião, o rei ficava mais nervoso. O arcebispo sugeriu que ele tentasse outro preparador vocal, mas Dawson, o médico, rejeitou a ideia, afirmando ter absoluta confiança em Logue. O rei concordou. Alexander Hardinge, que fora secretário particular de Edward VIII e agora cumpria o mesmo papel para o sucessor, cogitou se seria de alguma ajuda beber um copo de uísque ou "algum outro estimulante" antes de falar; isso também foi rejeitado.

No primeiro encontro preparatório, professor e paciente repassaram o texto do discurso que o rei deveria proferir à noite, fazendo consideráveis alterações. Logue alegrou-se por constatar que o rei, apesar de certa rigidez na mandíbula, estava em excelente estado de saúde e, registrou, "muito desejoso de acertar".

Antes de sair, Logue observou ao rei como ele parecia melhor — ao que o monarca respondeu que não teria aceitado o encargo doze anos antes. A conversa girou também em torno de Cosmo Lang e as infelizes declarações em relação ao impedimento de fala do rei. Aquilo fora, disse Logue, "uma atitude terrível tomada pelo arcebispo" — ainda mais porque havia toda uma nova geração que não pensava em George VI como alguém com problemas de fala.

— O senhor também está furioso com ele? — riu-se o rei.
— Deveria ouvir o que minha mãe diz dele.[72]

Tais preocupações começaram a ceder depois que o rei foi, com os membros da Família Real e Lang, na sexta-feira dia 23 de abril, inaugurar um monumento a seu pai, discursando pela primeira vez como monarca. Logue, que também assistiu à cerimônia, ficou agradavelmente surpreso em ouvir como muitas pessoas não disfarçaram a perplexidade ao constatar como o rei falara bem. Uma satisfação particular lhe veio quando ouviu um dos espectadores perguntar à esposa: "O arcebispo não disse que este homem tem um problema de fala, minha cara?"

Para divertimento de Logue, a esposa respondeu: "Você não deveria acreditar em tudo o que ouve, querido, nem mesmo de um arcebispo."

Na segunda-feira seguinte, o rei desceu o rio até Greenwich para inaugurar um novo salão. Teve uma recepção maravilhosa e falou bem, embora Logue percebesse que ele tinha problemas com a palavra "*falling*" [caindo]. Dois dias depois, no Palácio de Buckingham, houve outro discurso, dessa vez para agradecer um presente recebido do Nepal. Aquele foi, registrou Logue, "um discurso ruim", e continha algumas palavras particularmente complicadas.

De qualquer forma, o desafio principal ainda viria: no dia 4 de maio, às 17h45, Logue encontrou-se com Sir John Reith para verificar se o microfone estava bem-instalado. Fora colocado sobre um púlpito, de modo a permitir ao rei falar de pé, como preferia. Ele o testou, dizendo algumas palavras do texto preparado para o discurso ao vivo. Comparecera também a um ensaio na Abadia, e se divertira ao ver que todos pareciam saber que tarefas executar, exceto os bispos.

Momentos depois, as duas princesas entraram dizendo: "Papai, papai, nós o ouvimos." Elas estavam escutando numa sala próxima, onde um alto-falante fora instalado para reproduzir as vozes dos dois homens. Após alguns minutos, as meninas desejaram a Logue o que ele descreveria como um "tímido boa-noite" e, depois de lhe apertarem a mão, foram para a cama.

O rei continuou a praticar nos dias seguintes, mas com resultados variados. No dia 6, com a rainha ouvindo, a situação piorou e ele ficou quase histérico, embora ela tenha conseguido acalmá-lo. "Ele é um bom sujeito", escreveu Logue a respeito do rei, "e só quer um tratamento atencioso." No dia seguinte, com Reith e Wood (o engenheiro de som da BBC) na plateia, gravaram uma versão do discurso. Estava lento demais, e o rei não gostou. Tentaram outra vez, mas na metade ele quis tossir, então tiveram que fazer nova tentativa. "Ele ficou bem satisfeito e saiu para almoçar tagarelando muito e com o sorriso feliz de sempre", escreveu Logue. "Ele sempre fala bem diante da rainha."

No dia 7, Reith, que se interessava cada vez mais pelo discurso, escreveu a Logue para avisar que todos os discos de gramofone impressos naquela manhã estavam numa caixa lacrada deixada com um sr. Williams, no Palácio. Sugeriu fazer uma gravação a partir de trechos de cada um dos discos, "que continham mais ou menos falas perfeitas, usando partes da primeira tentativa e partes da terceira, de tal forma que não precisasse haver imperfeição em lugar nenhum". Isso, acreditava Reith, seria útil não apenas caso algo saísse errado no dia 12, mas também poderia ser usado para as transmissões do discurso para o Império, planejadas para toda a noite e o dia seguinte, e ainda poderia ser entregue como a base de um disco de gramofone que planejavam vender.

Em sua resposta, Logue insistiu que a decisão final era de Hardinge, mas acrescentou: "Uma boa gravação é essencial, para o caso de acidentes, perda de voz etc., e a terceira, com o tratamento sugerido, deve resultar num excelente disco."

Enquanto as gravações forneciam uma espécie de apólice de seguro, o rei era ainda mais encorajado por matérias elogiosas nos jornais do dia seguinte ao discurso que fizera em Westminster Hall. Lá, concordou Logue, "foi bom não ter sido proferido diante de um microfone. Em parte, tudo se deve à antipatia dele pelo microfone, que talvez se tenha engendrado quando ele voltou da África do Sul e fez o primeiro discurso no Estádio de Wembley. Foi um terrível fracasso, e a cicatriz ainda permanece".

Ainda que não houvesse na Abadia o temido microfone, naquela noite o rei precisava discursar diante de um. Logue não tinha certeza se seria melhor ter um grupo de pessoas presentes ou se deveriam ser apenas ele e o rei. "Numa fala comum, ele é quase perfeito, faz um bom discurso e gosta disso, mas abomina o microfone", escreveu ele no diário.

Logue decidiu que a sala do primeiro andar, em frente ao gabinete do rei, era um local excelente para o pronunciamento, porque dava para o pátio principal e era bem silenciosa. Um funcionário descobrira uma antiga escrivaninha no porão, que foi coberta de feltro e o tampo inclinado levantado por dois blocos de madeira até ficar em nível. Dois microfones dourados e uma luz vermelha foram instalados entre os blocos. "Tentamos sentar diante de uma mesa pequena, mas ele funciona melhor de pé", escreveu Logue. "Ele é de fato um bravo lutador e, se uma palavra não sai perfeita, ele me olha pateticamente e logo retoma o trabalho. Há muito pouca coisa errada com ele, e o 'medo' é o único grande problema."

No mesmo dia, Logue recebeu uma ligação de seu amigo John Gordon, na época editor do *Sunday Express* há seis anos. A coroação e as especulações sobre como o rei diria suas falas reavivaram inevitavelmente o interesse dos jornais pelo impedimento de fala — e pela ajuda de Logue para combatê-lo. Gordon leu para ele um artigo a respeito do rei que, Logue ficou feliz por notar, não o mencionava pelo nome. Mesmo depois de tantos anos, ele ainda tentava evitar os holofotes, em vez de buscá-los.

Uma hora mais tarde, Gordon telefonou para dizer que um sr. Miller, que se dizia repórter do *Daily Telegraph*, enviara para o *Sunday Express* um artigo a respeito do rei, que começava assim: "Um homem grisalho de olhos pretos, de 60 anos e australiano, presta constante assistência ao rei e é seu maior amigo. Eles se telefonam diariamente etc. etc."

Para Logue, aquilo estava "tudo errado. Muito escandaloso e capaz de fazer um grande mal. John me perguntou se tinha meu respaldo para agir. Eu respondi claro que sim, que era uma vergonha que tal coisa fosse escrita. John mandou procurar o autor, afirmando que a matéria estava toda errada e poderia ser muito prejudicial. Ele pôs um medo dos infernos no sr. Miller e lhe disse que, se mandasse algo assim para mais alguém, nunca mais teria nenhum outro artigo publicado. Miller deixou o texto com John e disse que aquilo nunca mais aconteceria. John me telefonou e deu as boas notícias. Graças aos céus!"

Na manhã da segunda-feira, dia 10, dois dias antes da coroação, Logue foi ao Palácio. A tensão atingia claramente o rei, cujos olhos pareciam muito cansados. "Ele disse que não estava dormindo bem e seu povo sequer sabia qual o problema", registrou Logue. "Acho que ele está muito nervoso."

Naquela noite, às 20 horas, houve outra reviravolta. Logue recebeu um telefonema informando seu reconhecimento na Lista de Honrarias da Coroação pelos serviços prestados ao rei. A princípio não acreditou e ligou para Gordon, que confirmou a veracidade da notícia. Mais tarde, ele e a família foram à casa de Gordon, tomaram champanhe e comemoraram. Visivelmente emocionado, Logue finalizou o texto de seu diário naquele dia com "Tudo esplêndido. 'M.O.V' — Membro da Ordem Vitoriana."

Quando Logue encontrou o rei, na tarde seguinte, agradeceu-lhe a grande honra. O rei sorriu e disse: "Não há de quê. O senhor me ajudou. Vou recompensar os que me ajudam." Tirou então a condecoração da gaveta, mostrou-a a Logue e disse "use isto amanhã". A rainha riu e felicitou Logue.

Enquanto lá permaneceu, Logue ouviu com o rei a gravação de seu discurso. Era boa o bastante para transmitir, mas Logue esperava que não fosse necessário usá-la. "S. M. melhora a cada dia, obtendo bom controle dos nervos, e a voz ganha alguns excelentes tons", anotou ele em seu diário. "Espero que não se emocione demais amanhã. S. M. fez uma prece hoje à noite. Ele é um bom sujeito — e quero muito que seja um rei maravilhoso."

CAPÍTULO 10

Após a coroação

Tanto a coroação quanto o discurso ao Império, naquela noite, foram um triunfo para o rei — como noticiaram os jornais da manhã seguinte. "Calma, decidida e clara, em sua voz não havia qualquer sinal de fadiga", comentou o *Daily Telegraph*. Um clérigo escreveu ao *Daily Mail* de Manchester para expressar o encantamento com "o som da voz do rei e a pureza de sua dicção". E continuava: "Com toda a profundidade da voz de seu pai, há uma suavidade adicional que a torna ainda mais impressionante para o ouvinte. Creio que foi a aproximação mais bem-sucedida do perfeito 'inglês-padrão' que jamais ouvi. Não havia nenhum traço do que se pudesse chamar de sotaque."

Os ouvintes de fora do país ficaram também agradavelmente surpresos pela fluência do monarca de quem se dizia ter a língua presa. O editor das notas radiofônicas da *Detroit Free Press* estava de queixo caído com o que ouvira em alto e bom som vindo de Londres. "Agora que terminou a coroação, os ouvintes se perguntam o que aconteceu com o suposto impedimento de fala do Rei George VI", escreveu ele. "Nada se percebeu durante toda a cerimônia, e, depois de ouvir o novo rei discursar, muitos o consideram, como o Presidente Roosevelt, dono de uma voz perfeita para o rádio."

Com a coroação no passado, o rei pôde relaxar. Não estava ainda de todo curado do seu impedimento, mas, com a ajuda de Logue, a melhora era gradual. Nesse meio-tempo, houve notícias de que Logue, sofrendo do que a revista *Time* descreveu como exaustão nervosa, ausentara-se de Londres para um longo período de descanso. Ao retornar, ajudou o rei a se preparar para os vários discursos que então se tornavam rotina.

Embora tais discursos fossem em geral bastante bem-sucedidos, a assessoria do rei preocupava-se com o efeito que o contínuo problema de dicção exercia sobre ele — e buscava sempre formas de tratá-lo. Em 22 de maio, Sir Alan "Tommy" Lascelles, o secretário-executivo particular do rei, escreveu a Logue referindo-se a uma carta que recebera de um certo A. J. Wilmott mencionando matérias no *The Times* a respeito dos problemas causados a crianças canhotas ao serem forçadas a agir como destras, entre os quais estava impedimentos de fala, como a gagueira.

Em sua resposta, quatro dias depois, Logue observou como tal prática pode ocasionar distúrbios — que podem desaparecer se o paciente volta a usar a mão natural. Mas enfatizava que, para o rei, era tarde demais.

"Depois dos 10 anos, torna-se cada vez mais difícil reverter o quadro do paciente, e raras vezes eu soube de casos em que o resultado tenha sido satisfatório na meia-idade." Estranhamente, ele sugeria que talvez fosse possível obter "alívio temporário" para o problema (muitas vezes, erroneamente tomado por cura) com a "adoção de um sotaque americano ou *cockney*", talvez porque, como defendia H. St. John Rumsey, seu colega em terapia vocal, isso levaria a uma maior concentração nas vogais, e não nas temidas consoantes. Essa não era, com certeza, uma opção para o rei, ainda que alguns afirmassem ter ouvido uma fala um tanto fanhosa nos discursos de seu irmão mais velho, quando monarca.

A conclusão de Logue foi de que "infelizmente, na questão dos problemas de fala, em que tantos pontos dependem do temperamento e da individualidade, sempre se pode produzir um caso que prova que estávamos errados. É por isso que eu não escreverei um livro".

Num encontro em 20 de julho, Hardinge disse que o rei estava falando bem mas se cansando além do devido. Logue concordou, dizendo ser uma vergonha que ele não conseguisse ter mais tempo para si, sobrecarregado como estava. Tal impressão se confirmou quando mais tarde, naquele mesmo dia, esteve com o rei: ele parecia muito esgotado, e ambos tiveram uma longa conversa sobre como o estômago fraco dele afetava sua fala.

"Eles, com certeza, não compreendem o rei", escreveu Logue em seu diário naquela mesma data. "Eu, que o conheço tanto, sei muito bem quanto trabalho ele é capaz de suportar e ainda falar esplendidamente — mas dê-lhe trabalho em excesso e canse-o demais e o impacto será sobre sua parte mais fraca: a fala. Eles agem como grandes tolos ao sobrecarregá-lo. Ele vai entrar em colapso, e os únicos culpados serão eles mesmos."[73]

O medo desse colapso fazia sentido: faltavam poucos meses para a cerimônia de abertura do Parlamento, e, embora não fosse nem de longe o teste que fora a coroação, ainda seria um desafio considerável. Havia também a questão do Natal e se o rei deveria ou não seguir a tradição criada por seu pai de se dirigir pelo rádio ao povo do Império.

A cerimônia de abertura do Parlamento, na qual o rei leria em voz alta o programa de governo de Neville Chamberlain (ele fora eleito primeiro-ministro naquele mês de maio), era sem dúvida, parte inevitável de seus deveres como monarca. E isso não afastava sua preocupação. Ele se preocupava com a qualidade com que George V se dirigira ao Parlamento no passado, e receava não corresponder àquele modelo — como Logue observou depois de um encontro ocorrido em 15 de outubro, quando ambos repassaram o texto. "Ele ainda se preocupa com o fato de seu pai ter feito tão bem aquele tipo de coisa", escreveu Logue em seu diário. "Como lhe expliquei, muitos anos se passaram antes que George V atingisse aquela excelente condição."

O rei progredia bastante bem com o texto em si, que continha 980 palavras e exigia dele entre dez a doze minutos de leitura. Mas havia o desafio extra de ter que lê-lo usando uma pesada coroa. Quando Logue chegou para a prática na véspera da cerimônia, surpreendeu-se ao ver o rei sentado em sua cadeira revisando o texto com a coroa na cabeça.

"Ele colocou-a para poder sentir o quanto poderia se inclinar para a esquerda ou para a direita sem que ela caísse", escreveu Logue no diário, em 25 de outubro. "A coroa encaixa com tanta perfeição que não há em absoluto com o que se preocupar." Depois de dois bem-sucedidos ensaios, o rei deixou a coroa de lado.

Ambos se sentiram encorajados com seu desempenho, mesmo que a memória do pai continuasse a pairar no ambiente. "Nunca o ouvi falar tão bem e nunca o vi tão feliz, ou com tão boa aparência", escreveu Logue. "Se o rei se sair bem amanhã, isso vai lhe fazer um bem enorme. Não há razão nenhuma para que ele não se saia bem. Apenas o complexo de inferioridade em relação ao pai, muito acentuado, o preocupa. Sua voz estava bonita hoje à noite."

O discurso ao Parlamento foi muito bem-sucedido, resultando no que a edição do *Sunday Express* daquele fim de semana descreveu como um triunfo: "Ele falou com vagar, mas não houve hesitação ou gagueira. De fato, as palavras ganharam dignidade e genuína beleza com o ritmo que ele sabiamente se impôs." O jornal observou ainda como a confiança do rei crescia à medida que o discurso avançava, levantando os olhos e passeando o olhar pela Câmara. "Não é preciso ser clarividente para perceber o que se passava na mente da rainha", concluía o artigo. "Quando o rei terminou, ela não conseguia disfarçar no olhar o orgulho de uma esposa por seu marido."

Isso ainda não resolvia a questão sobre o que fazer em relação ao Natal. No dia 25 de dezembro de 1932, George V dera início ao que se transformaria na tradição nacional de um pronunciamento anual pelo rádio à nação. Sentado à escrivaninha sob a escadaria em Sandringham, ele lera palavras escritas especialmente para ele por Rudyard Kipling, o grande poeta imperial e autor de *O livro da selva*: "Falo agora do meu lar e do meu coração a todos vocês, a todos os meus povos de todo o Império, a homens e mulheres tão isolados pela neve, pelo deserto ou pelos mares que apenas vozes do ar podem alcançá-los, homens e mulheres de todas as raças e cores que olham para a Coroa como o símbolo de sua união", declarou ele.

George V fez um pronunciamento posterior em 1935, no qual refletia não apenas sobre seu Jubileu de Prata, mas também sobre dois outros grandes eventos reais do ano: o casamento de seu filho, Príncipe Henry, Duque de Gloucester, e a morte de sua irmã, a Princesa Victoria. Os pronunciamentos, de tom suavemente religioso, mas não de todo, pretendiam colocar o monarca no papel de chefe de uma grande família que se espalhava não só pelo Reino Unido mas também por todo o Império — algo pelo que sua neta, a Rainha Elizabeth II, se empenharia ao longo de seu mais de meio século no trono;

suas mensagens de Natal, a princípio via rádio e mais tarde pela televisão, viriam a se tornar parte importante do ritual de Natal para dezenas de milhões de súditos.

Mas nem George VI nem os que o cercavam pensavam da mesma maneira. Para ele, a mensagem de Natal não era uma tradição nacional, mas apenas algo que seu pai resolvera fazer, e o rei não tinha nenhum desejo de imitá-lo. No Natal anterior, apenas duas semanas após a abdicação de seu irmão mais velho, com certeza não se manifestara nenhuma expectativa de que ele falasse. Em dezembro de 1937, contudo, a situação era outra, e havia certo clamor, proveniente sobretudo do Império, para que o novo rei fizesse um pronunciamento pelo rádio. Milhares de cartas começaram a chegar ao Palácio de Buckingham exortando-o a falar.

Ainda assim, o rei relutava; em parte porque continuava a sentir a costumeira ansiedade em relação a qualquer compromisso de discursar em público, em especial um que lhe exigia falar sozinho, por um microfone, para dezenas — talvez centenas — de milhões de pessoas. Parecia também sentir que, ao fazer tal discurso, estaria de alguma forma afrontando a memória do pai.

Uma solução, proposta por Hardinge numa reunião em 15 de outubro à qual Logue compareceu, era que o rei poderia, em vez do discurso, ler o sermão na igreja na manhã de Natal. Tal ideia, contudo, foi abandonada porque poderia ofender outras religiões. O Palácio começava a chegar ao consenso de que o rei deveria ler uma mensagem curta ao Império, e, após uma reunião em 4 de novembro, quando Logue trabalhou com o rei em mais alguns discursos de rotina, Hardinge mostrou-lhe um rascunho que afirmava ser bastante bom.

Logue, nesse meio-tempo, tinha outras preocupações. Havia equivocados mas insistentes boatos de que a Princesa Margaret, então com 7 anos, sofria do mesmo problema de fala que o pai.

Logue sugeriu a Hardinge que, na próxima vez que ela aparecesse num cinejornal, dissesse algumas palavras — algo do tipo "Vamos, mamãe", ou "Onde está Georgie?", ou que apenas chamasse o cachorro, "qualquer expressão que prove que ela fala e derrube de vez os boatos de que ela tem problemas de dicção".

Novembro se foi: um discurso em honra de Leopoldo III, rei dos belgas, transcorreu bem. O rei também saiu aparentemente ileso de um incidente durante a cerimônia do Dia do Armistício no Centotáfio, quando um ex-soldado que escapara de um asilo mental interrompeu o silêncio de dois minutos com um grito de "Quanta hipocrisia!"

Quando Logue se encontrou com o rei em 23 de novembro, tiveram uma longa conversa a respeito do Natal, durante a qual o rei lhe revelou que ainda não se decidira. Um ponto, entretanto, estava claro: mesmo que ele fizesse afinal o discurso, aquilo não deveria ser considerado o restabelecimento de uma tradição anual. Logue não o censurou, e ficou acertado que na semana seguinte seria tomada uma decisão final em relação ao assunto. "Ele vai para Sandringham e depois para o Ducado de Cornwall, e pensará melhor durante a viagem", escreveu Logue. "Acredito que seria boa ideia fazer um pequeno pronunciamento neste Natal, mas sem dúvida não todos os anos."

Apesar de a pressão da decisão pesar sobre seus ombros, o rei se mantinha tranquilo, fazendo piada com o protocolo oficial no jantar ou com os problemas de sentar lado a lado embaixadores de países hostis. Riu também ao ler para Logue quadrinhas sobre seu irmão e Wallis Simpson, divertindo-se muito quando chegou ao verso "cuidava do Estado de dia e da sra. Wally à noite".

O dia de Natal de 1937 amanheceu com pouca luminosidade e alguma expectativa de neblina. Laurie Logue acordou cedo e levou o pai à estação de Liverpool Street, de onde ele tomaria um trem para Wolferton, a estação mais próxima de Sandringham, ao norte de Norfolk, onde o rei e a família passavam o Natal.

Os arranjos para a viagem de Logue foram deixados nas mãos eficientes de C. J. Selway, gerente de passageiros da região sul da London & North Eastern Railway. Selway enviara a Logue uma passagem de trem, ida e volta, de terceira classe, com um passe autorizando a viagem na primeira classe, em ambas as direções. Um compartimento de fumantes na primeira classe fora reservado para ele em nome do sr. George no trem de 9h40. O chefe da estação foi desejar-lhe boa sorte e certificar-se de que a pessoa certa estava no lugar reservado. Logue deveria voltar a Londres no trem das 18h50 do mesmo dia.

A neblina era irregular, causando alguma perda de tempo entre Cambridge e Ely, mas o trem chegou a King's Lynn com apenas quinze minutos de atraso. Duas estações adiante, em Wolferton, um motorista real esperava Logue na plataforma. Ele coletou uma grande mala postal real contendo a correspondência para Sandringham, e dirigiram-se então à propriedade rural.

"Nada poderia ser mais carinhoso ou encantador do que as calorosas boas-vindas que eles me deram", recordou Logue. Havia cerca de 20 convidados no salão de recepção, gloriosamente esculpido em carvalho claro com pé-direito de pouco mais de nove metros e uma galeria de músicos numa das extremidades. O rei apresentou-o a todos os demais antes de se dirigirem à sala de almoço. No momento em que começaram a fazê-lo, uma senhora vestida de azul-claro aproximou-se dele e disse: "O senhor é o sr. Logue, estou muito feliz em conhecê-lo." Logue curvou-se sobre sua mão estendida. Como anotou em seu diário, ele "tivera o privilégio de conhecer, enfim, uma das mais maravilhosas mulheres que jamais vi — a Rainha Mary".

Antes de passarem ao salão de refeições, os convidados pararam na sala do ajudante de ordens real, onde havia uma reprodução em couro da mesa de almoço, com cartões de visita brancos indicando o posicionamento de cada um à mesa. Logue alegrou-se ao ver que se sentaria entre a rainha e a Duquesa de Kent. O rei estaria diretamente à sua frente.

O almoço, observou ele, "foi bastante informal, alegre e muito divertido". Às 14h30, voltaram ao belo salão de recepção. Mas aquela não era apenas uma ocasião social: havia trabalho a ser feito. Ele se reuniu ao rei no gabinete, o mesmo cômodo no qual seu falecido pai fizera o pronunciamento cinco anos antes, e os dois discutiram o texto e examinaram todos os detalhes para garantir que tudo estivesse de acordo. Desceram então ao vestíbulo principal, atravessando o salão de recepção e chegando à sala de transmissões.

A mesa oval que George V usara para falar no rádio fora empurrada para um canto. No centro da sala havia uma grande escrivaninha com dois microfones e a luz vermelha no centro. O rei, Logue percebeu, sempre ficava mais à vontade e menos constrangido ao discursar quando podia andar — ele costumava rir ao ver nos jornais suas fotografias posadas, sentado diante de uma mesa.

Logue abriu as janelas para que houvesse bastante ar fresco. Reuniram-se então a R. H. Wood, da BBC, que estava em sua própria sala. Discreto e alourado, Wood provavelmente sabia mais da recente arte de transmissões ao vivo do que qualquer outro na Grã-Bretanha. Wood planejara a instalação de microfones para a coroação, bem como para o discurso daquela noite. Fora também o responsável pela parte técnica do último pronunciamento ao vivo de George V, juntando dois microfones, luzes-guia e amplificadores como reserva de segurança contra quaisquer defeitos. Com ele, havia seis outros homens e toda a parafernália de transmissão: instrumentos, um telefone e um grande alto-falante através do qual ouviriam uma gravação do discurso conforme ele fosse reproduzido a partir da sala de transmissão. O rei deveria começar a falar precisamente às 3 horas da tarde.

Apesar da neblina e da escuridão, todos estavam animados. Logue e o rei voltaram ao microfone para ensaiar o discurso. À medida que o faziam, podiam ouvir o som repercutindo de volta através do enorme radiograma na sala contígua. O equipamento foi então desligado, e a Família Real e os convidados precipitaram-se para o quarto das crianças, para ouvir de lá.

As 14h55, o rei acendeu um cigarro e começou a andar de um lado para o outro. Wood testou a luz vermelha para ver se funcionava direito, e então sincronizaram os relógios. Faltando um minuto, o rei atirou o cigarro na lareira e ficou de pé com as mãos para trás, à espera. A luz vermelha piscou quatro vezes e ele caminhou até o microfone. A luz vermelha se apagou por um instante e depois voltou permanentemente, e ele começou a falar numa voz belamente modulada.

"Muitos de vocês se lembrarão dos pronunciamentos de Natal de anos anteriores, quando meu pai falava a seus povos, em casa e além-mar, como o venerável chefe de uma grande família (...)"

Falava rápido demais: quase cem palavras por minuto, em vez das 85 que Wood desejara. Teve também problemas com uma das palavras, pronunciando-a depressa demais.

"Suas palavras levaram felicidade aos lares e aos corações de ouvintes em todo o mundo", continuou o rei. Logue ficou satisfeito ao perceber que ele se controlava.

Então, já quase no final do discurso — numa inclusão que seria notada pelos jornais —, surgiu a insistência de que aquela deveria ser uma ocasião única, e não uma tradição: "Não posso aspirar ocupar o seu lugar e nem acredito que vocês desejariam que eu mantivesse, imutável, uma tradição tão pessoal para ele."

O rei continuou no mesmo ritmo suave rumo ao fim, quando fez uma pausa. Depois de exatos três minutos e vinte segundos, estava tudo terminado. "Apenas uma sombra demasiadamente longa em duas palavras, ao tentar obter demais de uma ênfase", registrou Logue.

Mas, ao rei, ele disse: "Possa ser eu o primeiro a cumprimentá-lo, Majestade, pelo seu primeiro pronunciamento de Natal." O rei apertou-lhe a mão, deu o que Logue descreveria como "aquele encantador sorriso de colegial", e disse: "Vamos entrar."

Voltaram ao salão de recepção para onde a Família Real e os convidados acorriam, vindos do quarto das crianças. Cercaram o rei e também o felicitaram. Eram agora 15h20 e a Família Real e os visitantes começaram a se dispersar: alguns voltaram a seus quartos; outros saíram para uma rápida caminhada. O rei, sua esposa e a mãe voltaram para a sala de Wood para esperar e ouvir a gravação do pronunciamento.

A Rainha Mary, aos 70 anos, mostrava-se tão interessada quanto uma colegial em toda aquela parafernália e, depois de apertar as mãos de todos aqueles homens, ouviu explicações dos instrumentos. Então, o telefone tocou. Wood atendeu e disse, "Londres está pronta para reproduzi-lo para nós, Vossa Majestade." A Rainha Mary sentou-se diante do microfone e Logue ficou de pé com a mão sobre a cadeira. O rei apoiava as costas na parede, e a rainha, com o rosto animado e corado, mantinha-se de pé à soleira da porta.

Soaram então os acordes de abertura de *God save the king* e eles ouviram outra vez o discurso. Quando terminou, a Rainha Mary agradeceu a todos e perguntou a Wood:

— Tudo isso era feito quando meu falecido marido fazia seus pronunciamentos pelo rádio e todos os senhores estavam aqui?

— Sim, Majestade — respondeu Wood.

— E eu não tomava o menor conhecimento disso — respondeu Mary, parecendo a Logue um tanto tristonha.

À medida que iam atravessando a sala do microfone, sua nora, a Rainha Elizabeth, interceptou Logue e, pondo a mão no ombro dele, disse:

— Sr. Logue, não acredito que Bertie e eu possamos algum dia agradecer-lhe o suficiente pelo que fez. Olhe para ele agora. Não creio já tê-lo visto de coração tão leve e feliz.

Logue estava tomado pela emoção, e o máximo que podia fazer era evitar que as lágrimas lhe rolassem pelo rosto. Entraram então no salão de recepção e ele, o rei e a rainha sentaram-se defronte à lareira por quase uma hora, conversando sobre os muitos acontecimentos nos sete meses desde a coroação.

Pouco antes da hora do chá, o rei levantou-se.

— Ah, Logue, quero lhe falar — disse ele.

Logue seguiu-o até a biblioteca. Ele tirou da escrivaninha uma fotografia dele próprio, a rainha e as pequenas princesas em seus trajes da coroação, autografada por ambos, e uma caixa. Dentro, havia uma bela réplica de uma tabaqueira de prata e um par de abotoaduras de ouro esmaltadas em preto com a coroa e as armas reais.

Logue ficou emocionado demais para dizer alguma coisa, mas o rei deu-lhe tapinhas nas costas.

— Não sei se um dia serei capaz de agradecer o bastante pelo que o senhor fez por mim — disse.

O chá foi outra refeição informal: a rainha estava numa extremidade da mesa e Lady May Cambridge na outra. Mais tarde, desceram todos ao enorme salão de baile decorado, onde

Logue teria uma noção do altamente organizado ritual real de dar presentes. No centro da sala havia uma grande árvore de Natal que chegava ao teto, lindamente decorada. Compridas mesas de armar cobertas de papel branco haviam sido colocadas juntas ao redor de toda a sala. Tinham pouco menos de um metro de largura, e a cada metro eram divididas por fitas azuis, de modo que cada um tivesse cerca de um metro quadrado para si. Cada espaço era marcado com uma etiqueta nominal, começando com o rei e a rainha, e dentro deles ficavam os presentes daquela pessoa.

O rei dera à rainha um adorável diadema de safiras, mas Logue impressionou-se com a simplicidade tanto de todo o processo quanto dos outros presentes, em especial os dados às crianças. E então todos brincaram de roda com as duas princesas e as outras crianças reais.

Para Logue, o tempo passou quase como num sonho até que, às 18h30, o comandante Lang, camarista real, observou que, se ele quisesse embarcar no trem de volta a Londres, precisaria sair naquele momento, sobretudo devido à neblina. Mais cedo naquela tarde, a rainha convidara Logue para pernoitar, se assim desejasse, mas ele relutava em abusar da hospitalidade. Havia também a questão de seus próprios convidados, que o aguardavam em casa, em Sydenham.

Nesse ínterim, o rei, a esposa e a mãe passaram para outra grande sala, a fim de entregar presentes à equipe e ao pessoal da propriedade, mas, quando o camarista sussurrou-lhes que Logue estava de saída, interromperam tudo para se despedir.

Logue inclinou-se diante das mãos das duas rainhas e ambas agradeceram amavelmente o que ele fizera, e depois o rei apertou-lhe a mão e disse o quanto estava reconhecido por ele ter sacrificado o jantar de Natal por sua causa.

— De qualquer forma — disse ele —, como não há vagão-restaurante no trem, providenciei para que preparassem uma cesta para o senhor.

O clima estava então terrivelmente nublado, mas o motorista conseguiu de algum jeito chegar a Wolferton a tempo, e logo depois Logue ia no trem de volta para Londres, acompanhado de uma cesta contendo um belo jantar de Natal com os cumprimentos do rei. Mesmo com a neblina, o trem adentrou a plataforma de Liverpool Street três minutos antes do horário. Laurie, que deixara seu próprio jantar de Natal, esperava para levar o pai para casa.

Por volta das 22h45, Logue recebia novas boas-vindas em seu próprio lar, onde todos os convidados pareciam bem e felizes. E assim terminou o que ele descreveu como "um dos dias mais maravilhosos que tive na vida".

Myrtle não se reuniu ao marido em Sandringham. Naquela primavera, ela começara a sofrer de uma inflamação na vesícula, e no dia 5 de julho foi operada. O cirurgião removeu 14 pedras, "o suficiente para fazer um canteiro de pedras", como disse ela numa carta ao irmão Rupert. Ela passou mais de três semanas no hospital antes de receber alta, mas teve uma recaída dez dias depois, quando um pedaço de pedra remanescente começou a se mover. Enquanto ela ia de crise em crise, Lionel estava apreensivo com a possibilidade de perder a mulher que estivera a seu lado a maior parte de sua vida adulta. Naquele mês de março, eles celebraram o 30º aniversário de casamento — "um tempo terrível para se passar com uma única mulher, mas, olhando para trás, há poucas coisas que eu gostaria de ver alteradas", escreveu ele. "Foi um tempo maravilhoso, e ela sempre esteve atrás de mim para me dar o empurrão extra que eu queria."

Lionel Logue e Myrtle Gruenert em seu noivado, 1906.

A família Logue a bordo do *Hobsons Bay*, 1924. Da esquerda para direita: Laurie, Tony, Myrtle e Valentine.

Lionel em seu consultório, na Harley Street 146, com o retrato de Myrtle em sua mesa.

York Cottage, Sandringham. Local de nascimento do futuro George VI.

Do lado de fora dos portões do Palácio de Buckingham, uma multidão aguarda na esperança de vislumbrar o Duque e a Duquesa de York, por volta de 1927.

O Castelo de Windsor após a morte de George V, em 1936, com a bandeira a meio mastro em sinal de luto.

Edward VIII faz seu primeiro pronunciamento de rádio como rei da Grã-Bretanha, iniciando seu curto reinado, em 1936.

Uma multidão assiste à passagem do Rei George VI e da Rainha Elizabeth (futura Rainha-Mãe), na carruagem real, pela Trafalgar Square no dia de sua coroação, em 12 de maio de 1937.

Coroação de George VI, na Abadia de Westminster, em 12 de maio de 1937. Lionel e Myrtle estão sentados acima do camarote real.

O recém-coroado Rei George VI e a Rainha Elizabeth desfilam pelas ruas de Londres, em 12 de maio de 1937.

George VI e a Rainha Elizabeth rumo ao Canadá, em 1939.

O Rei George VI e a Rainha Elizabeth com as Princesas Elizabeth (à direita) e Margaret Rose (à esquerda), em 21 de abril de 1940.

A retirada de Dunquerque (França), em 1940, foi um dos piores momentos da Segunda Guerra Mundial.

Da esquerda para a direita: Princesa Elizabeth, Rainha Elizabeth, primeiro-ministro Winston Churchill, Rei George VI e a Princesa Margaret Rose no balcão do Palácio de Buckingham durante as celebrações do Dia da Vitória, 8 de maio de 1945.

Comemoração do Dia da Vitória em Londres, 8 de maio de 1945.

Em setembro de 1951, George VI, visivelmente cansado e debilitado, pouco antes de sua morte.

Os médicos de Myrtle queriam poupá-la do inverno britânico e prescreveram alguns meses na Austrália para se recuperar. Ela partiu de Southampton no dia 4 de novembro de 1937, como um dos 499 passageiros a bordo do *Jervis Bay*, navio de 8.640 toneladas da Aberdeen & Commonwealth Line. Chegou a Fremantle, no oeste da Austrália, em 5 de dezembro, passou quatro semanas em Perth e então continuou cruzando o país rumo ao leste. Só voltaria à Grã-Bretanha em abril do ano seguinte.

Era a primeira vez que Myrtle estava em casa desde que ela e Lionel partiram, mais de uma década antes. Graças ao sucesso do marido e à proximidade dele com a monarquia, foi tratada como celebridade: festas, concertos e recitais foram dados em sua honra, e ela foi convidada pelo governador de Victoria, Lorde Huntingfield, e a esposa, para a Residência do Governo. Os jornalistas se amontoavam para entrevistar a mulher descrita como "a esposa do preparador vocal do Rei George", e as colunas sociais dos jornais registravam aonde ia, com quem se encontrava e como se vestia. Myrtle parecia bem feliz por usufruir dos reflexos da glória, ainda que tenha passado por alguns sustos de saúde ao longo do caminho — numa ocasião, ela ficou tão mal que julgaram ser necessário levá-la para Adelaide numa ambulância, mas melhorou até ficar "um pouco amarela mas apta a seguir em frente".

Numa entrevista a um jornal, publicada sob a manchete "Australianos prosperam em Londres", Myrtle pintou uma rósea figura da vida que ela e seus compatriotas levavam na terra-mãe, observando quantos deles haviam se tornado notáveis em Londres. "Atribuo isso à autoconfiança e à ausência de medo", declarou ela. "Eles são mais capazes e adaptáveis, e parecem percorrer com os próprios pés todos os caminhos da vida." Descreveu também como seu "adorável lar" em

Sydenham Hill se tornara um "chamariz" para australianos em visita à Grã-Bretanha.

Enquanto Lionel era sempre discreto ao falar de trabalho, sua mulher não conseguia parar de falar no rei, vangloriando-se de como ele, em pessoa, a convidara e ao marido para a coroação. O monarca, contou ela a um entrevistador, é "o maior trabalhador do mundo", um homem de "enorme vitalidade e força", que o habilitam a dar conta das tarefas. Ela falou com carinho do "sorriso especialmente feliz — um sorriso digno do nome" e de seu "maravilhoso senso de humor".

"Se todos os pacientes do meu marido demonstrassem a determinação e a coragem do rei, todas as curas seriam da ordem de 100%", disse ela a outro entrevistador. "Sua Majestade vem muitas vezes à nossa casa — ele é encantador. Assim como as princesas, nada mimadas, embora Margaret Rose seja a mais alegre — Elizabeth, em compensação, tem mais senso de responsabilidade."

"Ambas falam muitíssimo bem, são simples e despretensiosas", acrescentou. "Meu marido vai agora ao Palácio todas as noites, e as princesinhas sempre entram para dizer 'Boa-noite, papai'."[74]

O que o marido de Myrtle achava dessas indiscrições não está muito claro. Sua desaprovação não deve ter sido grande, contudo, já que os recortes de jornal nos quais a esposa era citada eram todos diligentemente colados em seu álbum.

CAPÍTULO 11

O caminho para a guerra

Enquanto Myrtle fazia progresso triunfal na Austrália, a Europa se movia inexoravelmente rumo à guerra. Por muitos anos, como parte de sua busca pelo *Lebensraum*, Hitler concentrara a atenção nas terras ao longo da fronteira germânica, ocupadas em grande parte por povos de língua alemã. Em 1935, após um plebiscito, a região do Saar foi incorporada à Alemanha. Então, em 1938, veio o *Anschluss* com a Áustria. Isso tornou a Tchecoslováquia um alvo tentador, pela considerável população etnicamente germânica, que configurava maioria em alguns distritos das montanhas dos Sudetos. Sem saída para o mar, o país também era encurralado por três lados. Quando, na primavera e no verão de 1938, alguns alemães dos Sudetos começaram a se agitar por autonomia ou mesmo por unificação com a Alemanha, Hitler interpretou o fato como a desculpa de que precisava para agir.

A Tchecoslováquia tinha um Exército bem-treinado, mas o governo sabia que ele não seria páreo para o poder da máquina de guerra nazista. Os tchecos precisavam do apoio da Grã-Bretanha e da França, mas Londres e Paris estavam a ponto de deixá-los falando sozinhos. Naquele mês de setembro, Chamberlain se encontrara com Hitler em seu retiro em Berchtesgaden, onde ficara acordado que a Alemanha poderia anexar os Sudetos, desde que a maioria de seus habitantes votasse a favor num plebiscito. O rabicho remanescente da Tchecoslováquia receberia então garantias internacionais de sua independência. Mas, quando Chamberlain voou de volta para ver o líder nazista em Bad Godesberg, perto de Bonn, em 22 de setembro, Hitler descartou o acordo anterior.

Chamberlain continuava na Alemanha quando Logue esteve com o rei no dia seguinte. A razão do encontro era um discurso que o rei faria na inauguração do *Queen Elizabeth*, em 27 de setembro. Ele estava compreensivelmente preocupado com a situação internacional cada vez pior, e queria saber de Logue o que as pessoas comuns pensavam da perspectiva de uma guerra. O rei, como tantos de sua geração, ficara tão horrorizado com a carnificina da Primeira Guerra Mundial que parecia considerar qualquer opção — mesmo uma concessão ao líder nazista — preferível a outro conflito generalizado.

— O senhor ficaria abismado, Logue, com o número de pessoas que querem mergulhar este país na guerra, sem considerar os custos — comentou ele.

Mesmo que o rei pensasse de outra forma, era pouco o que poderia fazer a respeito: a influência do monarca declinara consideravelmente ao longo dos últimos trinta anos. Na primeira década do século, seu avô Edward VII estivera ativamente envolvido em política externa, ajudando a pavimentar o caminho para a *Entente Cordiale* com a França em 1904. George VI, em compensação, teria pouca margem para modificar as políticas levadas adiante por Chamberlain e seus ministros.

Assim, nas primeiras horas de 30 de setembro, Chamberlain e o colega francês Edouard Daladier, junto com Hitler e

Mussolini, assinaram o que veio a ser conhecido como o Acordo de Munique, permitindo à Alemanha anexar os Sudetos. De volta a Londres, Chamberlain exibiu uma cópia do documento às multidões em júbilo no aeroporto de Heston, na parte oeste de Londres, reafirmando a convicção de que ele significava "paz para os nossos tempos". Muitos acreditaram nele.

Mas Munique não evitou a guerra; apenas adiou-a. Nos meses que se seguiram, Logue continuou a se encontrar com o rei, tornando-se visita frequente no Palácio de Buckingham; não era mais questão ele consultar Logue em Harley Street, como fazia quando era Duque de York.

O primeiro desafio imediato para o rei era o discurso que deveria pronunciar na cerimônia de abertura do Parlamento, marcada para o dia 8 de novembro de 1938.

Ele se preparava também para uma importante jornada — uma viagem de mais de um mês ao Canadá, começando no início de maio de 1939. Tratava-se da primeira ida de um monarca britânico reinante, e era, acima de tudo, ainda mais importante do que a viagem à Austrália e à Nova Zelândia mais de uma década antes, que dera início à relação com Logue. No discurso, ele deveria confirmar que, estando no Canadá, aceitaria um convite do Presidente Franklin D. Roosevelt para uma visita particular, além fronteira, aos Estados Unidos. As visitas não eram apenas uma questão de reforçar os laços da Grã-Bretanha com os dois poderes norte-americanos; eram também uma deliberada tentativa de angariar simpatias nos dois países, antes do conflito com a Alemanha nazista, que já então parecia inevitável.

Logue fora convidado a ir ao Palácio às 6 da tarde do dia 3 de novembro para repassar o discurso com o rei. Chegou quinze minutos antes e esbarrou com Alexander Hardinge, que lhe mostrou o texto. Ao ler, Logue ficou satisfeito por ver que o rei aceitaria o convite de Roosevelt. "Considero este o grande gesto pela paz mundial jamais feito", escreveu ele em seu diário. "Sem dúvida, inúmeros cidadãos dos Estados Unidos argumentarão tratar-se de uma manobra política, mas eles enxergam política ou dinheiro em tudo."

Enquanto ele lia, o secretário particular do rei, Eric Mieville, entrou e deu início a uma longa discussão com Hardinge quanto a ser ou não sensato por parte do rei levar representantes da Corte consigo para o Canadá. Incapazes de decidir, pediram a Logue a sua opinião "como um colono". Logue tinha doces lembranças de infância da visita do Rei George V a Adelaide, quando ele ainda era Duque de York.

— Quanto mais pompa melhor — disse a ambos.

"Eles aceitaram a ideia, e é provável que o lorde camareiro nunca saiba que foi a opinião de Lionel Logue que o incluiu na viagem canadense."

O rei parecia cansado, o que talvez fosse compreensível, considerando que acordara às 4 da manhã para caçar patos em Sandringham. Aos olhos de Logue, contudo, ele parecia em ótima forma. Repassaram o discurso duas vezes: na primeira, levaram treze minutos; na segunda, reduziram o tempo para onze. O texto, porém, era escrito na habitual linguagem complexa, e marcaram duas outras datas para mais preparativos. Antes que ele saísse, faltando poucos minutos para as 19 horas, a Princesa Margaret, já com quase 8 anos, entrou para dizer boa noite ao pai. "É muito bonito ver estes dois brincando juntos", pensou Logue. "Ele nunca tira os olhos dela quando ela está na sala."

Logue encontrou-se outra vez com o rei na manhã da cerimônia de abertura do Parlamento para um ensaio final: "Um bom esforço, embora a redundância de palavras seja péssima", anotou no diário. "Levamos exatos onze minutos, e será interessante saber quanto tempo ele levará discursando." Logue não podia ir ao Parlamento, mas o capitão Charles Lambe, um dos assessores do rei que estaria presente à Câmara, prometeu cronometrar o discurso e telefonar-lhe logo depois. Lambe relatou mais tarde que o tempo fora de treze minutos e que houve quatro hesitações.

Para alívio de Logue — e mais ainda do próprio rei —, decidiu-se que não haveria mensagem de Natal naquele ano; a anterior fora única, pronunciada apenas porque aquele fora o ano da coroação. Foi, entretanto, um alívio curto: durante sua visita aos Estados Unidos, o rei precisaria proferir uma série de discursos, o mais importante dos quais seria em Winnipeg, a 24 de maio, Dia do Império. Celebrado pela primeira vez em 1902, no aniversário da Rainha Victoria, que morrera no ano anterior, o dia tinha o objetivo de lembrar às crianças o que significava serem "filhos e filhas de um glorioso Império". Em tempos de grande tensão internacional como aqueles, a data era uma oportunidade de demonstrar solidariedade por parte dos membros do Império para com a terra-mãe.

Todos aqueles discursos necessariamente significavam para o rei uma série de sessões com Logue. Uma carta remetida do Palácio em 10 de março, por exemplo, confirmava compromissos para os dias 16, 17 e 20. Essas visitas frequentes indicavam que Logue começava a conviver mais com a Família Real. No primeiro daqueles três encontros, a Princesa Margaret Rose interrompeu-os mais uma vez — cativando Logue com seu charme, tal como a mãe sempre fez.

"Que adorável mocinha madura ela é, com olhos brilhantes que nada perdem", anotou ele no diário. "Ela acabava de chegar de uma aula de dança e mostrou-nos como, ao fazer os passos finais da *Highland Fling**, as sapatilhas ralavam suas pernas e, depois da demonstração, ela [pediu que] 'alguma coisa seja feita a respeito'."

No mês seguinte, Logue esteve com a formidável figura da Rainha Mary, a Rainha-Mãe, então com 70 e poucos anos. Ao caminhar pelo corredor que o levava ao rei, ele observou, numa curva, um dos lacaios perfilado em posição de sentido. Alguns passos adiante, avistou duas mulheres vindo em sua direção, uma das quais andava com o auxílio de uma bengala. O coração de Logue saltou à garganta quando ele de repente compreendeu de quem se tratava.

"Encostei-me à parede, e me inclinei, elas ficaram diante de mim e pararam — e eu tinha medo de que meu coração fizesse o mesmo", registrou Logue no diário, no tom um tanto ofegante que ele reservava para os encontros com as mulheres reais. "A rainha aproximou-se de mim devagar e, ao estender a mão, disse:

— Eu o conheço, o senhor foi a Sandringham. Claro, é Logue, estou muito contente por vê-lo de novo.

Mais tarde, ao dizer ao rei o quanto se impressionara com o fato de a Rainha-Mãe tê-lo reconhecido, o rei respondeu: "Sim, ela é maravilhosa."

O rei e a rainha deviam partir no dia 5 de maio de 1939, embarcando no navio RMS *Empress of Australia* da Canadian Pacific, para o que seria uma viagem de doze dias pelo Atlântico Norte. Na tarde anterior, Logue fora convocado ao Palácio. Ele deu a Tommy Lascelles, que os acompanharia, conselhos sobre como ajudar o rei a se preparar para o pronunciamento. Uma das dicas mais importantes foi que, ao contrário da impres-

---

*Dança folclórica escocesa, muitas vezes executada sobre um escudo, exigindo grande habilidade dos dançarinos. (*N. da T.*)

são dada por todas as fotografias em que o monarca aparecia sentado diante do microfone, ele preferia ficar de pé. Nessa ocasião (como fora o caso na viagem australiana), estava fora de questão Logue ser incluído na comitiva real — nem ele queria ser. "Meu maravilhoso paciente vai admiravelmente bem, e deve passar um período esplêndido no Canadá", escreveu ele ao cunhado Rupert. "Não pense que haja qualquer necessidade de que eu vá."

Então, alguns minutos depois, a mensagem chegou: "Precisa-se da presença do sr. Logue", e ele foi levado ao rei. Como Logue observou, ele estava cansado demais para se levantar e repassar os discursos, mas parecia sorridente e bastante feliz. Ambos trabalhavam juntos no texto de um discurso em Quebec quando uma porta oculta na parede se abriu e entrou a rainha, deslumbrante num traje marrom, acompanhada das duas princesas.

Elizabeth e Margaret pediram que, como aquela era a última noite com os pais, lhes fosse dada permissão para ficarem acordadas e irem à piscina. A rainha juntou-se a elas e, depois de muitos apelos de "por favor, papai, é nossa última noite", o rei cedeu, desde que elas terminassem às 18h30.

Virou-se, então, para Logue e disse:

— Conte-lhes da vez em que mergulhou com um tubarão.

Logue contou, então, a história de como, quando era um menino de 5 anos, ou algo assim, em Brighton, na costa do sul da Austrália, ele e outras crianças costumavam pular da cama tão logo acordavam e correr para o píer, arrancando os pijamas pelo caminho, numa disputa entre quem seria o primeiro a cair na água.

Naquela manhã em particular, o jovem Logue fora o primeiro e pulara da ponta do pequeno píer, com um grito de alegria, para mergulhar na água cristalina e brilhante.

— Quando estava no ar, de cabeça para baixo, cerca de três metros abaixo de mim, dormindo profundamente, estava um pequeno tubarão — continuou. — Eu não tinha como voltar, e bati na água numa queda apavorada e então me debati para chegar à plataforma, esperando perder uma perna a qualquer momento. Quanto ao pobre tubarão, provavelmente mais assustado do que eu, não tenho dúvidas de que, àquela altura, estivesse 8 quilômetros golfo adentro.

Enquanto Logue contava essa história, as princesas, de olhos arregalados e mãos apertadas, olhavam fixamente para ele, em transe.

Quando as duas meninas saíram para a piscina, Logue apertou a mão da rainha e desejou-lhe uma boa viagem e um retorno seguro.

— Bem, espero que não precisemos trabalhar demais, de qualquer maneira — respondeu ela. — Já estamos ansiosos para voltar para casa.

De novo a sós com o rei, Logue ajudou-o a repassar os discursos mais uma vez. "O rei repetiu-os de forma esplêndida" anotou ele no diário. "Se ele não se cansar demais, estou certo de que se sairá maravilhosamente bem. Ao me despedir, desejei-lhe todo tipo de boa sorte, e ele me agradeceu e disse, 'muito obrigado, Logue, por todo o seu trabalho. Eu tenho *muita* sorte por ter um homem que entende tão bem de vozes e discursos'."

A ida ao Canadá não transcorreu sem dramas: o "lençol" de gelo chegara muito mais ao sul que o usual durante o inverno, a neblina era espessa, e o navio evitou por muito pouco um *iceberg*. Alguém a bordo disse ao pobre comandante, que fora perto dali, numa estação parecida em 1912, que o *Titanic* naufragara.

O rei e a rainha desembarcaram em Quebec em 17 de maio, poucos dias depois do planejado, e deram início a uma agenda restrita que os levou pelo país. Em quase todos os lugares, receberam entusiásticas boas-vindas. Como disse a Lascelles um primeiro-ministro provincial: "Podem ir para casa e dizer ao Velho País que, depois de hoje, qualquer conversa que ouçam sobre o Canadá ser isolacionista é pura tolice."[75]

Uma semana mais tarde, veio o discurso do Dia do Império, que foi transmitido para a Grã-Bretanha às 20 horas. Logue ouviu e, em seguida, mandou um telegrama para Lascelles, que naquele momento estava a bordo do trem real em Winnipeg.

"Transmissão Império tremendo sucesso, voz bonita, ritmo ressonante, oito mínimas interrupções. Favor transmitir congratulações votos leais Sua Majestade. Saudações Logue."

O trecho americano da viagem, que teve início na noite de 9 de junho, talvez tenha sido ainda mais importante para o rei: membros da Família Real haviam visitado antes os Estados Unidos, mas aquela era a primeira vez que um soberano britânico reinante punha os pés em solo do país. Um tapete vermelho real foi estendido na plataforma, nas Cataratas do Niágara, no estado de Nova York, tão logo o trem real azul e prata cruzou a fronteira, e o rei e a rainha foram recebidos por Cordell Hull, secretário de Estado, e a esposa.

O Presidente Roosevelt mostrara aguda noção de simbolismo ao fazer o convite. Se a fase canadense da viagem do rei e da rainha objetivara sublinhar a solidariedade da Commonwealth Britânica de Nações, a presença do rei abaixo do paralelo 49 ofereceria uma prova poderosa da força da amizade entre a Grã-Bretanha e os Estados Unidos.

A reação ao casal real nas ruas de Washington foi extraordinária. Estima-se que 600 mil pessoas seguiram a pé a rota real desde a Union Station, passando pelo Capitólio e descendo a Pennsylvania Avenue até a Casa Branca, apesar da temperatura, que chegava a 34ºC. "No curso de uma longa vida, vi muitos eventos importantes em Washington, mas nunca vi uma multidão tal como a que acompanhou todo o percurso entre a Union Station e a Casa Branca", escreveu em seu diário Eleanor Roosevelt, a esposa do presidente, acrescentando, a respeito do casal real: "Eles têm jeito para fazer amigos, esses jovens."[76]

Para o rei, o ponto alto da visita foram as 24 horas que ele e a rainha passaram em Hyde Park, a casa de campo de Roosevelt, às margens do rio Hudson, no Condado de Dutchess, Nova York. Apesar do estandarte real tremulando no pórtico, os homens puseram de lado toda a formalidade e falaram francamente a respeito da situação internacional, cada vez pior, e de seu impacto sobre os respectivos países.

Os casais também se deram bem em termos pessoais, tomando coquetéis e se divertindo num almoço ao ar livre, em que o rei tirou a gravata, tomou cerveja e provou aquela grande iguaria americana, o cachorro-quente. Os Roosevelt, observou a revista *Time*, haviam "desenvolvido um sentimento paternal e maternal por aquele jovem e agradável casal". O rei e a rainha pareceram apreciar bastante tal fato. "Eles são uma família tão encantadora e unida, e vivem de modo tão semelhante aos ingleses quando vão à casa de campo," escreveu a rainha à sogra.[77] Wheeler-Bennett, o biógrafo oficial do rei, especulou que Roosevelt, confinado a uma cadeira de rodas pela pólio, e o rei, com suas dificuldades para falar, aproximaram-se mais um do outro devido "àquele elo tácito que une os que triunfaram sobre uma incapacidade física".

O rei e a rainha partiram de volta em 15 de junho, de Halifax, a bordo do navio *Empress of Britain*. Não havia nenhuma dúvida quanto à importância da contribuição da visita não apenas para a relação da Grã-Bretanha com o Novo Mundo, mas também para a própria autoestima do rei — ponto mencionado pela imprensa de ambos os lados do Atlântico. "Em parte nenhuma a viagem teve influência maior do que sobre o próprio George VI", comentou a *Time* quatro dias mais tarde. "Dois anos atrás ele assumiu sua função em poucas horas, tendo esperado desempenhar o papel de um discreto irmão caçula do irmão Edward por toda a vida. Jornalistas que o seguiram na longa curva de Quebec a Halifax ficaram impressionados com o maior equilíbrio e autoconfiança extraídos por George dessa provação."

O tema foi mais tarde retomado pelo biógrafo oficial do rei. A viagem "tirou-o de dentro de si mesmo, abriu-lhe horizontes mais amplos e o apresentou-lhe a novas ideias", comentou ele. "Ela marcou o fim de seu aprendizado como monarca, e deu-lhe autoconfiança e segurança."[78]

Tal autoconfiança se refletira nos discursos proferidos pelo rei durante a visita. "Jamais ouvi o rei — ou na verdade poucas outras pessoas — falar tão bem e de maneira tão comovente", escreveu Lascelles a Mackenzie King, o primeiro-ministro canadense. "Uma ou duas passagens sem dúvida entusiasmaram-no tanto que tive medo de que ele pudesse entrar em colapso. Esse sentimento espontâneo aumentou consideravelmente a força do discurso (...) As últimas semanas, culminando no esforço final de hoje, consolidaram-no em definitivo como um orador público de primeira classe."[79]

Os súditos britânicos do rei tiveram oportunidade de apreciar sua recém-descoberta confiança num almoço na prefeitura na sexta-feira 23 de junho, um dia depois que ele e a rainha retornaram a Londres sob tumultuadas boas-vindas. O rei telegrafara a Logue do navio para que ele estivesse no Palácio às 11h15. Ele chegou cedo o bastante para trocar rápidas palavras com Hardinge, que lhe contou estar o rei cansado mas em ótima forma.

Como sempre, o monarca pareceu a Logue um pouco nervoso, mas logo relaxou e abriu o sorriso característico ao passarem alguns minutos conversando sobre a viagem. "Ele estava muito interessado em Roosevelt — chamou-o de homem extremamente encantador", escreveu Logue. Revisaram o discurso, considerado por Logue longo demais; como sempre indo além das meras palavras para o conteúdo em si, deixou também clara sua crença de que o discurso deveria conter mais referências à parte americana da viagem. O rei ouviu seu conselho, mas, como o discurso seria pronunciado dali a poucas horas, era um pouco tarde para fazerem qualquer alteração.

Cerca de setecentas personalidades foram convidadas para a prefeitura, onde foram recepcionadas com um almoço de oito pratos, regado a duas marcas de champanhe safra 1928 e ao melhor vinho do Porto. "É uma pena que a cena não tenha sido filmada em cores", comentou o *Daily Express*. "Teria preservado para a posteridade um retrato de todo o poder executivo da Grã-Bretanha, compactado em alguns metros quadrados de tapete azul."

Falando com grande emoção, o rei descreveu como a visita sublinhara a força dos laços entre a Grã-Bretanha e o Canadá. "Vi por toda parte não apenas o mero símbolo da Coroa britânica; vi também, florescendo com tanta intensidade quanto aqui, as instituições que se desenvolveram, século após século, sob a égide desta Coroa", disse ele aos presentes, que o interromperam diversas vezes com sonoros aplausos.

Logue, que ouvia o discurso pelo rádio, estava impressionado. Lascelles telefonou-lhe às 16h15 "para dizer como todos estavam felizes com o discurso, *e em especial o rei*".

O veredicto da imprensa também foi positivo. A coluna de William Hickey no *Daily Express* descreveu-o como "um discurso admirável e bem-acabado", com toques pessoais que davam a impressão de que o próprio rei o escrevera. E foi bem-pronunciado, também. "O rei melhorou tão enormemente nesse aspecto, desde os primeiros dias de seu reinado, que agora ninguém percebe mais nenhum impedimento", registrou o jornal, acrescentando que ele desenvolvera, como orador, a arte de deixar o tempo exato para os aplausos que pontuavam as palavras.

No mês seguinte, o rei expressou a própria reação à crescente admiração por suas habilidades de orador na resposta a uma carta de congratulações do velho amigo Sir Louis Greig. "Foi uma mudança em relação aos velhos tempos em que falar, eu sentia, era o 'inferno'", escreveu ele.[80]

CAPÍTULO 12

"Matem o pintor de paredes austríaco"

Na manhã do dia 3 setembro de 1939, um domingo, o inevitável finalmente aconteceu: Sir Neville Henderson, embaixador britânico em Berlim, enviou uma última mensagem ao governo alemão afirmando que, a menos que o país retirasse as tropas enviadas dois dias antes à Polônia até as 11 horas daquele mesmo dia, a Grã-Bretanha declararia guerra. Nenhuma providência fora tomada, e às 11h15 Neville Chamberlain foi ao rádio anunciar, em tom pesaroso e desolado, que a Grã-Bretanha estava a partir daquele momento em guerra com a Alemanha. A França seguiu o exemplo poucas horas depois.

A Câmara dos Comuns reuniu-se num domingo, pela primeira vez em sua história, para ouvir o relatório de Chamberlain. Um dos primeiros atos do primeiro-ministro foi uma manobra para trazer Winston Churchill de volta ao governo como Primeiro Lorde do Almirantado, o mesmo posto que ocupara durante a Primeira Guerra Mundial. Anthony Eden, que renunciara em protesto pela política de conciliação do primeiro-ministro em fevereiro de 1938, voltou como ministro dos Domínios. Chamberlain tinha então 70 anos e já sofria do câncer que o mataria pouco mais de um ano depois — ele foi obrigado a renunciar, cedendo o cargo a Churchill, cinco anos mais moço.

Por todo aquele abafado verão, havia no ar uma sensação de que a guerra era iminente. O anúncio, em 22 de agosto, de um pacto de não agressão entre a Alemanha e a União Soviética acelerou um pouco mais o conflito ao dar a Hitler caminho livre para invadir a Polônia e então voltar suas forças para o Ocidente. Três dias depois, a Grã-Bretanha assinava um tratado com o governo de Varsóvia, jurando ir em ajuda caso a cidade fosse atacada. Não obstante, Chamberlain continuou a negociar com Hitler, muito embora tivesse recusado a oferta do rei para escrever uma carta pessoal ao líder nazista. Para muitos, o pior era a incerteza.

Em 28 de agosto, Logue foi convocado ao Palácio. Alexander Hardinge, excepcionalmente, comparecera em mangas de camisa. Estava desconfortavelmente quente — o tipo de clima que Logue teria imaginado encontrar na Austrália, mas não na nação adotiva. "Um dos dias mais sufocantes e desconfortáveis de que me recordo, lembrou-me mais de Sydney ou do Ceilão do que de qualquer dia na Inglaterra", escreveu ele no diário.

O rei e seus assistentes pareciam tão frustrados quanto todos no país com a falta de solução para a crise — como observou Logue. "Aproximei-me do rei, e suas primeiras palavras foram 'Olá, Logue, pode me dizer se estamos em guerra?', escreveu ele. Eu disse que não sabia, e ele retrucou 'O senhor não sabe, o primeiro-ministro não sabe, e eu não sei.' Ele está muitíssimo preocupado, e disse que tudo é tão desgraçadamente irreal. Se ao menos soubéssemos como tudo evoluiria." Quando Logue voltou para casa, contudo, estava convencido de que "a guerra está logo ali na esquina".

E então, no dia 1º de setembro, tropas alemãs entraram na Polônia. "Grã-Bretanha dá último aviso", gritava a manchete de primeira página do *Daily Express* na manhã seguinte. "Ou se encerram as hostilidades e se retiram as tropas alemãs da Polônia ou nós iremos para a guerra." O subtítulo menor logo abaixo trazia a resposta: "Rejeitaremos um ultimato, diz Berlim."

Nos últimos meses, o governo vinha preparando a Grã-Bretanha e sua população civil para a guerra — e para o que se imaginava seriam bombardeios pesados sobre as cidades principais. Cerca de 827 mil crianças em idade escolar foram evacuadas para o campo, com mais de 100 mil professores e seus ajudantes, de Londres e outras áreas urbanas. Outras 524 mil crianças abaixo da idade escolar partiram com as mães. As próprias cidades estavam protegidas por sirenes antiaéreas e balões dirigíveis; as janelas seriam cobertas com papel opaco. Trincheiras foram cavadas em parques e abrigos antiaéreos. Os que tinham os próprios jardins cavavam buracos nos quais instalavam abrigos Anderson de ferro corrugado, cobrindo a estrutura superior com a terra removida. Recomendava-se que cavassem pelo menos um metro.

Um dos maiores medos era uma eventual guerra química. Na Primeira Guerra, gás venenoso fora lançado nas trincheiras, com resultados terríveis, e havia o receio de que os alemães o utilizassem contra os civis naquele conflito. Na deflagração da guerra, cerca de 38 milhões de máscaras de gás de borracha preta haviam sido distribuídas, acompanhadas de material de propaganda. "Hitler não mandará avisos — portanto saia sempre com sua máscara", dizia um anúncio. Quem fosse pego sem ela arriscava-se a ser multado.

Os Logue, como todos os outros, preparavam-se para o pior. A partir da noite de 1º de setembro, as luzes das ruas foram apagadas e todos precisaram cobrir suas janelas à noite para tornar mais difícil aos bombardeiros alemães encontrarem os alvos. Tony, o caçula, um jovem atlético de cabelo castanho ondulado e que logo festejaria o décimo nono aniversário, voltou da biblioteca local trazendo uma folha de papel opaco e se dedicou a cobrir todas as janelas para torná-las à prova de luz. Felizmente, todos os cômodos da casa tinham venezianas — Myrtle as detestava e por muito tempo pensara em arrancá-las, mas agora estava feliz por não o ter feito.

Não havia papel opaco suficiente para cobrir todas as janelas, portanto Tony deixou descoberta uma janela do banheiro. Aquilo não parecia ser motivo de muita preocupação, mas naquela noite, poucos minutos depois de Myrtle ter escovado os dentes antes de dormir, houve uma batida na porta da frente. Ela abriu-a para dois supervisores de ataques aéreos, que lhe disseram em tom educado que ela deveria apagar a luz. Dormir num quarto totalmente escuro também era uma experiência incomum: Myrtle sentiu-se como "uma crisálida num casulo de trevas".

A família tinha um problema mais imediato: Therese, sua dedicada cozinheira, que vivera em Londres nos últimos dez anos, era original da Baviária. "Oh, madame, estou perdida, é tarde demais para ir embora", declarou ela a Myrtle, as lágrimas escorrendo pelo rosto. Naquela tarde, ligaram o rádio e ouviram uma alarmante notícia de mobilização geral. Therese telefonou para a embaixada alemã, sabendo então que haveria um último trem partindo às 10 horas da manhã seguinte, e correu para fazer as malas.

Na casa de Logue, como por todo o país, o sentimento de apreensão era contrabalançado por alguns momentos mais leves. "A arrumadeira transformou uma situação tensa numa grande comédia", registrou Logue. "Seu filho Ernie foi levado para o campo ontem, e ao descer as escadas ela disse 'Graças a Deus meu Ernie foi *escavado*'."

Por menos bem-vinda que fosse a perspectiva de enfrentar outra guerra apenas duas décadas depois do final da última, a declaração de Chamberlain feita em 3 de setembro significou que pelo menos agora o povo da Grã-Bretanha sabia onde estava pisando. "Um maravilhoso alívio depois de toda a nossa tensão", escreveu Logue. "O desejo universal é matar o pintor de paredes austríaco." O rei expressou sentimentos semelhantes no próprio diário, que manteria rigorosamente atualizado pelos próximos sete anos e meio. "Quando soaram as 11 horas daquela profética manhã, senti algum alívio por terem fim aqueles dez angustiantes dias de intensas negociações com a Alemanha em relação à Polônia, que em alguns momentos pareceram favoráveis, com Mussolini também trabalhando pela paz", escreveu ele.[81]

Myrtle, enquanto isso, preocupava-se com assuntos mais práticos: preparou 4,5 quilos de geleia de ameixa e 3,5 quilos de ervilhas em conserva. Com ou sem guerra, precisavam comer. Laurie e a esposa, Josephine — ou Jo, como era conhecida na família —, também estavam lá. Myrtle preocupava-se com eles: Jo esperava o primeiro filho (o primeiro neto de Lionel e Myrtle) para o fim daquele mês. Myrtle escreveu no diário que agora esperava que Jo também fosse "escavada".

Poucos minutos depois de Chamberlain ter terminado de falar, o som ainda não familiar das sirenes antiaéreas se fez ouvir por toda Londres. Logue chamou Tony, que consertava a bicicleta na garagem, e começaram a fechar todas as venezianas. Da janela, puderam ver os balões de barragem subindo — aquilo era, escreveu Logue, "uma visão maravilhosa". A alguns quilômetros dali, no Palácio de Buckingham, o rei e a rainha também se surpreendiam ao ouvir o medonho som das sirenes. Entreolharam-se e disseram "não pode ser". Mas era, e com os corações batendo forte desceram para o abrigo no porão.

Ali ficaram, nas palavras da rainha, "chocados e horrorizados, sentamo-nos à espera de que as bombas caíssem".[82]

Não houve bombas naquela noite em particular, e cerca de meia hora depois soou o toque de final de ataque aéreo. O casal real, e outros afortunados o bastante para ter acesso a um abrigo, voltaram para suas casas. Aquele seria o primeiro de muitos alarmes falsos, já que os tão temidos ataques aéreos sobre Londres só começariam de verdade com a *Blitz*, quase um ano mais tarde.

A primeira noite de guerra começou como qualquer outra. A única diferença registrada por Myrtle foi a ausência de programas de rádio; só discos eram tocados. Então, às 3 da manhã, veio outro alarme antiaéreo, e todos correram para o porão abafado. "O único sentimento é de irritação", escreveu ela no diário. "É estranho como as coisas acontecem — nenhum pânico, nenhum medo, apenas a simples raiva por ser perturbada."

O blecaute chegava à terceira noite e continuava a provocar o caos numa cidade não acostumada à escuridão total. Os setores de emergência dos hospitais estavam lotados — não por aqueles atingidos pelo fogo inimigo, mas por pessoas atropeladas por carros cujas luzes tinham sido diminuídas, ou que quebraram as pernas ao descer de trens em plataformas inexistentes ou que torceram os tornozelos tropeçando em meios-fios não vistos. O Hospital St. George's, onde Valentine era cirurgião residente após se formar três anos antes, não era exceção: no primeiro dia de guerra, ele passou toda a noite operando pessoas que se haviam acidentado nas ruas de Londres.

Agora que a guerra fora declarada, Logue sabia que desempenharia um importante papel junto ao rei. Na segunda-feira anterior, 25 de agosto, fora chamado por Hardinge. "Mantenha-se a postos para vir ao Palácio", dissera ele. Logue não perguntou a razão. Mas estava pronto dia e noite, embora, como disse a Hardinge, por mais que quisesse ver e conversar outra vez com o rei, sinceramente esperava não ser chamado — já que sabia muito bem o que isso significaria.

Ao meio-dia de 3 de setembro, veio o temido telefonema. Eric Mieville, que era o secretário particular do rei desde 1937, ligou para dizer que ele faria um pronunciamento à nação às 18 horas e pedia a Logue que fosse vê-lo. Laurie levou-o de carro à cidade, e ele chegou ao Palácio às 17h20.

No caminho para Londres, tudo lhes pareceu normal, exceto pelo sol brilhando sobre os dirigíveis, criando um "adorável azul prateado". Depois de deixar o pai no Palácio, Laurie voltou no mesmo instante para casa, de modo a chegar a tempo de ouvir o pronunciamento. Logue deixou chapéu, guarda-chuva e máscara de gás no vestíbulo do Conselho de Orçamento Privado e subiu as escadas.

O rei recebeu Logue em seu gabinete particular, em vez da sala que em geral usavam, que estava sendo preparada para a fotografia pós-pronunciamento. Usava o uniforme de almirante, com todas as condecorações, e assim repassaram o discurso. A mensagem, de acordo com o biógrafo oficial, foi "uma declaração de fé em simples crenças (...) que encorajou, como talvez nada mais poderia, os povos britânicos perante a luta que se apresentava, e os uniu na determinação de alcançar a vitória".[83] Logue revisou o texto, marcando pausas entre palavras para facilitar-lhe a leitura em voz alta. Substituiu também algumas palavras: "*government*" [governo], em que o rei poderia tropeçar, foi substituído por "*ourselves*" [nós mesmos], mais fácil de pronunciar, enquanto, mais adiante no discurso, "*call*" [chamar] ocupou o lugar de "*summon*" [convocar].

Logue ficou abalado com a tristeza na voz do rei à medida que ia lendo. Tentou animá-lo o quanto pôde, lembrando-o de como ele, o rei e a rainha haviam se sentado naquela mesma sala por uma hora na noite da coroação, antes do pronunciamento que ele fizera — e que aguardara com igual ansiedade. Riram e refletiram sobre quanta coisa acontecera nos dois anos e meio que se seguiram. Naquele momento, a porta do outro lado da sala se abriu e entrou a rainha — parecendo, como um fascinado Logue descreveu, "majestosa e encantadora". Ela era, pensava ele ao se inclinar diante de sua mão, "a mulher mais encantadora que eu jamais vi".

Faltando três minutos, era hora de irem para a sala de transmissão. Ao cruzarem o corredor, o rei acenou para Frederick Ogilvie — que, em 1938, sucedera Reith como diretor-geral da BBC—, a fim de que se juntasse a eles. A sala acabara de ser redecorada e estava brilhante e alegre, mas o clima permanecia sombrio. O rei sabia exatamente o quanto dependia daquele discurso, que seria ouvido por milhões de pessoas em todo o Império.

Depois de uns cinquenta segundos, a luz vermelha acendeu. Logue olhou para o rei e sorriu quando ele se aproximou do microfone. Quando o relógio do pátio bateu as 6 horas, um sorriso contraiu-lhe o canto da boca e, com grande emoção, ele começou a falar:

> Nesta hora solene, talvez a mais decisiva de nossa história, envio a todos os lares dos meus povos, tanto em casa quanto além-mar, esta mensagem, dita com a mesma profundidade de sentimento em relação a cada um de vocês, como se eu fosse capaz de transpor seus portais e falar-lhes de corpo presente.
>
> Pela segunda vez na vida da maioria de nós, estamos em guerra. Tentamos inúmeras vezes encontrar uma saída pacífica para as diferenças entre nós e aqueles que são agora nossos inimigos. Mas foi em vão. Fomos forçados ao conflito. Pois

somos chamados, com nossos aliados, a enfrentar o desafio de um princípio que, se prevalecesse, seria fatal para qualquer ordem civilizada no mundo.

Falo do princípio que permite a um Estado, na busca egoísta pelo poder, ignorar seus tratados e juramentos solenes; que sanciona o uso da força, ou de ameaça de força, contra a soberania e a independência de outros Estados. Tal princípio, desprovido de toda máscara, é sem dúvida a mera primitiva doutrina de que poder é razão; e, se esse princípio fosse estabelecido em todo o mundo, a liberdade do nosso próprio país e de toda a Commonwealth Britânica de Nações estaria em perigo. Mas muito mais do que isso: os povos do mundo seriam mantidos na servidão do medo, e desapareceriam quaisquer esperanças de paz estável e de segurança da justiça e da liberdade entre as nações.

Esta é a questão última que nos confronta. Pelo bem de todos a quem queremos bem, e pela ordem e a paz do mundo, é impensável que devêssemos nos recusar a enfrentar o desafio.

É para esse alto propósito que agora conclamo meu povo em casa e meus povos de além-mar, que farão de nossa causa a sua própria. Peço-lhes que se mantenham calmos, firmes e unidos nestes tempos de provação. A tarefa será difícil. Talvez tenhamos dias obscuros pela frente, e a guerra já não pode ser confinada ao campo de batalha. Mas nós só podemos fazer o que é certo quando vemos o que é certo e com reverência entregamos nossa causa a Deus. Se nos mantivermos todos resolutamente fiéis a ela, prontos para qualquer serviço ou sacrifício por ela exigido, então, com a ajuda de Deus, venceremos.

Que a todos nós Ele abençoe e proteja.

Quando tudo terminou e a luz vermelha se apagou, Logue estendeu a mão ao rei.

— Parabéns pelo seu primeiro discurso em tempos de guerra — disse.

O rei, passada a difícil experiência, simplesmente afirmou:
— Prevejo que precisarei fazer muitos outros.
Ao passarem pela porta, a rainha os esperava.
— Estava bom, Bertie — afirmou ela.
O rei foi posar para a foto e Logue ficou com os demais no corredor.
— Bertie mal conseguiu dormir na noite passada, estava tão preocupado, mas agora, que demos o passo decisivo, ele está muito mais bem-disposto — disse-lhe a rainha.

Então o rei voltou e todos se despediram, e, quando Logue se inclinou perante a mão da rainha, ela disse:
— Precisarei falar às mulheres. O senhor me ajudará com o discurso?

Logue respondeu que seria uma grande honra.

Foi um sinal da importância do discurso o anúncio pelos jornais do dia seguinte de que o rei "consentira" a impressão de 15 milhões de cópias do texto, com um fac-símile de sua assinatura, a serem enviadas a cada lar no país. Mas tal remessa maciça não chegou a ocorrer: funcionários estimaram que o trabalho requereria 250 toneladas de papel, cujo abastecimento já começava a escassear, enquanto os correios se alarmavam com a carga extra imposta a sua já exausta equipe. Decidiu-se que as 35 mil libras que custaria toda a operação seriam mais bem gastas em outra coisa — senão por outra razão, porque os jornais reproduziram o discurso na íntegra, ao lado de uma fotografia do rei vestido para a ocasião, em uniforme de almirante. Como sempre, ele fora retratado sentado diante do microfone, embora, como das outras vezes, tivesse falado de pé.

Nos dias e semanas subsequentes, outros racionamentos começaram a ser feitos. Em 25 de setembro, introduziu-se o racionamento de gasolina, restringindo as pessoas a menos seis galões por mês. Londres tornou-se, praticamente da noite para o dia, uma aldeia campestre. Seguiu-se o racionamento de comida, combustível e outros itens no início de 1940. Os Logue tinham sorte: a madeira nos fundos do jardim fornecia-lhes combustível e havia muito espaço para cultivar frutas e vegetais. Valentine sabia manejar uma arma e com frequência trazia coelhos para o jantar.

Havia também uma grande fonte de alegria para os Logue: logo cedo no dia 8 de setembro, a mulher de Laurie, Jo, dera à luz uma menina, Alexandra. Naquela ocasião, Tony, que sempre fizera tanto para animar o ambiente, preparava-se para ir para a universidade em Leeds, onde, seguindo os passos do irmão mais velho, estudaria medicina (a escolha original fora Londres, mas a guerra alterou seus planos). Com alguma tristeza, os pais viram-no a bordo do trem na estação King's Cross em 5 de outubro. "Sua ausência tira um bocado de risadas da minha vida", escreveu Myrtle em seu diário.

Com ou sem guerra, a cerimônia de abertura do Parlamento estava marcada para novembro — e o rei recorreu a Logue para certificar-se de que o discurso que precisava proferir fluiria bem. Havia alguma especulação de que o rei sequer apareceria e que os detalhes do programa de governo seriam lidos pelo presidente da Câmara dos Pares.

Ele acabou aparecendo em pessoa, mas aquela seria uma abertura de Parlamento diferente de qualquer outra. Os trajes cerimoniais e pomposos, tradicionalmente parte importante da ocasião, foram abandonados. O rei e a rainha chegaram ao Palácio de Westminster de carro, em vez da carruagem real, e com um mínimo de comitiva; o rei usava um uniforme naval; a rainha vestia veludo e peles decoradas com pérolas, para o frio. Para comentaristas, a silenciosa solenidade contrastava violentamente com a ostentação vulgar que acompanhava as aparições públicas de Hitler.

O discurso em si, que, em tempos de paz, teria destacado o programa legislativo proposto pelo governo, foi curto e direto: "A condução da guerra demanda a energia de todos os meus súditos", começava o rei. E, além de dizer aos membros do Parlamento que lhes seria pedido que fizessem "maiores provisões financeiras para a condução da guerra", não se estendia.

O ano trouxe ainda um último e grande discurso — a mensagem de Natal. Com a nação em guerra, todos, inclusive o rei, sabiam estar fora de questão ele não se dirigir aos súditos. Ficou decidido que ele diria uma mensagem pessoal ao final do programa *Round the Empire* da BBC, na tarde de 25 de dezembro.

Achar o tom correto era um desafio: embora o conflito estivesse agora no quarto mês, nada muito grave realmente acontecera, pelo menos no que dizia respeito à população britânica civil. A percepção popular de uma "guerra de mentira" estava no auge. Apesar de ocasionais alarmes falsos, tudo estava tranquilo no *front* oeste e os tão temidos ataques aéreos não tinham acontecido. Muitas das crianças antes levadas para o campo já tinham retornado para casa. A única ação real acontecia no mar e não ia bem para a Grã-Bretanha: em 13 de outubro, um habilidoso comandante de submarino conseguira penetrar as defesas em Scapa Flow, na costa nordeste da Escócia, e afundara o navio de guerra *Royal Oak* enquanto estava ancorado, causando a perda de mais de 830 vidas. Comboios britânicos trazendo suprimentos vitais pelo Atlântico Norte foram atacados pela Marinha alemã. Um raro sucesso tinha sido a destruição do "pequeno" navio de batalha alemão *Graf Spee*, na Batalha do rio da Prata, na costa do Uruguai.

Em resumo, o sentimento era de anticlímax; abundavam a apatia e a complacência que o rei planejava combater. Ele falou do que vira em primeira mão: da Marinha Real, "sobre a qual, nos últimos quatro meses, se abatera a tempestade da guerra impiedosa e incessante"; da Força Aérea, "que diariamente somava louros aos recebidos por seus pais"; e da Força Expedicionária Britânica na França: "Sua tarefa é difícil. Eles estão esperando, e esperar é um teste de nervos e disciplina."

"Um novo ano se aproxima", continuou ele. "Não sabemos o que trará. Se trouxer paz, seremos todos muito gratos. Se trouxer a continuação da luta, permaneceremos sem medo. Enquanto isso, sinto que podemos todos encontrar uma mensagem de encorajamento nas linhas que, em minhas palavras finais, gostaria de lhes dizer."

Nesse ponto, aparentemente por iniciativa própria, o rei citou alguns versos de um poema até então desconhecido, que acabara de receber. Fora escrito por Minnie Louise Haskins, professora da London School of Economics, e publicado pela autora em 1908.

"E eu disse ao homem que se postava ao portal do ano: 'Dê-me uma luz para que eu possa caminhar com segurança pelo desconhecido.' E ele respondeu: 'Adentra a escuridão e põe tua mão na Mão de Deus. Será para ti melhor que luz e mais seguro que um caminho conhecido.' Possa essa Toda-Poderosa Mão a todos nós guiar e manter."

O rei receara pronunciar aquela mensagem de Natal, como quase todo grande discurso antes dela.

"É sempre uma experiência difícil para mim, e eu só começo a aproveitar o Natal depois que ele termina", escreveu ele em seu diário naquele dia.[84] Ainda assim, não há dúvida quanto ao imenso impacto positivo do discurso no moral popular.

O poema, que Haskins intitulara "Deus sabe", tornou-se também muito popular, embora sob o título "O portal do ano". Foi reproduzido em cartões e amplamente publicado. Suas palavras tiveram grande impacto sobre a rainha, que o mandou gravar em placas de bronze e viria a fixá-la nos portões da capela em memória do Rei George VI no Castelo de Windsor, onde o rei fora sepultado. Quando ela morreu em 2002, as mesmas palavras foram lidas na cerimônia fúnebre.

Por mais bem-sucedida que tenha sido a mensagem de Natal do rei, houve um curioso acontecimento posterior que refletia a contínua preocupação de parte do público quanto ao seu problema de fala (aliada à vontade de ajudá-lo). Em 28 de dezembro, Tommy Lascelles repassou a Logue uma carta a ele enviada por Anthony McCreadie, reitor da escola secundária John Street, em Glasgow.

"Ninguém sabe que estou escrevendo estas linhas e ninguém jamais saberá que as escrevi", começava McCreadie em tom conspiratório. Passava, sem mais floreios, a explicar uma técnica que o rei deveria empregar ao fazer seu próximo pronunciamento. "Faça-o apoiar-se sobre o cotovelo esquerdo e colocar as costas da mão debaixo do queixo — encaixando o pescoço entre o polegar e os outros dedos. Faça-o então pressionar *firmemente* o queixo sobre a mão — exercendo uma forte pressão para cima e para baixo quando ele tiver dificuldade com um som. Isso controlará seus músculos, e todo obstáculo desaparecerá no futuro (...) Humildemente, espero que ele execute meu plano infalível."

Não se sabe se o rei algum dia recebeu o conselho de McCreadie — menos ainda se tentou implementá-lo.

CAPÍTULO 13

Dunquerque e os dias negros

Faltando um minuto para as 21 horas de 24 de maio de 1940, uma sexta-feira, os cinemas de toda a Grã-Bretanha suspenderam a programação; multidões de pessoas começaram a se juntar do lado de fora de lojas de rádios, e um silêncio se abateu sobre clubes e saguões de hotel. Milhões de outros estavam reunidos em torno dos rádios em suas casas, enquanto o rei se preparava para fazer seu primeiro discurso à nação desde o pronunciamento de Natal em Sandringham. Com doze minutos e meio de duração, esse foi também o seu maior discurso — e um grande teste de todas as horas passadas com Logue.

A ocasião era o Dia do Império, que durante a guerra ganhou repercussão adicional pela imensa contribuição de muitos milhares de pessoas de todo o Império para a guerra contra Hitler na Europa. Adequadamente, as palavras do rei seriam ouvidas ao final de um programa chamado *Irmãos em Armas*. Apresentando homens e mulheres nascidos e criados além-mar, o programa, segundo a BBC, "demonstraria, de maneira indubitável, a unidade e a força das quais o Dia do Império é o símbolo".

A Grã-Bretanha precisava de toda ajuda que pudesse receber do Império. A guerra de mentira chegara a um fim repentino e dramático. Em abril, os nazistas invadiram a Dinamarca e a Noruega.

Tropas Aliadas desembarcaram na Noruega numa tentativa de defender o país, mas, ao final do mês, as áreas ao sul estavam em mãos alemãs. No início de junho, os Aliados evacuaram o Norte, e no dia 9 do mesmo mês as forças norueguesas depuseram as armas.

O sucesso dos nazistas na Escandinávia levou a contínua pressão sobre Chamberlain ao limite no chamado debate norueguês, durante o qual o antigo chefe de gabinete Leo Amery repetiu para o desventurado primeiro-ministro a famosa frase usada por Oliver Cromwell para o Longo Parlamento*: "O senhor esteve sentado aqui por tempo demais para qualquer bem que tenha feito. Afaste-se, digo, e que tudo se encerre agora. Em nome de Deus, saia!"

Apesar do alinhamento das forças políticas contra ele, Chamberlain venceu a votação de 8 de maio por 281 a 200, mas muitos dos próprios partidários se abstiveram ou votaram contra ele. Havia um clamor crescente para ampliar a coalizão a fim de incluir o Partido Trabalhista, mas seus membros recusavam-se a servir sob o comando de Chamberlain. Houve especulações de que ele poderia ser sucedido por Lorde Halifax, um dos principais arquitetos da conciliação desde quando substituiu Eden como ministro das Relações Exteriores, em março de 1938.

Embora Halifax tivesse o apoio tanto do Partido Conservador quanto do rei, e fosse aceito pelos trabalhistas, acreditou que havia um homem melhor para o serviço. Quando Chamberlain renunciou dois dias depois, foi substituído por Winston Churchill, que formou um novo governo de coalizão incluindo membros dos partidos Conservador, Trabalhista e Liberal, bem como nomes sem partido. Naquele mesmo dia, as forças alemãs marcharam sobre a Bélgica, os Países Baixos e Luxemburgo.

---

*Legislatura do Parlamento inglês que durou, sem interrupção, de 1640 a 1653 e que só foi formalmente dissolvido em 1660. (*N. da E.*)

Os nazistas apertavam rapidamente o cerco. Às 5 horas de 13 de maio, o rei foi acordado para atender uma ligação da Rainha Guilhermina, dos Países Baixos. A princípio, pensou tratar-se de um trote — mas não quando ela começou a falar e, com urgência, implorou ajuda para que mais aviões fossem enviados para defender seu país sitiado. Era tarde demais; poucas horas depois, a filha da rainha, Princesa Juliana, seu marido alemão Príncipe Bernhard e as duas filhas chegavam à Inglaterra. Mais tarde no mesmo dia, Guilhermina telefonou mais uma vez ao rei, dessa vez de Harwich, para onde viajara a bordo de um destroier britânico depois de escapar de tentativas alemãs de capturá-la e fazê-la refém. Sua vontade inicial era voltar e se juntar às forças holandesas em Zeeland, no sudoeste do país, que ainda resistiam, mas a situação militar se deteriorara tanto que todos acreditavam ser impossível um retorno. A 15 de maio, seu Exército capitulou diante da *Blitzkrieg* alemã. Guilhermina permaneceu no Palácio de Buckingham, de onde tentava, a distância, motivar a resistência holandesa.

Foi no contexto desses dramáticos contratempos que Logue foi convocado, às 11 da manhã de 21 de maio, por Hardinge para encontrar-se com o rei às 4 da tarde. Chegou quinze minutos mais cedo, e encontrou o secretário particular do rei irritado com notícias ainda piores vindas do continente. As forças alemãs, continuando o furioso avanço pela França, entraram em Abbeville, na foz do rio Somme e cerca de 24 quilômetros do Canal, cortando em dois os Exércitos Aliados. O futuro da Força Expedicionária Britânica, espalhada sobretudo ao longo da fronteira franco-belga desde quando fora enviada, no começo da guerra, parecia amedrontador.

Apesar da gravidade da situação, o rei parecia numa disposição estranhamente alegre quando Logue foi anunciado. De pé na varanda, usando uniforme militar, assoviava para um cachorrinho da raça Corgi que, sentado sob um plátano no jardim, se esforçava por descobrir de onde vinha o som. Logue observou que o cabelo do rei estava um pouco mais grisalho nas têmporas do que ele recordava. A tensão da guerra começava sem dúvida a cobrar seu preço.

Entraram numa sala esvaziada de todos os quadros e objetos de valor, à exceção de um vaso de flores. Logue ficou impressionado com o texto do discurso do Dia do Império, que considerou extraordinário e lindamente escrito, mas, ainda assim, repassaram-no juntos e fizeram algumas alterações. Quando o faziam uma segunda vez, ouviu-se uma leve batida à porta. Era a rainha, vestida em cinza mescla, com um vistoso broche de diamantes em forma de borboleta no ombro esquerdo. Enquanto o rei anotava as alterações no texto, comentava com Logue os maravilhosos esforços feitos pela Força Aérea Real — e de quão "orgulhosos devemos ficar pelos meninos da Austrália, Canadá e Nova Zelândia". Logo em seguida, Logue foi embora.

"Foi uma maravilhosa recordação quando me despedi e me inclinei diante das mãos do rei e da rainha, ambos emoldurados pela ampla janela com o brilho do sol por trás deles, o rei em uniforme de marechal de campo e a rainha vestida de cinza", lembrou ele.

No próprio Dia do Império, Logue foi ao Palácio depois do jantar e, com Wood e Ogilvie, da BBC, certificou-se de que a sala fora adequadamente preparada para o pronunciamento. Em caso de ataques aéreos, Wood puxara um cabo para o abrigo subterrâneo. "Não importava o que acontecesse", escreveu Logue. "O pronunciamento seria feito."

O rei, vestindo um paletó de abotoamento duplo, parecia magro e em boa forma. Os dois entraram na sala de transmissão, que, para alívio de Logue, estava agradavelmente fresca: ele deixara instruções para que as janelas ficassem abertas a fim de prevenir a repetição do desastre do dia anterior, quando a infeliz Rainha

Guilhermina fizera um pronunciamento à hora do almoço para as colônias holandesas no Caribe e a sala estava tão quente e abafada que era praticamente um forno.

Logue sugeriu apenas pequenas alterações no discurso. Em vez de começar com "Faz um ano hoje", propôs ao rei modificar o texto e começar com "No Dia do Império, há um ano". Ambos repassaram pela última vez o discurso, que durou doze minutos. A oito minutos do início, o rei passou à sua sala, a fim de praticar a ênfase em duas ou três passagens mais difíceis.

Um minuto antes de começar a falar, o rei atravessou a sala de transmissão e olhou pela janela aberta, sob a luz cadente. Era um belo e perfeitamente pacífico entardecer de primavera. "Era difícil acreditar que, a centenas de quilômetros de nós, homens estivessem se matando", pensou Logue.

A luz vermelha do estúdio piscou quatro vezes e apagou — o sinal para começar. O rei deu dois passos para a mesa, e Logue apertou-lhe o braço para desejar sorte. O gesto disse muito sobre a intimidade da relação daqueles dois homens; ninguém, sem permissão, deveria tocar um rei daquela maneira.

"No Dia do Império, há um ano, eu lhes falei, povos do Império, de Winnipeg, no coração do Canadá", começou o rei, adotando a primeira alteração de Logue. "Estávamos em paz. Naquele Dia do Império, falei dos ideais de liberdade, justiça e paz sobre os quais se fundamenta nossa Commonwealth of Free People. As nuvens se aproximavam, mas eu me apeguei à esperança de que aqueles ideais ainda pudessem atingir um desenvolvimento mais rico e amplo sem sofrer a triste ofensiva da guerra. Mas não era para acontecer. O mal, que sem cessar e com toda a honestidade de propósitos nos empenhamos em evitar, caiu sobre nós."

E assim continuou, sorrindo como um menino de colégio (ou assim pensou Logue) sempre que superava sem dificuldades uma palavra até então impossível. A "batalha decisiva" estava agora sobre o povo da Grã-Bretanha, continuou o rei, aumentando a tensão.

"Não se trata de mera conquista territorial o que buscam nossos inimigos; trata-se da derrubada, completa e definitiva, deste Império e de tudo o que ele representa e, depois, da conquista do mundo (...)"

Logue não tinha o que fazer senão ficar ali e ouvir, deslumbrando-se com a voz do rei. Quando ele proferiu as últimas palavras, Logue apertou-lhe com força as mãos; ambos sabiam que aquele fora um esforço supremo.

Não ousaram, porém, falar de imediato; por insistência de Logue, tentavam uma nova maneira de trabalhar na qual a luz vermelha — aquele "olho vermelho do pequeno deus amarelo", como Logue a chamava — não permanecesse acesa durante toda a transmissão. Isso tinha a desvantagem de tornar difícil ter absoluta certeza de que estavam realmente fora do ar. Os dois homens continuaram a se entreolhar em silêncio — "o rei e o plebeu, e meu coração está muito cheio para falar". O rei lhe dava tapinhas na mão.

Alguns minutos depois, entrou Ogilvie: "Congratulações, Majestade, um maravilhoso esforço", disse ele, seguido da rainha, que beijava o marido e lhe dizia quão grande ele tinha sido. Todos lá permaneceram conversando por mais cinco minutos.

"E então", como relata Logue, "o rei da Inglaterra diz 'quero meu jantar' — e todos disseram boa noite e desceram as escadas rumo a outro mundo."

O rei estava, com razão, orgulhoso do seu esforço, e aliviado por, a despeito da instabilidade da situação militar, não ter sido obrigado a fazer grandes mudanças de última hora no texto. "Eu temia que algo acontecesse e me obrigasse a alterá-lo", escreveu ele em seu diário naquela noite. "Fiquei muito satisfeito com a maneira como o pronunciei, e foi certamente o meu melhor esforço. Como detesto esses discursos pelo rádio."[85]

Na manhã seguinte, os jornais estavam cheios de elogios ao discurso. O *Daily Telegraph* classificou-o como "um pronunciamento inspirador e vigoroso", acrescentando que "relatos da noite anterior indicavam que cada palavra fora ouvida com perfeita clareza em todos os Estados Unidos e em partes distantes do Império". O telefone de Logue, enquanto isso, tocava sem parar. "Todos estão emocionados com o discurso do rei", escreveu ele em seu diário. "Eric Mieville telefonou-me do Palácio de Buckingham e disse que a recepção no mundo inteiro foi extraordinária. Enquanto nos falávamos, o rei o chamou ao telefone, e pude por meio dele enviar mais uma vez minhas felicitações." A reação do Império e de além-mar fora também entusiástica.

No dia seguinte, um sábado, Logue e Myrtle celebraram o sucesso do rei indo ver uma matinê de *My Little Chickadee*,* uma comédia ambientada no Velho Oeste dos anos 1880 e estrelada por Mae West e W. C. Fields. Depois, Valentine levou os pais para jantar em um restaurante que Myrtle chamava de "o húngaro". Era a primeira vez que iam lá desde que a guerra começara, e a banda tocou todas as músicas favoritas de Myrtle.

Seria necessário mais do que um discurso, embora ótimo, para virar o jogo de uma guerra que ia mal para os Aliados. A próxima a cair sob os alemães foi a Bélgica. O Rei Leopoldo III, comandante em chefe das forças do país, esperara continuar a lutar em apoio dos Aliados, imitando o exemplo heroico do pai, o Rei Alberto, na Primeira Guerra Mundial. Mas a situação era outra, e em 25 de maio, convencido de que novas resistências seriam inúteis, Leopoldo rendeu-se. Controversamente, ele escolheu ficar com seu povo em vez de acompanhar os ministros à França, de onde eles tentavam continuar a operar como um governo no exílio. Mesmo

---
*Em português *Minha dengosa*. (N. da T.)

que injusto, o resultado foi sua difamação na Grã-Bretanha. Seu comportamento durante a guerra dividiu seu próprio país e lançou as sementes para sua abdicação, uma década mais tarde.

A fúria britânica diante da capitulação de Leopoldo deveu-se em grande parte ao efeito nocivo que teve sobre as Forças Aliadas, cujo flanco esquerdo ficou então inteiramente exposto e que precisou recuar para a costa do Canal. A única solução era montar um resgate — que viria a ser um dos episódios mais dramáticos da guerra. Em 27 de maio, a primeira de uma flotilha de cerca de 700 embarcações da Marinha Mercante, barcos de pesca, barcos de lazer e navios salva-vidas ingleses começou a evacuar tropas francesas e britânicas das praias de Dunquerque. Por volta do nono dia, um total de 338.226 soldados (198.229 britânicos e 139.997 franceses) fora resgatado.

Em 4 de junho, último dia da evacuação, Churchill fez um dos mais memoráveis discursos da guerra — ou, na verdade, de todos os tempos.

"Ainda que grandes áreas da Europa e muitos Estados antigos e ilustres tenham caído ou possam cair nas garras da Gestapo e de todo o odioso aparato nazista, nós não vamos nos render ou fracassar", disse ele à Câmara dos Comuns, continuando com o famoso voto de "lutar nas praias".

Em seu diário, no dia seguinte, Myrtle anotou apenas: "Todos os nossos homens em ação. Deus seja louvado. Encontrei algumas enfermeiras, elas têm uma história para contar que viverá para sempre." Havia também algumas preocupações mais imediatas: em 1º de junho, em meio à evacuação, ela soube que Laurie, o filho mais velho, se juntara ao Exército. Já com 30 anos, e com esposa e filha pequena, ele não estivera entre os primeiros convocados. No final de março, ele recebeu os papéis de convocação e, quando Myrtle soube da notícia, ela e Jo "choraram um pouquinho".

Para muitas pessoas comuns, o que ficou conhecido como "espírito de Dunquerque" descrevia perfeitamente a tendência dos britânicos de se unirem em épocas de emergência e adversidade nacionais. Mas, por maior que fosse o heroísmo e por mais memoráveis que fossem algumas fugas, não havia como disfarçar o fato de que nada daquilo significava vitória. Em particular, Churchill disse aos ministros mais novos que Dunquerque era "a maior derrota militar britânica em muitos séculos".

As más notícias continuavam a chegar. Em 14 de junho, Paris foi ocupada pela *Wehrmacht* alemã, e, três dias depois, o marechal Philippe Pétain (nomeado chefe de Estado com poderes extraordinários) anunciou que a França pediria à Alemanha um armistício. "Este é o dia mais negro que já vimos", escreveu Myrtle em seu diário de guerra. Ela ouviu a notícia da declaração de Pétain de um desgostoso motorista de ônibus que "proclamou ao mundo inteiro o que ele iria fazer a toda a nação francesa (...) Com certeza, agora não há mais ninguém que possa nos trair. Estamos todos realmente sozinhos, e, se nosso governo desistir, haverá uma revolução, e eu estou nela".

As coisas estavam prestes a ficar ainda pior. No final da tarde de 7 de setembro, 364 bombardeiros alemães, escoltados por outros 515 aviões, realizaram ataques aéreos sobre Londres, e naquela noite outros 133 atacaram. O alvo era o porto de Londres, mas muitas bombas caíram sobre áreas residenciais, matando 436 londrinos e ferindo mais de 1.600. Começara a *Blitz*. Pelas 75 noites seguintes, os bombardeiros atacaram Londres sem cessar. Outros importantes centros militares e industriais, como Birmingham, Bristol, Liverpool e Manchester, também foram atingidos. Em maio do ano seguinte, quando a campanha terminou, mais de 43 mil civis, metade deles na capital, haviam sido mortos e mais de um milhão de casas destruídas ou danificadas só na região de Londres.

O Palácio de Buckingham também foi atingido várias vezes naquele mês de setembro, durante um audacioso ataque aéreo à luz do dia, quando tanto o rei quanto a rainha lá estavam trabalhando. As bombas causaram dano considerável à Capela Real e ao pátio interno — o que fez a rainha pronunciar a famosa frase: "Estou contente por termos sido bombardeados. Faz-me sentir que posso olhar o East End* de frente." Logue escreveu ao rei para expressar sua "gratidão e reconhecimento ao Altíssimo" por ter o rei escapado por um triz do que ele chamou de "um covarde ataque à vida de V.M." Acrescentou que "não parecia possível que mesmo os alemães descessem a tais abismos de infâmia".

Tommy Lascelles escreveu a Logue quatro dias depois para agradecer-lhe por expressar preocupação, que o rei e a rainha muito haviam apreciado. "SS. MM. [suas majestades] passaram incólumes por essa experiência", acrescentou ele. "Espero que o senhor consiga dormir um pouco de vez em quando."

Nas semanas que se seguiram, Logue e o rei mantiveram uma correspondência ocasional. O monarca era, com frequência, surpreendentemente franco sobre seus sentimentos, tal como após a ida a Coventry em 15 de novembro, imediatamente depois de um devastador ataque noturno à cidade. Mais de 500 toneladas de bombas altamente explosivas e incendiárias foram lançadas, fazendo do centro um mar de chamas e matando cerca de 600 pessoas. A catedral foi quase completamente destruída, e o rei passou horas vagando sobre os escombros. O efeito de sua visita sobre o moral da cidade foi grande, embora o próprio rei estivesse atordoado pela intensa escala de destruição.

"O que eu poderia dizer àquelas pobres pessoas que perderam tudo, em alguns casos toda a família [;] as palavras eram inadequadas", disse ele a Logue.

---

*Região de Londres tradicionalmente ocupada pela classe operária. (*N. da T.*)

Em meio ao estresse e à miséria, houve momentos mais leves. Poucos dias depois, quando o rei praticava o discurso para a abertura do Parlamento naquele ano, cumprimentou Logue sorrindo como uma criança.

— Logue, estou em pânico — declarou ele. — Acordei à uma da manhã sonhando estar no Parlamento com a boca bem aberta e sem conseguir dizer uma única palavra.

Embora os dois homens tenham rido abertamente, aquilo deixou claro para Logue que, mesmo depois de todos aqueles anos trabalhando juntos, o impedimento de fala do rei ainda o preocupava muito.

Logue foi convidado a voltar a Windsor na véspera de Natal, e outra vez no dia de Natal, para ajudar com o discurso. Naquele ano, como no anterior, não haveria como o rei não se dirigir ao Império.

O clima era frio, mas agradável. Logue sentiu que não poderia arriscar-se com os trens, e então tomou o ônibus da Green Line para Windsor. "Eu ficara de pé no frio por toda a noite e, quando a porta foi aberta e nós entramos, o frio era cortante", escreveu ele. "Era como entrar num frigorífico. Senti cada vez mais frio, e, quando cheguei a Windsor, saí do ônibus como uma massa congelada." A caminhada até o Palácio descongelou-o um pouco; um cálice de xerez com Mieville após a chegada ajudou-o ainda mais, assim como o carvão em brasa ardendo na lareira. Ficou também encantado com uma cigarreira de ouro que lhe foi dada pela rainha.

Depois de um jantar de Natal com cabeça de javali e ameixas secas, Logue acompanhou o rei ao gabinete, e ambos se dedicaram ao trabalho. Logue não gostou do texto; até onde ele poderia dizer, não havia nada nele com que o rei fizesse bonito, mas ele pouco podia fazer a respeito. No discurso, o rei advertia o povo de que o futuro seria difícil, "mas nossos pés estão firmes no caminho da vitória, e, com a ajuda de Deus, trilharemos o caminho para a justiça e a paz".

E as coisas prosseguiam. Em 22 de junho de 1941, a Alemanha, com outros membros do Eixo europeu e a Finlândia, invadiu a União Soviética, na Operação Barbarossa. O objetivo era eliminar o país e o comunismo, provendo não apenas o *Lebensraum*, mas também acesso aos recursos estratégicos necessários à Alemanha para derrotar os rivais restantes. Nos meses seguintes, Hitler e seus aliados obtiveram ganhos significativos na Ucrânia e na região do Báltico, como também sitiaram Leningrado e se aproximaram dos arredores de Moscou. Mas Hitler fracassou em atingir o objetivo, e Stalin reteve uma parte considerável de seu potencial militar. Em 5 de dezembro, os russos começaram um contra-ataque. Dois dias depois, os japoneses atacaram a frota americana em Pearl Harbor, trazendo para o lado dos Aliados o poder dos Estados Unidos.

As forças do Eixo continuaram a fazer avanços em 1942: as forças japonesas varreram a Ásia, conquistando Burma, Malásia, as Índias Holandesas Orientais e as Filipinas. Os alemães, enquanto isso, destruíam navios dos Aliados, e em junho lançaram uma ofensiva de verão para atacar os campos de petróleo do Cáucaso e ocupar a estepe do Kuban. Os soviéticos resistiram em Stalingrado.

A guerra também era violenta na África, onde a *Panzerarmee Afrika*, do marechal de campo Erwin Rommel, composta de infantarias e unidades mecanizadas alemãs e italianas, ameaçava chegar aos portões do Cairo. Rommel expandiu o ataque em 26 de maio, forçou a evacuação dos franceses de Bir Hachim em 11 de junho e sitiou Tobruk na semana seguinte. Ele então varreu o leste da Líbia em direção ao Egito, chegando a El Alamein, cerca de 96 quilômetros a oeste de Alexandria, em 1º de julho. Foi um golpe amargo para os Aliados: Churchill, em Washington, voou de volta para enfrentar uma moção de censura na Câmara dos Comuns, que derrubou com facilidade.

Chegou então o momento decisivo para a África e, pode-se afirmar, para a guerra. As forças britânicas contra-atacaram, repelindo Rommel. Os alemães, porém, resistiram, e criou-se um impasse, durante o qual o general de divisão Bernard Montgomery foi nomeado comandante do Oitavo Exército. Em 23 de outubro, os Aliados atacaram novamente, com os 200 mil homens e 1.100 tanques de Montgomery superando os 115 mil homens e 559 tanques do Eixo: Rommel foi para a Alemanha desolado, mas logo voltou para liderar as tropas. Os números contra ele eram esmagadores, e, em 2 de novembro, ele comunicou a Hitler que suas forças não eram mais capazes de oferecer uma oposição efetiva. O líder nazista não toleraria nenhuma menção à rendição: "Não seria a primeira vez na história em que uma vontade forte triunfou sobre os maiores batalhões", respondeu Hitler no dia seguinte. "Quanto às suas tropas, não há outro caminho a mostrar-lhes senão o que leva à vitória ou à morte."

Logue foi um dos primeiros a saber da vitória de Montgomery. Na tarde de 4 de novembro, ele estava no Palácio com o rei, repassando o discurso que ele pronunciaria na cerimônia de abertura do Parlamento, marcada para o dia 12, quando o telefone tocou. O rei dera ordens para não ser perturbado a menos que fosse urgentemente necessário. Com olhar curioso, ele andou até o telefone e atendeu.

O rei animou-se no mesmo instante.

— Sei! Sei! Bem, leia, leia — disse ele, antes de acrescentar: — O inimigo está em retirada. Boas notícias, obrigado — e desligou.

Sorrindo, voltou-se para Logue.

— Ouviu isso? — perguntou ele, e repetiu o essencial da notícia: — Bem — continuou —, isso é formidável!

Naquela noite, o rei escreveu em seu diário: "Enfim uma vitória; como faz bem aos nervos."[86] Quatro dias depois, as Forças Aliadas desembarcavam no Marrocos e na Argélia, ambos supostamente em poder do regime francês de Vichy. A Operação Tocha, planejada para abrir uma segunda frente de batalha no Norte da África, estava em andamento.

Em meio ao drama, mais um discurso de Natal se aproximava. Poucos dias antes, Logue o ensaiara com o rei, a quem encontrara em excelente forma. O discurso em si requereu uma pequena cirurgia; Logue não se entusiasmava muito com passagens inseridas por Churchill no texto, uma vez que não pareciam adequadas para serem ditas pelo rei. "Eram típicas de Churchill e poderiam ser reconhecidas por qualquer um", queixou-se Logue no diário. "Com a ajuda do rei, cortamos adjetivos e o primeiro-ministro."

O clima naquele ano era adorável, apesar de um toque de neblina, e a neve dos dois anos anteriores não se repetiu. Logue foi mais uma vez convocado para se juntar à Família Real nas festividades. Ele achou a árvore de Natal muito mais bonita e mais bem decorada do que um ano antes; enfeites enviados por Myrtle faziam toda a diferença. Quando a rainha entrou, caminhou na direção de Logue e disse o quanto estava feliz em vê-lo. Para sua surpresa, pediu-lhe então que repetisse um truque que estivera mostrando a alguns ajudantes de ordens antes do almoço: como respirar usando apenas um pulmão. Ele o fez com alegria, mas advertiu-a de que ela e as duas princesas não deviam tentar fazer aquilo.

Logo depois das 14h30, Logue acompanhou o rei ao gabinete para revisar o discurso uma última vez. Às 14h55, entraram na sala de transmissão, Wood e ele sincronizaram os relógios, e às 14h58 a rainha entrou para desejar boa sorte ao marido. Segundos depois as três luzes amarelas piscaram, e, com um olhar na direção de Logue, o rei começou:

"É no Natal, mais do que em qualquer outra época, que nos conscientizamos da escura sombra da guerra. Em nossa festa de Natal hoje, faltam muitas das coisas felizes e familiares que nela sempre estiveram presentes desde a nossa infância (...) Mas, mesmo limitada em aparência externa, a mensagem do Natal permanece eterna e inalterada. É uma mensagem de gratidão e esperança — de gratidão ao Todo-Poderoso por Sua grande misericórdia, de esperança pelo retorno da paz e da boa vontade a esta terra."

Logue acompanhou o texto impresso por alguns parágrafos e então desistiu — percebeu que não havia mais necessidade de fazê-lo.

Durante o discurso, o rei falou da grande contribuição dada ao esforço de guerra pelos outros membros do Império — e também pelos americanos. Encerrou com uma história contada certa vez por Abraham Lincoln, a respeito de um garoto que carregava morro acima uma criança bem menor. "Ao ser perguntado se o pesado fardo não era demasiado para ele, o menino respondeu: 'Não é um fardo, é meu irmão.'"

Depois de exatos doze minutos, estava tudo terminado, e Logue encantado com o que ouvira. "É ótimo ser o primeiro a cumprimentar o rei, e, deixando alguns segundos se passarem para ter certeza de estarmos fora do ar, segurei-o pelo braço e, em minha excitação, disse 'Esplêndido'", escreveu Logue em seu diário. "Ele sorriu e disse: 'Acho que esse foi o melhor que fizemos, Logue. Voltarei a Londres em fevereiro, vamos continuar com as lições.' A rainha entrou, beijou-o carinhosamente e disse: 'Foi esplêndido, Bertie.'"

Os jornais estavam cheios de elogios ao desempenho real. "Tanto no estilo quanto no tema, o pronunciamento do rei ontem foi o mais maduro e inspirador já feito por ele", comentou o *Glasgow Herald*. "A tradição dos pronunciamentos do dia de Natal foi com dignidade mantida." Churchill, o maior orador de todos, telefonou para felicitá-lo por tê-lo realizado tão bem.

No dia 26 de dezembro, o rei enviou a Logue uma carta manuscrita que refletia bem o quanto ficara satisfeito com o acontecido:

Meu caro Logue,
    Estou muito feliz por ter sido tão bom o meu pronunciamento de ontem. Senti tudo diferente, e não tive medo do microfone. Tenho certeza de que aquelas suas visitas me fizeram um bem muito grande e devo mantê-las durante o novo ano.
    Muitíssimo obrigado por toda a sua ajuda. Com os melhores votos para 1943,
    do seu, mui sinceramente,
    George R.I.

Logue escreveu de volta cheio de entusiasmo: "Hoje, meu telefone não parou de tocar. Todo tipo de pessoa tem ligado para felicitá-lo, afirmando como elas gostariam de poder escrever-lhe e dizer o quanto gostaram do pronunciamento." Elogiou em especial a maneira como o rei tratara o temido microfone, "quase como se fosse um amigo", e como nunca dera a impressão de estar sendo ajudado.

CAPÍTULO 14

A virada

No verão de 1943, após dois anos de incessantes más notícias, a guerra começava a favorecer os Aliados. A batalha no Norte da África terminara em triunfo. Então, no dia 10 de julho, o Oitavo Exército britânico, sob comando do general Bernard Montgomery, e o Sétimo Exército dos Estados Unidos, comandado pelo general George Patton, começaram um ataque simultâneo à Sicília, que serviria como trampolim para uma invasão da Itália continental. Duas semanas depois, Mussolini foi deposto, e em 3 de setembro o governo de Pietro Badoglio concordou com uma rendição incondicional; no mês seguinte, a Itália declarou guerra à Alemanha.

Havia outras causas de celebração, em outros lugares: o tão temido *Tirpitz*, o maior navio de guerra já construído na Europa, foi seriamente avariado em setembro de 1943 por um audacioso ataque-surpresa de minissubmarinos britânicos enquanto estava ancorado. Então, em 26 de dezembro, o cruzador *Scharnhorst* foi afundado na costa do Cabo Norte da Noruega. A batalha do Atlântico fora efetivamente vencida pelos Aliados. Havia também boas notícias vindas do Extremo Oriente: os avanços japoneses estavam contidos, e britânicos e americanos preparavam-se para contra-atacar.

Ainda assim, a guerra ainda teria algum tempo pela frente. Os alemães ofereciam forte resistência tanto na Itália quanto no *front* russo, enquanto os japoneses estavam longe de ser derrotados. Churchill, exagerando o otimismo, disse ao rei acreditar que os alemães seriam derrotados antes do fim de 1944, mas receava que apenas em 1946 se pudesse assegurar a vitória no Extremo Oriente.

O rei apressou-se em aproveitar a melhora na situação para visitar seus vitoriosos Exércitos em campo e felicitá-los pelos feitos. Ele já fizera viagem semelhante em dezembro de 1939, quando visitou a Força Expedicionária Britânica na França, mas desde então a situação se deteriorara tanto que não fora possível pensar em repetir o gesto. Em junho de 1943, entretanto — viajando incógnito como "general Lyon" por razões de segurança —, ele partiu numa jornada muito mais ambiciosa de duas semanas ao Norte da África, durante a qual inspecionou as forças britânicas e americanas na Argélia e na Líbia. Na volta, também visitou rapidamente a "fortaleza insular" de Malta, cuja posição altamente estratégica no Mediterrâneo lhe rendera um bombardeio dos alemães. Por onde ia, recebia uma acolhida previsivelmente entusiástica.

Logue, em contraste, vivia os altos e baixos da sorte das Forças Aliadas por meio das experiências dos filhos. Laurie fora o primeiro a ser convocado, em 1940, e servia na Unidade de Serviços do Exército Real. Graças à experiência na indústria de alimentação adquirida quando trabalhava em Lyons, fora designado para um segmento da corporação responsável por transportar comida. Foi mandado para a África, onde serviu na "Força Gideão" sob o excêntrico coronel Orde Wingate, que em maio de 1941 ajudou a tirar os italianos da Etiópia e devolveu Hailé Selassié ao trono. Em fevereiro de 1942, foi promovido a segundo-tenente e, um mês mais tarde, era mencionado em despachos. Em junho, tornou-se tenente.

O próximo a ser convocado foi Tony. Depois de exatamente um ano cursando medicina na Universidade de Leeds, ele entrou para a Guarda Escocesa em 1941, e, após um período em Sandhurst, foi para o Norte da África. Valentine, enquanto isso, prosseguia na carreira médica no *front* doméstico: depois de um período em cirurgia geral, cuidando das vítimas da *Blitz*, trocou-a em 1941 pela neurocirurgia, em plena expansão e cada vez mais procurada. Foi primeiro mandado para um hospital em St. Albans, onde se especializou em traumatismos cranianos, e de lá seguiu para Edimburgo.

O próprio Logue, então com mais de 60 anos, era velho demais para servir nas Forças Armadas, mas trabalhava três noites por semana como inspetor de ataques aéreos. Sua saúde começava a se ressentir: em agosto de 1943, foi internado para uma cirurgia no estômago devido a uma úlcera. O rei, mesmo nas tradicionais férias de verão em Balmoral, foi mantido informado da situação de Logue por Mieville, que também providenciou para que o australiano passasse algum tempo no litoral em convalescença. Em 23 de outubro, Logue escreveu ao rei: "Alegro-me em dizer que estou bem melhor, e espero visitá-lo quando de seu retorno. Foram três longos meses. Como esta foi minha primeira úlcera, não fiquei muito satisfeito com ela, mas agradeço ao bom Deus por tudo ter corrido tão bem."

A guerra trouxe problemas tanto médicos quanto financeiros: os jovens, que eram a imensa maioria dos pacientes de Logue, foram, como os próprios filhos dele, convocados para as Forças Armadas. O constante bombardeio aéreo durante a *Blitz* também dissuadia outros de viajar a Londres para uma consulta. Por essa razão, o presente de 500 libras enviado pelo rei em janeiro de 1941 — "um presente pessoal de Sua Majestade em reconhecimento aos inestimáveis serviços pessoais prestados" — foi especialmente bem-vindo.

"Que V.M., com tão grandes responsabilidades e preocupações, tenha me agradecido e ajudado com tanta naturalidade me deixou maravilhado", escreveu de volta um agradecido Logue. "Meus humildes serviços sempre estiveram ao seu inteiro dispor, e o maior privilégio da minha vida foi servi-lo (...) Seus amáveis préstimos emocionaram-me sob diversos aspectos, e meu sincero e comovido desejo é que me seja permitido continuar a servi-lo por muitos anos."

Presentes eventuais, embora bem-vindos, não eram suficientes para resolver os problemas financeiros de Logue. Sua grande casa em Sydenham Hill começava também a se tornar um fardo. "Tem sido terrivelmente difícil manter Beechgrove, já que não há trabalho", queixou-se Logue numa carta enviada ao irmão mais moço de Myrtle, Rupert, em junho de 1942. "Myrtle não tem empregados, e não podemos sequer chamar alguém para cortar a grama, e com isso uma casa com 25 quartos e cinco banheiros é um problemão, e, como não tenho permissão para utilizar o cortador a motor e preciso usar o velho e pesado cortador 'a empurrão', não é bom mencionar o tamanho dos calos em minhas mãos." Então, eles arranjaram uma ovelha para deixar a grama curta.

O trabalho de Logue com o rei não trazia apenas retornos financeiros: na véspera da coroação ele fora feito membro da Ordem Real Vitoriana; na Lista de Honrarias de Aniversário de junho de 1943, foi promovido a comandante. A investidura aconteceu em 4 de julho do ano seguinte. Ele também teve a honra de ser nomeado representante da Sociedade Britânica de Terapeutas da Fala na Junta da Associação Médica Britânica —

embora, como escreveu a Rupert: "Eu só gostaria que tudo isso tivesse acontecido há 20 anos, quando poderia aproveitá-los muito mais. Estou com 62 anos e descubro que já não posso fazer o que um dia pude."

Havia também expressões de gratidão vindas de alguns pacientes, cujas cartas estão incluídas nos papéis de Logue. Um funcionário civil de 53 anos chamado C. B. Archer, de Wimbledon, sudoeste de Londres, escreveu em 30 de novembro de 1943 para agradecer a Logue por tê-lo curado por completo de uma gagueira que sofria desde os 8 anos, ao que tudo indica ensinando-o a respirar pelo abdome. "Foi um dia de sorte para mim, há pouco mais de seis meses, quando estive com o senhor pela primeira vez", escreveu Archer. "Creio que só mesmo um gago é capaz de compreender em que mundo diferente eu vivo agora. É como se um peso tivesse sido retirado da minha cabeça." A carta desse homem, que chega a cinco páginas manuscritas, dava uma ideia da frustração provocada pela gagueira, tanto na vida pessoal quanto na profissional.

"Minha gagueira trouxe-me sérias desvantagens no serviço civil", continuava ele. "Não fosse por ela, eu provavelmente seria hoje um secretário executivo. Todas as promoções são resultado de entrevistas realizadas por um Conselho, e o senhor imagina a triste figura que eu fazia na frente deles."

No mês seguinte, Logue recebeu uma carta especialmente efusiva de Tom Mallin, de Sutton Coldfield, Birmingham, relatando como sua mãe e seus irmãos perceberam a diferença desde que ele começara a se tratar com Logue. "Todos os meus amigos dizem que eu 'mudei' — sim — mas para melhor", escreveu Mallin. "Agora começo a perceber que a voz pode ser tão bonita, satisfatória e expressiva; é uma ideia que jamais me ocorrera (...) Como posso agradecer-lhe, senhor, por me fazer feliz?" Ele tinha uma entrevista marcada para algumas semanas depois, "e eu me lembrarei de tudo o que o senhor me ensinou. Tenho certeza de que vou causar uma boa impressão".[87]

A guerra, nesse ínterim, movia-se rumo a novos momentos decisivos. Na quinta-feira, 1º de junho de 1944, às 21h30, Logue recebeu um telefonema de Lascelles, que fora promovido a secretário particular do rei depois que Hardinge, um homem bem rude, fora efetivamente forçado a sair, em julho de 1943. "Meu soberano quer saber se o senhor pode vir a Windsor amanhã, sexta-feira, para almoçar", perguntava ele.

Logue concordou com prazer. Tomou o trem das 12h44. Lascelles, a quem encontrou nos aposentos dos camaristas, tinha um ar muito sério. "Peço desculpas por não poder adiantar muito sobre o pronunciamento", disse ele. "Trata-se, na verdade, de um convite à oração, dura cerca de cinco minutos, e, por estranho que pareça, não posso lhe dizer quando acontecerá, embora o senhor talvez já imagine que será transmitido na noite do Dia D, às nove horas."

Logue almoçou com os camaristas, as damas de companhia e o capitão da guarda, e, mais tarde, o rei mandou buscá-lo. Ele estava em seu gabinete, com as cortinas fechadas — mas ainda assim a sala estava extremamente quente. Ele parecia cansado e abatido e disse a Logue que não estava dormindo muito bem. Mas, quando repassaram o discurso, Logue se encantou. Ele cronometrou: exatos cinco minutos e meio.

Lascelles não precisara explicar o que queria dizer com Dia D. A terminologia militar para o dia escolhido para o ataque Aliado na Europa passara há muito às conversas comuns. Mas quando — e onde — o ataque aconteceria continuava a ser um segredo rigorosamente guardado. O elemento surpresa era essencial para o sucesso dos Aliados, e eles realizaram um extraordinário e engenhoso trabalho de desinformação dos alemães.

Dezessete meses antes, na Conferência de Casablanca, em janeiro de 1943, Roosevelt e Churchill haviam concordado com uma invasão em grande escala da Europa ocupada pelos nazistas usando uma combinação de forças americanas e britânicas. Churchill, que buscava a todo custo evitar uma repetição dos dispendiosos ataques frontais da Primeira Guerra Mundial, propusera invadir os Bálcãs, com o objetivo de se unir às forças soviéticas e então possivelmente trazer a Turquia para o lado dos Aliados. Os americanos, porém, preferiam uma invasão da Europa Ocidental — e seu ponto de vista prevaleceu. A decisão foi confirmada na conferência de Quebec, em agosto de 1943. A operação foi batizada de Operação Overlord, e naquele inverno a escolha do ponto de desembarque se restringira à região de Pas-de-Calais ou à Normandia. Na véspera do Natal, o general Eisenhower foi nomeado comandante supremo da Força Expedicionária Aliada.

Os planos da operação foram traçados por Eisenhower e seus comandantes em um encontro no dia 15 de maio, numa sala de aula da Escola St. Paul — sendo o foro extraordinário aparentemente escolhido porque o general Montgomery, comandante do 21º Grupo do Exército, ao qual pertenciam todas as forças terrestres da invasão, estudara ali. Nos dias seguintes, mais e mais forças se concentraram ao sul da Inglaterra; a invasão era iminente.

A princípio, houve uma tentativa de marcar o Dia D para 5 de junho, mas o clima naquele fim de semana era ruim: estava frio e úmido, e um vento forte soprava do oeste e de alto-mar, condições que tornariam impossível o lançamento das barcaças de desembarque a partir de navios maiores. Ao mesmo tempo, nuvens baixas impediriam que os aviões Aliados localizassem os alvos. A operação requeria um dia próximo à lua cheia; e a próxima seria naquela segunda-feira. Atrasar cerca de um mês e mandar as tropas de volta aos campos de embarque seria uma operação gigantesca e difícil, e então, informado pelo meteorologista-chefe de uma breve melhora no clima no dia seguinte, Eisenhower fez a histórica escolha pelo dia 6 de junho.

Horas depois, a Operação Netuno — nome dado à primeira fase de ataques da Operação Overlord — teve início: pouco depois da meia-noite, 24 mil soldados paraquedistas britânicos, americanos, canadenses e franceses aterrissaram. Então, começando às 6h30 do horário de verão britânico, as primeiras divisões Aliadas de infantaria e blindados desembarcaram ao longo de uma faixa de 80 quilômetros na costa da Normandia. Ao final do dia, mais de 165 mil soldados haviam desembarcado; mais de cinco mil navios foram usados. Foi a maior invasão anfíbia de todos os tempos.

Naquela tarde, às 18 horas, Logue chegou, como combinado, ao Palácio; foi levado à presença do rei quinze minutos depois. O discurso estava programado para as 21 horas, e a atmosfera estava tensa. Mas houve também alguns momentos cômicos: enquanto Logue fazia com o rei os exercícios vocais, eles viram pela janela uma procissão de cinco pessoas no jardim do Palácio de Buckingham, entre elas um policial. Enquanto observavam, a mulher pôs uma rede sobre a cabeça, o que fez Logue pensar que tentavam introduzir um enxame de abelhas numa caixa. "O rei ficou muito agitado, e queria ir lá fora para dar-lhes ajuda", observou Logue. "Bastaria eu ter dito que sim e ele teria aberto a janela e caminhado até o gramado, mas não seria inadmissível a chance de o rei ser picado por uma abelha pouco antes de um pronunciamento, portanto, por mais curioso que eu estivesse, precisei fingir não estar interessado."

Depois de ensaiar o discurso uma vez, os dois desceram para o abrigo antiaéreo. Logue ficou fascinado. "Que lugar bonito!", escreveu ele. "Seria suficiente para mim como residência — cheio de móveis excêntricos e das últimas novidades em aquecimento e iluminação." Wood, da BBC, também estava lá. Eles repassaram o texto; tudo correu bem: o discurso tinha cinco minutos e meio de duração, e só precisavam fazer duas alterações. O único problema era o tique-taque de um relógio, vindo do quarto do rei, que precisou ser silenciado por medo de que estragasse a transmissão.

Após terminarem, voltaram ao gabinete do rei — e ele foi imediatamente à janela, ver o que acontecera com as abelhas. As pessoas tinham desaparecido, deixando para trás uma pequena caixa. Enquanto Logue, sentado, fazia pequenas alterações no discurso, a rainha entrou, e, para seu divertimento, o rei "explicou como um menino o que ocorrera com as abelhas, chegando a se ajoelhar para explicar os detalhes da captura". A rainha também ficou animada, e disse: "Ah, Bertie, eu gostaria de ter estado aqui."

Naquela noite, com os britânicos reunidos ao redor de seus rádios, o rei proferiu:

> Quatro anos atrás nossa nação e Império resistiram sozinhos a um arrasador inimigo, acuados de encontro à parede, testados como nunca antes em nossa história, e sobrevivemos ao teste. O espírito do povo, resoluto e dedicado, inflamou-se sem dúvida como uma chama brilhante, vinda de um daqueles fogos invisíveis que ninguém pode extinguir.
>
> Uma vez mais, o teste supremo precisa ser encarado. Desta vez, o desafio não é lutar para sobreviver, mas lutar para conquistar a vitória final pela boa causa. Uma vez mais, o que se exige de todos nós é algo além da coragem, além da resistência.

O rei prosseguiu, exortando um "renascimento do espírito, uma nova e inconquistável reserva" e a "renovação daquela determinação com que entramos na guerra e enfrentamos seus momentos mais sombrios". Encerrou com uma citação do versículo 11 do Salmo 29: "O Senhor dará força a seu povo; o Senhor abençoará seu povo com paz."

O discurso adequou-se com perfeição ao espírito nacional. Enquanto as capas dos jornais do dia seguinte traziam relatos gráficos dos desembarques, os principais editorialistas reagiam com orgulho ao que era visto como uma oportunidade para a Grã-Bretanha finalmente revidar a indignidade sofrida quatro anos antes em Dunquerque. O rei recebeu inúmeras cartas de gratidão que o tocaram profundamente — nenhuma das quais mais sentida do que a enviada por sua mãe, a Rainha Mary. "Estou feliz por ter apreciado meu pronunciamento", escreveu ele em resposta. "Foi uma grande oportunidade para conclamar todos à oração. Há muito tempo eu queria fazer isso."[88]

A Operação Overlord foi um sucesso. A luta pela Normandia continuou por mais de dois meses. Em 21 de agosto, depois de uma batalha que durou mais de uma semana, encerrou-se o chamado "Bolsão de Falaise", capturando 50 mil soldados alemães. Dias depois, Paris foi liberada — a guarnição alemã que ocupava a cidade rendeu-se em 25 de agosto —, e no dia 30 as últimas tropas alemãs se retiraram cruzando o rio Sena. Bruxelas foi liberada pelas forças britânicas em 3 de setembro. Em outubro, as forças alemãs haviam sido quase completamente expulsas da França, da Bélgica e da região sul dos Países Baixos.

Os Aliados também avançavam na Itália, com o objetivo de capturar Roma. Nas primeiras horas da manhã de 22 de janeiro de 1944, tropas do Quinto Exército se aglomeraram numa faixa de 24 quilômetros de praias italianas próximas dos antigos balneários de Anzio e Nettuno, pegando os alemães quase totalmente de surpresa. Os desembarques iniciais foram executados com tanta eficiência e a resistência foi tão precária que as unidades britânicas e americanas atingiram seu objetivo no primeiro dia, por volta das 12 horas, e, ao cair da noite, afastaram-se quatro ou seis quilômetros da costa. As forças britânicas incluíam a Guarda Escocesa e, com ela, o segundo-tenente Antony Logue — o caçula de Lionel.

Num clássico erro militar, entretanto, o major-brigadeiro John Lucas, comandante da VI Corporação dos Estados Unidos, dispensou qualquer elemento surpresa atrasando o avanço a fim de consolidar sua cabeça de ponte. Quando, no final do mês, tentou seguir adiante, enfrentou a feroz resistência dos alemães sob o comando do general Albert Kesselring, que, naquele ínterim, tivera tempo de arregimentar reforços e adiantar-se, cercando então a cabeça de ponte e cuspindo fogo sobre as tropas Aliadas no pântano abaixo. Muitas vidas britânicas foram perdidas. Em 18 e 19 de fevereiro, a situação ia tão mal para os Aliados que pareceu que tudo terminaria em uma nova Dunquerque. Milagrosamente, eles sobreviveram, mas apenas depois de uma violenta batalha — como uma carta de Tony aos pais, datada da meia-noite de 19 de fevereiro, e escrita à luz de tochas, revelou:

> Podem dizer a Val que, até a noite passada, eu não havia tirado minhas botas ou meu casaco, ou tirado peça nenhuma de roupa por 19 dias, uma imagem muito diferente da figura elegante dos tempos de paz. Ainda assim, foi um espetáculo impressionante, e que sinto que deverá, para sempre, permanecer vivo na história. Estou muito orgulhoso por ter estado aqui e participado o pouco que pude. Os companheiros lutaram como só a Brigada dos Guardas consegue, mais do que isso não sei dizer.

Pelos dois meses seguintes, ou quase isso, a situação permaneceu estática, e então, afinal, em 4 de junho, dois dias antes do Dia D, entraram em Roma. Tony, promovido no mês anterior a capitão, descreveu a cena numa carta para casa, escrita em 15 de junho.

> Eu estava num jipe na segunda noite, uma das mais belas cidades que já vi. Tudo estava absolutamente tranquilo e em ordem, as pessoas aproveitando a vida normal sem perturbações e, exceto pelo desfile de comboios, nenhum soldado à vista, foi a melhor ocupação da qual participei.
>
> Estávamos num bosque ao norte de Roma quando soubemos do segundo *front*, e desde então não paramos mais. Eu já tinha recebido, nas últimas duas semanas, boas-vindas entusiásticas suficientes para toda a vida. Essas cidades do norte da Itália, entre as mais bonitas do mundo, nos receberam como reis, e, na maioria dos casos, as fogueiras alemãs ainda não haviam esfriado.

Embora o momento por toda a Europa fosse então claramente dos Aliados, Hitler fez uma última tentativa desesperada de virar o jogo. Em 16 de dezembro de 1944, o Exército alemão lançou uma maciça contraofensiva nas Ardenas, com o objetivo de dividir os Aliados ocidentais, cercando grandes porções de suas tropas e capturando a Antuérpia, o mais importante porto por onde eram abastecidos.

Para alguns, como Logue, na Grã-Bretanha, os dias posteriores ao Dia D assistiram também ao lançamento, por Hitler, de sua primeira arma secreta, os V-1, aviões sem piloto e carregados com explosivos a serem lançados dia e noite sobre Londres e outras cidades ao longo dos nove meses seguintes. O efeito sobre o estado de ânimo era terrível. "Há algo muito desumano em mísseis mortais sendo lançados de forma tão indiscriminada", escreveu a Rainha Elizabeth à Rainha Mary.[89] Mas o pior estava por vir: em setembro, aos V-1 sucederam-se os ainda mais terríveis V-2, mísseis balísticos lançados de instalações nos Países Baixos e em Pas-de-Calais, que caíam sem aviso prévio sobre Londres e no sudeste. O primeiro atingiu Chiswick, a oeste da capital, no dia 8 de setembro.

Apesar do progresso obtido ao longo dos anos com Logue, o rei ainda estava longe de ser um perfeito orador — como é claramente perceptível para quem quer que ouça as gravações dos discursos que sobreviveram nos arquivos. Uma análise contemporânea foi feita por meio de uma carta não requisitada enviada a Lascelles naquele mês de junho. Foi escrita pelo reverendo Robert Hyde, fundador da Boy's Werlfare Association, organização da qual o rei se tornara o patrono mais de duas décadas antes, quando era o Duque de York. Ao longo dos anos, Hyde tivera diversas oportunidades de ouvir o rei bem de perto e estava aparentemente ansioso para compartilhar suas impressões — embora não oferecesse nenhuma solução. Ainda assim, repassaram a carta a Logue.

"Como sabe, estudei os discursos do rei por alguns anos, portanto envio este bilhete sem quaisquer segundas intenções", escreveu Hyde. "As hesitações", afirmou ele, "pareciam bastante consistentes." "Exceto por leves deslizes em sua antiga dificuldade com os 'c' e 'g' como em 'crisis' [crises] e 'give' [dar], os mesmos dois grupos ainda parecem preocupá-lo: a vogal 'a', em especial quando seguida de consoante, como em 'a-go' [atrás] ou 'a-lone' [só], e uma letra ou som repetidos, como nas expressões 'yes please' [sim, por favor] ou 'which we' [os quais nós]'."

O mês de novembro trouxe mais uma cerimônia de abertura do Parlamento — e mais um discurso. Logue exerceu o habitual papel de identificar e eliminar potenciais trava-línguas e outras frases inconvenientes que pudessem fazê-lo tropeçar. *"In an unbreakable alliance"* [Sob uma inquebrantável aliança] poderia causar problemas, como *"fortified by constant collaboration of the governments concerned"* [fortalecidos pela constante colaboração dos governos interessados] — então ambas foram substituídas. Outra expressão, *"on windy beaches"* [em praias tempestuosas], foi alterada para '*storm swept beaches"* [praias varridas por tempestades].

Na noite de 3 de dezembro, um domingo, o rei faria um pronunciamento pelo rádio para marcar a desarticulação da Guarda Doméstica, a força de defesa formada por dois milhões de homens jovens demais, velhos demais ou inaptos demais para se juntar ao Exército. A tropa fora criada em julho de 1940 para ajudar a defender a Grã-Bretanha contra uma invasão nazista, que parecia iminente. Agora, num reflexo da convicção de que o jogo da guerra finalmente virara a favor dos Aliados, estava sendo desarticulada. Logue trabalhou com o rei no texto do discurso e foi a Windsor ouvi-lo falar. Ficou impressionado ao constatar que ele cometera apenas um erro: tropeçou no "w" de *"weapons"* [armas].

Mais tarde, Logue apertou a mão do rei e, depois de felicitá-lo, perguntou-lhe por que aquela letra em particular lhe causara problemas.

— Fiz de propósito — respondeu o rei com um sorriso.

— De propósito? — perguntou Logue, incrédulo.

— Sim. Se eu não cometesse um erro, o povo talvez não tivesse certeza de que era eu.

Naquele Natal houve outra mensagem à nação, e em 23 de dezembro Logue foi a Windsor para trabalhar as frases. O tom era otimista — expressava a esperança de que antes do Natal seguinte o pesadelo da tirania e do conflito estaria terminado. "Se olharmos para aqueles primeiros dias da guerra, podemos certamente dizer que a escuridão fica menor e menor a cada dia", dizia o texto. "As lâmpadas que os alemães apagaram por toda a Europa, primeiro em 1914 e depois em 1939, reacendem-se aos poucos. Já podemos ver algumas começando a brilhar através da neblina da guerra que ainda rodeia tantas terras A ansiedade está dando lugar à confiança, e esperemos que antes do próximo Natal a história de liberação e triunfo esteja completa."

Uma cópia do texto, encontrada entre os papéis de Logue, mostra as alterações feitas por ele para eliminar palavras e frases que ainda poderiam pegar o rei de surpresa: "*calamities*" [calamidades], com aquele difícil som inicial de "k", por exemplo, foi trocada por "*disasters*" [desastres] enquanto "*goal*" [meta], com um complicado "g" inicial, foi substituída pela opção mais simples de "*end*" [fim]. De modo geral, porém, Logue impressionou-se com o texto. "Todos precisam ser retocados de acordo com o mesmo padrão, mas creio que alteramos esse menos do que qualquer outro", escreveu ele.

Enquanto estavam no gabinete, com a lareira acesa, o rei disse de repente:

— Logue, creio ter chegado a hora em que posso fazer um pronunciamento sozinho, e o senhor pode passar uma ceia de Natal com sua família.

Logue esperava por esse momento há algum tempo, sobretudo depois do discurso da Guarda Doméstica. Discutiram o assunto com a rainha, que concordou que deveriam tentar. Ficou então decidido que, pela primeira vez, ela e as duas princesas se sentariam ao lado do rei diante do microfone enquanto ele transmitia a mensagem.

— Sinto-me, madame, como um pai que está mandando o filho para o primeiro dia na escola — disse Logue à rainha, ao se despedir.

— Sei bem como se sente — respondeu ela, batendo-lhe de leve no ombro.

Logue, passando o primeiro Natal em casa depois de muitos anos, celebrou com uma festa; John Gordon, do *Sunday Express*, e a esposa estavam entre os convidados. Logue ocupou-se tanto dos preparativos que quase não pensou no discurso, mas, faltando cinco para as três, escapuliu para o quarto. Depois de uma prece silenciosa, ligou baixinho o rádio, bem na hora.

Quando a voz do rei se fez ouvir, Logue surpreendeu-se com o tom firme e profundo. Fazia então três anos desde que, pela última vez, o ouvira pelo rádio, e ele soava muito melhor do que Logue se lembrava. Falava com segurança e com boa inflexão e ênfase, e todas as pausas entre as palavras haviam desaparecido. Durante os oito minutos da mensagem, ele hesitou numa única palavra, "*God*" [Deus], mas foi apenas por um segundo, e então continuou com ainda mais firmeza do que antes.

Os convidados de Logue ouviram na sala de estar, e, quando ele voltou, foi inundado de felicitações.

Tentou, então, fazer uma piada:

— Gostariam de ouvir o rei falar?

— Bem, acabamos de ouvi-lo — respondeu Gordon.

— Se vocês pegarem as duas extensões do telefone, poderão ouvi-lo falar de Windsor.

Na última revisão, ficou combinado que Logue telefonaria para o rei após o discurso; então, ele pegou o telefone principal e ligou para Windsor, enquanto os convidados ouviam nas duas extensões. Alguns segundos depois, a voz do rei ressoou.

Logue o felicitou pelo maravilhoso pronunciamento, acrescentando:

— Meu trabalho acabou, sir.

— De modo nenhum — respondeu o rei. — É o trabalho preliminar que conta, e é aí que o senhor é indispensável.

A mensagem de Natal foi bem-acolhida, e Logue recebeu uma série de cartas de congratulações — inclusive uma de Hugh Crichton-Miller, um importante psiquiatra que, por algum tempo, tivera consultório no número 146 da Harley Street. "Aquele pronunciamento estava a quilômetros de distância de qualquer desempenho anterior", escreveu Crichton-Miller a Logue no dia 26. "Ouvia-se a expressão pessoal de uma nova liberdade realmente admirável."

Um satisfeitíssimo Logue repassou a carta ao rei, que se envaideceu com o elogio — e disse palavras amáveis ao professor. "Espero não ter se importado por não estar lá quando senti que precisava fazer um pronunciamento sozinho", escreveu ele a Logue em 8 de janeiro. "A preparação dos discursos e transmissões é a parte importante, e é aí que toda a sua ajuda é inestimável. Pergunto-me se o senhor percebe o quanto lhe sou grato por me possibilitar que eu realizasse esta parte vital do meu trabalho. Não posso lhe agradecer o suficiente."

Quatro dias depois, Logue respondeu: "Quando começamos, anos atrás, a meta que estabeleci era que V.M. fosse capaz de fazer um discurso sem tropeçar e falar ao vivo sem medo do microfone", escreveu ele. "Como afirmou, tudo isso agora é fato consumado, e eu não seria humano se não estivesse cheio de alegria por vê-lo capaz de fazer tudo isso sem supervisão. Quando um novo paciente vem a mim, a pergunta habitual é:

'Serei capaz de falar como o rei?' e minha resposta é: 'Será, se trabalhar como ele.' Curarei qualquer indivíduo apto, desde que se esforce tanto quanto V.M, pois o vejo agora colher os benefícios de um trabalho tremendamente árduo realizado nos primeiros tempos."

Em janeiro de 1945, os alemães haviam sido expulsos das Ardenas sem alcançar nenhum de seus objetivos estratégicos Os soviéticos atacaram na Polônia, passando pela Silésia e Pomerânia e avançando para Viena. Os Aliados ocidentais, nesse meio-tempo, cruzavam o Reno, a norte e sul do Ruhr, em março, e no mês seguinte avançaram sobre a Itália e varreram a Alemanha ocidental. As duas tropas uniram-se no rio Elba em 25 de maio. Cinco dias depois, a captura do Reichstag marcou a derrota militar do Terceiro Reich. Com tropas soviéticas a apenas algumas centenas de metros, Hitler suicidou-se em seu *bunker*.

CAPÍTULO 15

Vitória

Foi uma das maiores — e com certeza a mais alegre — festas de rua jamais vista por Londres. No dia 8 de maio de 1945, uma terça-feira, dezenas de milhares de pessoas cantando e dançando se reuniram na alameda, em frente ao Palácio de Buckingham. Chegara enfim o momento com o qual eles haviam sonhado por mais de cinco anos e meio.

A rendição alemã era iminente há muitos dias: uma equipe de tocadores de sino estava a postos na Catedral de St. Paul para celebrar a vitória, as pessoas fincaram bandeiras do Reino Unido, e as casas foram decoradas com guirlandas de bandeirolas. Então, às 3 da tarde, Winston Churchill falou enfim à nação: às 2h41 da madrugada da véspera, anunciou ele, o cessar-fogo fora assinado pelo generalíssimo Alfred Jodl, chefe da Equipe de Operações do Alto-Comando da Forças Armadas, no quartel-general avançado americano em Reims. Em seu discurso, Churchill prestou grande homenagem aos homens e mulheres que "lutaram bravamente" em terra, mar e ar — e aos que deram a vida pela vitória. O pronunciamento foi transmitido do Escritório do Gabinete de Guerra, a mesma sala de onde seu predecessor, Neville Chamberlain, anunciara, seis anos antes, que o país entrava em guerra.

"Podemos nos permitir um breve período de alegria", concluiu Churchill. "Mas não nos esqueçamos por um momento sequer do trabalho e dos esforços que nos aguardam. O Japão, com toda a deslealdade e ganância, continua insubmisso."

Pouco depois, o rei, símbolo da resistência nacional tanto quanto Churchill, chegou ao balcão do Palácio de Buckingham para aceitar as felicitações da multidão extasiada. Pela primeira vez em público, surgia acompanhado não só pela rainha, mas pelas duas princesas. Às 17h30, as portas foram abertas novamente, e a Família Real saiu outra vez — agora com Churchill. Eles fariam um total de oito aparições naquele dia. Mais tarde, na mesma noite, o rei deveria acompanhar o primeiro-ministro num pronunciamento à nação.

Às 11h30 do sábado anterior, Logue recebera um telefonema de Lascelles, pedindo que fosse a Windsor naquela tarde: o "Dia da Paz V", como era conhecido, estava para ir ao ar. Lascelles ainda não tinha certeza do dia exato; tudo dependia do que aconteceria na Noruega. As forças alemãs que ocupavam o país pensavam em torná-lo um último bastião do Terceiro Reich, mas perceberam enfim a futilidade de novas resistências. A única questão era quando eles capitulariam. Um carro foi a Sydenham Hill apanhar Logue, e às 4 da tarde ele estava no Castelo de Windsor.

Ao chegar, encontrou o rei completamente exausto. Eles revisaram o discurso, do qual Logue realmente gostou — embora tenham alterado alguns trechos. Fizeram nova revisão, já no Palácio de Buckingham, às 15 horas de segunda-feira, e ficou acertado que Logue deveria retornar às 20h30 daquela noite. Ele foi para casa descansar, mas às 18 horas o telefone tocou; era Lascelles: "Não hoje à noite. A Noruega não nos chamou."

Mas garantiu a Logue que com certeza seria na próxima noite, e disse-lhe para ficar a postos.

Na manhã seguinte, Logue recebeu outra mensagem do Palácio. "O rei gostaria de vê-lo no jantar desta noite, e traga a sra. Logue" — ao que alguém acrescentou a enigmática mensagem: "Diga-lhe para usar algo brilhante." Então, às 18h30, Lionel e Myrtle partiram rumo ao Palácio de Buckingham. As ruas estavam praticamente desertas, e foram necessários apenas alguns minutos para chegar ao centro de Londres. Encontraram a primeira barreira de trânsito perto da Victoria Station, mas Mieville providenciara uma permissão, e eles continuaram em direção ao Palácio. Quando o carro atravessou o jardim rumo à entrada do Conselho de Orçamento Privado, frenéticos aplausos explodiram — o rei e a rainha acabavam de surgir no balcão. Lionel e Myrtle juntaram-se a outros membros da Casa Real em entusiásticos aplausos e lenços ao ar.

Lionel dirigiu-se à nova sala de transmissões no andar térreo, de frente para o jardim, e revisou o discurso com o rei. Fizeram poucas alterações, mais pela fluência do discurso do que por qualquer outro motivo, e então o rei, um pouco ressentido, declarou: "Se eu não jantar antes das 21 horas, depois não conseguirei, pois todos estarão longe, em busca de novidades."

Aquilo, vindo de um homem em posição tão elevada, levou Logue a paroxismos de riso — tanto que o próprio rei se juntou a ele; mas, depois de pensar melhor, ele afirmou: "É divertido, mas não deixa de ser verdade."

Depois de comer, voltaram à sala de transmissões, às 20h35. Wood, da BBC, lá estava; ele e Logue sincronizaram os relógios e fizeram um novo ensaio. Faltavam dois minutos. Mais uma pequena alteração, e então, como sempre, a rainha, de branco, entrou para desejar sorte ao marido. Quando os holofotes se acenderam, um poderoso rugido ergueu-se da multidão. Logue achou a atmosfera fantástica: "E num instante o cenário sombrio transformou-se em país das fadas — com o estandarte real, iluminado por baixo, flutuando no ar", escreveu ele no diário. "Outro rugido — o rei e a rainha vão ao balcão." Ele ficou especialmente encantado pela maneira como as luzes brincavam na tiara da rainha; à medida que ela se virava, sorrindo, para acenar à multidão, as luzes criavam uma espécie de faixa de chamas em torno de sua cabeça. O rei declarou:

> Agradecemos hoje ao Deus Todo-Poderoso por uma grande bênção. Falando da capital mais antiga do nosso Império, abatida pela guerra, mas nem por um momento amedrontada ou desesperada, falando de Londres, eu lhes peço que me acompanhem neste ato de gratidão.
> A Alemanha, o inimigo que levou toda a Europa à guerra, foi finalmente derrotada. No Extremo Oriente, ainda precisamos enfrentar os japoneses, um oponente determinado e cruel. A isso nos dedicaremos com a maior tenacidade e todos os nossos recursos. Mas neste momento, quando a tenebrosa sombra de guerra passou para longe dos nossos corações e lares nestas ilhas, podemos afinal fazer uma pausa para dar graças e então conduzir nossos pensamentos à tarefa mundial que a paz na Europa traz consigo.

Em seguida, o rei saudou aqueles que contribuíram para a vitória — tanto os vivos quanto os mortos — e refletiu sobre como os "povos isolados e escravizados da Europa" haviam olhado para a Grã-Bretanha nos piores dias do conflito. Falou também do futuro, enfatizando que os britânicos deveriam "tomar a decisão, como povo, a nada fazer que seja indigno dos que morreram por nós e a fazer do mundo aquele mundo que eles teriam desejado, para seus filhos e para os nossos". "É esta a tarefa a que a honra agora nos obriga", concluiu ele. "Na hora do perigo, humildemente entregamos nossa causa nas Mãos de

Deus, e Ele tem sido nossa Força e nosso Escudo. Vamos agradecer Suas graças e, neste momento de vitória, nos entregar e a nossa nova liderança a essa mesma e forte Mão."

O rei estava exausto, e isso era perceptível; tropeçou nas palavras mais do que de hábito, mas não parecia se importar. "Todos nós ficamos roucos de tanto gritar", observou Noël Coward, que estava na multidão. "Acredito ser este o mais grandioso dia em nossa história."

À medida que as celebrações continuavam, as duas princesas pediram aos pais permissão para ir até a multidão. O rei concordou: "Pobres queridas, elas nunca se divertiram", escreveu ele em seu diário. E então, às 22h30, acompanhadas por uma discreta escolta de oficiais da guarda, Elizabeth e Margaret escapuliram incógnitas do Palácio. Ninguém parece ter reconhecido as duas moças quando se juntaram à fila da conga que entrava por uma porta do Ritz e saía pela outra.

Às 23h30, a rainha mandou chamar Lionel e Myrtle, e eles apresentaram suas despedidas. Então, Peter Townsend, camarista do rei e futuro amante da Princesa Margaret, conduziu-os pelos jardins às cavalariças reais, onde um carro os esperava. Àquela altura, as multidões já haviam diminuído consideravelmente, embora ainda houvesse muita gente nas ruas celebrando a vitória.

Na ida para casa, os Logue deram carona a um soldado até Kennington Oval, no sul de Londres e, depois dele, a um casal com uma menina pequena, que queria ir para Dog Kennel Hill, próximo à sua casa. Enquanto prosseguiam, conversavam sobre os acontecimentos da noite e sobre o rei e a rainha. O casal agradeceu muito ao descer do carro; Lionel ouviu a sonolenta voz da criança dizendo "boa noite".

Embora Logue tivesse há pouco celebrado seu sexagésimo quinto aniversário, não fazia planos de aposentadoria e continuava a receber novos pacientes. Em 3 de junho de 1945, Mieville escreveu para agradecer "o que fizera pelo jovem Astor" — uma referência a Michael Astor, o filho de 29 anos do Visconde de Astor, o rico proprietário do jornal *Observer*, que desejava seguir o pai na política. "Seus esforços foram bem-sucedidos na medida em que ele foi aceito pelos constituintes", acrescentou Mieville. "Ele deve entrar, pois a indicação é considerada garantida, mas temo que não contribua muito quando chegar à Câmara dos Comuns." Astor, de fato, foi eleito membro do Parlamento por Surrey East nas eleições gerais do mês seguinte, mas serviu apenas até 1951 e teve pouco impacto na vida pública britânica.

Para Logue, a alegria pelo retorno da paz logo seria tingida por uma tragédia pessoal.

Naquele mês de junho, ele estava no Hospital St. Andrew's, em Dollis Hill, no noroeste de Londres, passando por uma cirurgia de próstata, quando Myrtle teve um ataque cardíaco e foi levada para o mesmo hospital. Ela morreu alguns dias depois, em 22 de junho.

Lionel ficou arrasado. Durante seus mais de quarenta anos juntos, Myrtle fora uma figura dominante em sua vida; os dois eram profundamente apaixonados. Numa aparição, em 1942, num programa da BBC chamado *On My Selection* — semelhante ao *Desert Island Discs* de hoje —, ele descrevera a esposa como "a garota que ficou ao meu lado (...) e me ajudou com tanta bravura nos momentos difíceis". Ela foi cremada em Honor Oak, no sudeste de Londres, perto de casa.

O rei enviou um telegrama de condolências tão logo recebeu a notícia: "A rainha e eu estamos pesarosos por saber da morte da sra. Logue e enviamos ao senhor e à sua família nossos mais sinceros pêsames pela perda — George." Enviou, depois, duas outras cartas: uma datada de 27 de junho e a outra no dia seguinte. "Fiquei muito chocado quando me informaram, porque sua esposa estava em muito boa forma na noite da Vitória", escreveu ele. "Por favor, não hesite em me informar se eu lhe puder ser de alguma ajuda."

Logue precisou enfrentar a tristeza sem dois de seus três filhos: Valentine deveria partir para a Índia poucas semanas depois com uma unidade de neurocirurgia, enquanto tudo indicava que Tony seria mandado de volta à Itália. Ele esperava que ao menos Laurie permanecesse na Grã-Bretanha. "Ele passou por maus bocados na África e ainda não se recuperou", escreveu ele ao rei em 14 de julho. "Não sei o que teria feito sem ele."

A saúde do próprio Logue continuava ruim, mas, ainda assim, ele voltou ao trabalho, "a grande panaceia para qualquer tristeza". "Estou inteiramente às ordens de Vossa Majestade", acrescentou. "Pressinto que há um Parlamento a ser aberto em breve."

A abertura do Parlamento, em 15 de agosto, assistiu ao retorno da pompa dos anos pré-guerra, com milhares de pessoas enfileiradas nas ruas de Londres enquanto o rei e a rainha seguiam para o local na carruagem real. Havia uma causa extra para celebrar: mais cedo, naquele mesmo dia, após o lançamento de bombas atômicas pelos americanos em Hiroshima e Nagasaki, o Imperador Hirohito do Japão anunciou a rendição de seu país. A Segunda Guerra Mundial finalmente havia terminado.

Em conteúdo, o discurso escrito para o rei era um dos mais dramáticos em décadas. A eleição daquele mês de julho pela primeira vez produzira um governo trabalhista com absoluta maioria — e um mandato para um programa de amplas mudanças de ordem social, econômica e política que transformaria a face da Grã-Bretanha. Dentre as grandes reformas com as quais a nova administração se comprometia estava a nacionalização das minas, das ferrovias, do Banco da Inglaterra e das companhias de gás e eletricidade, bem como a reforma dos sistemas de educação e bem-estar e a criação do Serviço Nacional de Saúde. "Será o objetivo de meus ministros garantir que os recursos nacionais de trabalho e material sejam empregados com a maior eficiência no interesse de todos", declarou o rei.

De natureza conservadora, o rei se preocupava com o potencial impacto de algumas medidas mais radicais de seu novo governo. Mostrava-se também entristecido pela derrota de Churchill, com quem criara estreitos laços durante a guerra. Mas, apesar de todas as dúvidas, era um monarca constitucional e não tinha alternativa senão aceitar o novo governo. Em nível pessoal, desenvolveu boas relações com Clement Attlee, o primeiro-ministro — tal como o rei, um homem de poucas palavras —, assim como com muitos dos novos ministros trabalhistas. Tinha uma afinidade natural com Aneurin Bevan, o ministro da Saúde, ainda que ele fosse um membro da esquerda trabalhista. Também Bevan sofrera por muito tempo de gagueira e disse ao rei, durante a primeira audiência, de sua admiração pela forma com que ele superara seu problema de fala.

Embora a guerra tivesse terminado, a vida continuava difícil para os britânicos comuns; a economia sofrera um duro golpe do qual levaria anos para se recuperar. Os racionamentos, longe de terem acabado, na verdade tornaram-se mais rigorosos: o pão, que durante a guerra era vendido livremente, foi racionado entre 1946 e 1948; o racionamento da batata foi introduzido pela primeira vez em 1947. A abolição total do racionamento não ocorreu antes de 1954, sendo a carne e o *bacon* os últimos itens liberados.

Logue continuava exercendo sua profissão. "A vida segue, e eu estou trabalhando muito, muito mais do que deveria [aos] 66 anos, mas o trabalho é a única coisa que me permite esquecer", escreveu ele numa carta ao irmão de Myrtle, Rupert, em maio de 1946. Na carta, ele expressava a esperança de poder voltar à Austrália por seis meses, no que seria a primeira viagem à terra natal desde que ele e Myrtle emigraram para a Grã-Bretanha em 1924. Mas sua pressão estava anormalmente alta, e ele foi aconselhado pelos médicos a não viajar de avião. Isso significava ter de esperar até que os serviços regulares de navio voltassem a funcionar. Nunca fez a viagem.

Dos vários casos de Logue, particularmente comovente foi o de Jack Fennell, um gago de 31 anos de Merthyr Tydfil, em Gales, que, em setembro de 1947, escrevera ao rei implorando ajuda. Desempregado, sem dinheiro e com um filho para alimentar, Fennell estava desesperado e sofria de um complexo de inferioridade provocado por anos de discriminação devido à sua gagueira. Lascelles encaminhou a carta de Fennell a Logue em 24 de setembro, pedindo-lhe que o examinasse e emitisse uma opinião sobre o caso. Logue concluiu que ele precisaria de até um ano de tratamento, que Fennell não tinha condições de pagar. Depois de tentar em vão conseguir ajuda de várias instituições assistenciais, Fennell encontrou enfim um patrocinador no Visconde de Kemsley, o magnata dos jornais, proprietário do *Daily Sketch* e do *The Sunday Times*. Hospedado num albergue militar em Westminster e com a oferta de um emprego em Londres, na gráfica dos jornais de Kemsley, Fennell começou o tratamento em janeiro de 1948.

Em abril do ano seguinte, Logue pôde escrever a Kemsley anunciando o progresso do paciente: Fennell ganhara confiança e passara "com louvor" numa entrevista para trabalhar no Instituto de Pesquisa em Energia Atômica, em Harwell. Logue continuou a vê-lo por mais um ano, embora as consultas tivessem sido reduzidas a uma por mês. Em agosto de 1949, a situação ia tão bem no trabalho que Fennell se mudou com a família para uma casa em Wantage; em janeiro do ano seguinte, matriculou-se na Faculdade de Tecnologia de Oxford e, em maio, recebeu a oferta de um emprego permanente em Harwell.

Com Myrtle morta e os filhos crescidos, Logue vendeu a casa de Sydenham Hill em abril de 1947. Não era apenas devido ao fato de ser grande demais para ele agora; como escreveu ao rei naquele mês de dezembro, nas felicitações anuais de aniversário, "ela guardava lembranças demais" de décadas de vida matrimonial. Mudou-se para o número 29 de Princes Court, um "apartamento pequeno e confortável" na Brompton Road, em Knightsbridge, bem em frente à Harrods.

Havia mais problemas em casa. Tony, o caçula de Lionel, deixara o Exército naquele meio-tempo e voltara para a universidade, mas dessa vez em Cambridge. Continuou a estudar medicina por nove meses, mas seu coração não estava ali, e ele mudou para direito. Mas seu estado de saúde era delicado. Internado para uma operação de apêndice relativamente simples, precisou no entanto submeter-se a quatro outras grandes cirurgias em seis dias. Em sua costumeira carta de aniversário ao rei, Logue atribuiu a culpa pelos fatos dramáticos a uma reação tardia a um incidente, quando o filho servia na África e ficou inconsciente por quatro dias após ter estado perto demais de uma explosão. Tony fora envolvido "numa desesperada luta pela vida", escreveu ele. O rei escreveu de volta dois dias depois, manifestando solidariedade. "O senhor, sem dúvida, teve sua cota de choques e tristezas", disse ele. Como de costume, atualizou Logue em relação a suas falas públicas, ressaltando como estava feliz com um discurso que fizera no memorial do pai. Mas expressou preocupação quanto à mensagem de Natal, que não seria fácil, "porque está tudo bastante sombrio".

Logue viu, entretanto, uma ambição realizada: em 19 de janeiro de 1948, escreveu ao rei pedindo-lhe que se tornasse patrono do Colégio dos Terapeutas da Fala, que contava então com 350 membros, estava "bastante solvente" e já era reconhecido pela Associação Médica Britânica. "Estou com 68 anos, e será um maravilhoso pensamento na velhice saber que o senhor foi o líder desta crescente e essencial organização", escreveu ele. O rei concordou.

Logue ainda considerava difícil conformar-se com a morte de Myrtle. Eles haviam sido casados por quase quarenta anos, durante os quais ela fora a influência dominante sobre ele, e sua morte deixou-lhe um imenso vazio na vida. Embora fosse um homem racional, foi atraído pelo espiritismo, na esperança de fazer contato com ela no "outro lado". Como resultado, ele conheceu Lilian Bailey, uma "médium de transe profundo". Ao longo dos anos, Bailey fora consultada por uma série de figuras proeminentes na Grã-Bretanha e em outros países — entre elas as atrizes de Hollywood Mary Pickford, Merle Oberon e Mae West, além de Mackenzie King, o primeiro-ministro canadense.

Não se sabe ao certo como Logue conheceu Bailey e a quantas sessões compareceu; os filhos, entretanto, ficavam horrorizados quando ele lhes dizia que ia "fazer contato" com a falecida esposa. "Era algo que considerávamos realmente louco e desejávamos de coração que ele não estivesse fazendo aquilo", recordou a mulher de Valentine Logue, Anne.[90]

Em meio à escuridão dos anos do imediato pós-guerra, brilhou uma centelha de luz: em 10 de julho de 1947, anunciou-se o casamento da Princesa Elizabeth com Philip, filho do Príncipe Andrew da Grécia e Dinamarca e da Princesa Alice de Battenberg, inglesa de nascimento. O casal se conhecera em junho de 1939, quando Philip tinha 18 anos e a futura rainha, apenas 13. O rei viajava com a família no iate real para visitar o Royal Naval College em Dartmouth, e durante a visita alguém precisava tomar conta de Elizabeth e Margaret, então com 9 anos.

Lorde Mountbatten, o ambicioso ajudante de ordens do rei, providenciou para que, de todos os jovens presentes, fosse seu sobrinho Philip, um rapaz alto, de excelente aparência e que acabara de se graduar como o primeiro cadete de sua turma, aquele a quem a tarefa seria dada. Elizabeth (que era prima em terceiro grau de Philip por parte da Rainha Victoria e de segundo em outra geração por parte de Christian IX da Dinamarca) ficou encantada. "Lilibet não tirava os olhos dele", observou Marion Crawford, a governanta, em suas memórias. O casal logo começou a trocar cartas.

O que parecia ter começado como uma paixonite da Princesa Elizabeth logo se transformou em romance — encorajado em todas as etapas por Mountbatten, que ansiava ver sua família ligada à Casa de Windsor. Elizabeth e Philip corresponderam-se e chegaram a se encontrar algumas vezes quando Philip estava de folga, mas, enquanto a guerra continuasse, eram poucas as probabilidades de que o relacionamento fosse adiante. Isso mudou com a chegada da paz.

O rei tinha sentimentos ambíguos sobre o casal, sobretudo por considerar a filha jovem demais e por recear que ela tivesse se apaixonado pelo primeiro rapaz que encontrara. Philip era também considerado por muitos na Corte — inclusive o rei — alguém longe do consorte ideal para uma futura monarca, principalmente devido ao sangue alemão; dizia-se que a rainha, entre os íntimos, se referia a ele como "o Huno". Desejando que a filha encontrasse outra pessoa, ela e o rei organizaram uma série de bailes repletos de candidatos qualificados, para os quais

Philip, para sua grande consternação, não era convidado. Ainda assim, Elizabeth continuou fiel ao seu príncipe.

Finalmente, em 1946, Philip pediu ao rei a mão de sua filha em casamento. George concordou — mas ainda guardava uma carta na manga: insistiu para que qualquer anúncio formal fosse adiado até depois do vigésimo primeiro aniversário de Elizabeth, em abril. Um mês antes, por sugestão de Mountbatten, Philip renunciou a seus títulos grego e dinamarquês, bem como à lealdade à coroa da Grécia, converteu-se da ortodoxia grega à Igreja da Inglaterra, tornando-se também um súdito britânico naturalizado. Adotou ainda o sobrenome Mountbatten (uma versão anglicizada de Battenberg) da família materna.

O casal contraiu matrimônio em 20 de novembro de 1947, na Abadia de Westminster, em cerimônia à qual compareceram representantes de diversas famílias reais — mas não as três irmãs sobreviventes de Philip, casadas com aristocratas alemães com ligações nazistas. Na manhã do casamento, Philip foi feito Duque de Edimburgo, Conde de Merioneth e Barão de Greenwich no Condado de Londres; no dia anterior, o rei lhe concedera o título honorífico de Sua Alteza Real.

A fala pública do rei podia estar cada vez melhor, mas a saúde piorava. Ele tinha apenas 49 anos quando a guerra acabou, mas estava em péssimas condições físicas: a tensão vivida por ele durante a guerra é muitas vezes apontada como a principal causa, ainda que seja difícil compreender como tal tensão pudesse ser maior do que a sofrida por milhões de homens que serviram na linha de frente ou mesmo pela população civil que permanecera em casa. Outro fator era o tabagismo compulsivo: em julho de 1941, a revista *Time* informou que, de modo a compartilhar as dificuldades de seu povo, ele reduzira o consumo de 20 a 25 cigarros por dia para meros 15. Depois da guerra, ele voltou a fumar mais.

Apesar da saúde precária, o rei partiu em fevereiro de 1947 para uma viagem de dez semanas à África do Sul. Ele já estivera na Austrália, na Nova Zelândia e no Canadá, mas nunca visitara a África do Sul, e queria muito fazê-lo. O itinerário era exaustivo e o rei se cansava depressa; não havia nenhuma garantia de uma recepção calorosa por parte dos africânderes, sobretudo dos que eram velhos o bastante para se lembrar da Guerra dos Bôeres. Havia também outra tensão psicológica agregada: a Grã-Bretanha sofria os rigores de um dos invernos mais amargos em décadas, e o rei vivia a agonia da culpa por não compartilhar o sofrimento com os súditos. Em determinado momento, chegou a sugerir abreviar a viagem, embora Attlee o tenha aconselhado enfaticamente a não o fazer, observando que aquilo apenas aumentaria o impressão de crise.

Nos dois meses seguintes ao seu retorno, o rei começou a sentir câimbras nas pernas, queixando-se numa carta a Logue de "sentir-me cansado e tenso".[91] Em outubro de 1948, as câimbras tornaram-se dolorosas e permanentes: o pé esquerdo ficava entorpecido o dia inteiro e a dor o mantinha acordado por toda a noite; mais tarde, o problema pareceu ter-se deslocado para o pé direito. O rei foi examinado no mês seguinte pelo professor James Learmouth, uma das grandes autoridades em problemas vasculares na Grã-Bretanha, que diagnosticou aterosclerose precoce. Em determinado momento, temeu-se que a perna direita do rei precisasse ser amputada devido à possibilidade de gangrena. Semanas depois, Logue escreveu para expressar sua preocupação: "Como alguém que teve a honra de estar bastante próximo de V.M. durante os tenebrosos anos de guerra e teve um vislumbre da enorme quantidade de trabalho realizado por

V.M., e viu a permanente tensão exercida sobre sua vitalidade, é muito evidente para mim que seus limites foram levados ao extremo e que tenham afinal necessidade de descanso", escreveu ele em 24 de novembro. "Sei que repouso, competência médica e seu próprio maravilhoso espírito lhe restaurarão a saúde."

O rei parecia ter-se recuperado em dezembro, mas os médicos ordenaram repouso contínuo, e uma viagem à Austrália e à Nova Zelândia planejada para o começo do ano seguinte teve de ser descartada. O rei, entretanto, mostrava-se bem-disposto numa carta a Logue datada de 10 de dezembro. "Estou melhorando com o tratamento e o repouso na cama, e os médicos têm um sorriso no rosto, que acredito ser um bom sinal", escreveu ele. "Espero que o senhor esteja bem e ainda ajudando os que não conseguem falar."

Lionel, quinze anos mais velho do que o rei, também vivia um mau ano — e passava boa parte do tempo confinado ao novo apartamento, localizado no oitavo andar. Como escreveu na sua carta anual de aniversário ao rei, naquele mês de dezembro, sua saúde era tão precária que amigos escreveram para a Austrália dizendo não acreditarem em sua sobrevivência. Estava, porém, sensibilizado com as aparentes boas notícias relativas à saúde do rei. "Acompanhei a incrível batalha travada por V.M. e alegro-me pelo fato de o Todo-Poderoso ter-lhe devolvido a saúde", escreveu ele.

Aproximava-se o Natal — e a mensagem anual. "Tenho este ano um novo tipo de pronunciamento, com uma abordagem mais pessoal, e espero que dê certo", o rei escreveu a Logue no dia 20. Numa demonstração do progresso alcançado ao longo dos anos, ele não mais pediu a Logue para ajudá-lo a se preparar para o pronunciamento, como nos velhos tempos, embora insistisse para que lhe telefonasse depois, para comentar seu desempenho.

O rei pronunciou a mensagem em Sandringham, voltando a Londres apenas em fins de fevereiro, quando retomou uma programação limitada de audiências e conduziu uma investidura. Março de 1949, porém, trouxe más notícias. Depois de um exame completo, chegou-se à conclusão de que a recuperação do rei não fora completa como todos pensaram; Learmouth aconselhou uma simpatectomia lombar direita, um procedimento cirúrgico para liberar o fluxo sanguíneo para a perna. A operação, que, por insistência do rei, fora realizada numa sala de cirurgia improvisada no Palácio de Buckingham, e não num hospital, correu bem. O rei não tinha ilusões, entretanto, de que recobraria inteiramente a saúde; seus médicos lhe deram ordens para repousar, reduzir os compromissos oficiais e cortar drasticamente o fumo, que agravara seu estado; um segundo ataque de trombose poderia ser fatal.

A saúde do rei pareceu continuar melhorando ao longo de 1949, mas, ainda assim, os médicos ordenaram o máximo possível de repouso. Aquele Natal trouxe outra mensagem à nação, à Commonwealth e o Império. "Uma vez mais deparo com a dificuldade de preparar o pronunciamento", escreveu o rei a Logue, agradecendo as felicitações anuais de aniversário. "Como é difícil encontrar algo novo para dizer nos dias atuais. Palavras de encorajamento para um ano-novo melhor são a única coisa permanente. Não vejo a hora de terminar. Isso ainda arruína o meu Natal."

CAPÍTULO 16

As últimas palavras

Para milhões de pessoas na Grã-Bretanha e por toda a Commonwealth e o Império que se reuniram em torno de seus rádios no dia de Natal de 1951, a voz era familiar e ao mesmo tempo diferente, a ponto de causar preocupação. George VI proferia a tradicional mensagem de Natal, mas soava desconfortavelmente gutural e rouco, como se estivesse com uma gripe muito forte. Em alguns momentos, a voz baixava para quase um sussurro. Ele também parecia falar um pouco mais depressa do que o usual. Mesmo assim, poucos ouvintes conseguiram não se emocionar com o que o monarca tinha para dizer.

Depois de começar a descrever o Natal como uma época em que todos deveriam inventariar as bênçãos recebidas, o rei fez um comentário altamente pessoal:

> Eu mesmo tenho razões para uma profunda gratidão, pois não apenas — pela graça de Deus e por meio da leal competência dos meus médicos — superei a doença como também aprendi uma vez mais que é nos tempos ruins que mais valorizamos o apoio e a solidariedade de nossos amigos. De meus povos nestas ilhas e na Commonwealth Britânica e o Império, bem

como de muitos outros países, chegaram até mim esse apoio e solidariedade e eu lhes agradeço agora do fundo do meu coração. Confio em que vocês percebam o quanto suas orações e bons votos ajudaram e ajudam minha recuperação.

Os cinco médicos do rei telefonaram apresentando-lhe congratulações, mas os jornais, tanto na Grã-Bretanha quanto no exterior, estavam chocados com o que ouviram. Embora comentaristas e editorialistas sentissem alívio por ouvir o rei falar pela primeira vez depois de uma grande cirurgia três meses antes, o tom vacilante da voz trouxe-lhes à lembrança o quanto ele estava mal. "Milhões de pessoas por todo o mundo, ao ouvir o pronunciamento de Natal do rei, perceberam, com preocupação, a rouquidão em sua voz", comentou o *Daily Mirror* dois dias depois. "Em muitos lares, a pergunta no Natal foi: o rei está apenas resfriado, ou a rouquidão é uma sequela da cirurgia pulmonar a que ele se submeteu três meses atrás?"

Pela primeira vez desde que proferira a primeira mensagem de Natal, em 1937, as palavras do rei não foram transmitidas ao vivo — como Sir John Reith sempre insistira durante seu longo mandato como diretor-geral da BBC —, mas haviam sido pré-gravadas. A explicação para aquela inovação era a piora da saúde do rei.

Depois dos diversos problemas de saúde enfrentados no final dos anos 1940, o rei recebera ordens dos médicos para descansar e relaxar o máximo possível, reduzindo, inclusive, as aparições públicas. Nova tensão sobre o estado de George VI originou-se da piora na situação econômica e política: o Partido Trabalhista de Attlee, eleito com uma vitória esmagadora em 1945, vira sua maioria reduzida a quase nada em 1950, e lutava para continuar no poder. Uma eleição geral, realizada em outubro de 1951, trouxe uma mudança de governo, com o retorno de Winston Churchill, então com 76 anos.

O rei estivera bem o bastante para abrir o Festival da Grã-Bretanha no dia 3 de maio, passeando com a rainha em carruagem aberta pelas ruas de Londres, escoltado pela cavalaria real.

— Esta não é uma época de desesperança — anunciou ele dos degraus da Catedral de St. Paul. — Vejo este festival como um símbolo da permanente coragem e vitalidade da Grã-Bretanha.

Mas muitos que viram o monarca de perto durante a cerimônia perceberam o quanto ele parecia doente, e naquela noite ele ficou de cama com gripe.

O rei se recuperava devagar, e sofria também de uma tosse persistente. Foi a princípio diagnosticado com uma inflamação no pulmão esquerdo e tratado com penicilina. Os sintomas persistiram, mas apenas depois de 15 de setembro descobriu-se um tumor maligno. Três dias depois, Clement Price Thomas, cirurgião especialista em casos dessa natureza, disse ao rei que o pulmão deveria ser removido o mais cedo possível — embora, como era costume naqueles dias, não revelasse ao paciente que ele tinha um câncer.

A cirurgia, realizada em 23 de setembro, correu bem. Temia-se que o rei pudesse perder alguns nervos da laringe, o que poderia torná-lo incapaz de falar em tom mais alto do que o de um sussurro. O medo demonstrou-se infundado. Em outubro, ele escrevia para a mãe expressando alívio por não ter sofrido complicações.

De qualquer maneira, ele ainda era um homem doente. Durante a cerimônia de abertura do Parlamento em novembro daquele ano, seu discurso feito do trono — excepcionalmente — foi lido para ele por Lorde Simonds, o presidente da Câmara dos Pares. Houve sugestões para que ele também delegasse o pronunciamento natalino. De acordo com uma posterior notícia de jornal,[92] foi proposto que seu lugar ao microfone fosse ocupado por sua mulher ou pela Princesa Elizabeth. Isso, sem dúvida, pouparia ao rei um considerável desconforto, mas ele recusou.

— Minha filha talvez tenha oportunidade no próximo Natal — disse ele. — Quero eu mesmo falar a meu povo."

A determinação do rei em transmitir pessoalmente a mensagem — o que ele sempre receara fazer — mostrava como, no decorrer de seu reinado, aqueles poucos minutos na tarde de 25 de dezembro haviam se transformado num dos mais importantes eventos do calendário nacional.

Os médicos, porém, foram de opinião de que um pronunciamento ao vivo poderia resultar em muita tensão, portanto chegou-se a um consenso: o rei gravou a mensagem por partes, frase a frase, repetindo algumas por diversas vezes, até ficar satisfeito. O resultado final quase não chegava a seis minutos, mas a gravação ocupou grande parte de dois dias. Estava longe da perfeição: o que pareceu aos ouvintes uma fala ineditamente rápida teria sido um dos efeitos colaterais do processo de edição. No que dizia respeito ao rei, entretanto, era muito melhor do que qualquer das alternativas.

"A nação ouvirá minha mensagem, embora ela pudesse ter sido melhor", disse ele a um engenheiro de som e um executivo da BBC, as duas únicas pessoas com permissão de ouvir com ele a versão final antes da transmissão. "Obrigado pela sua paciência."

A carta enviada pelo rei a Logue, em resposta aos costumeiros votos de feliz aniversário, em 14 de dezembro, refletia bastante bem como ele se sentira durante os preparativos para a gravação. Aquela seria a última carta que ele escreveria para o terapeuta da fala e amigo, e seus comentários pareceram ainda mais comoventes porque as condições de saúde do próprio Logue eram também precárias. Escreveu o rei:

> Lamento muito saber que ainda não está bem. Quanto a mim, passei um ano péssimo, que culminou com aquela operação tão grave, da qual pareço ter admirável recuperação. Esse último fato, de muitas maneiras, é resultado do seu trabalho. Antes dessa operação, o cirurgião Price Thomas pediu para me ver respirar. Quando ele viu o diafragma se mover para cima e para baixo com naturalidade, perguntou-me se sempre respirei daquela maneira. Eu disse que não, eu tinha sido ensinado a respirar assim em 1926 e continuava a fazê-lo. Mais uma razão para se orgulhar, como vê!

Logue queria responder, mas foi levado para o hospital antes que pudesse fazê-lo.

O rei ficou em Sandringham com a rainha, no ano-novo. A nota de esperança e confiança no discurso de Natal parecia justificada. Ele mostrava-se bem o bastante para voltar a caçar, e, ao ser examinado pelos médicos em 29 de janeiro, eles se declararam satisfeitos com a recuperação. No dia seguinte, a Família Real foi ao teatro em Drury Lane, assistir a *South Pacific*. A saída teve um ar de celebração, em parte devido à melhora da saúde do rei e em parte porque, no dia seguinte, a Princesa Elizabeth e o Duque de Edimburgo deveriam partir em viagem para a África Oriental, a Austrália e a Nova Zelândia.

Em 5 de fevereiro, um dia frio, seco e ensolarado, o rei foi caçar. Estava, de acordo com biógrafo oficial, "despreocupado e feliz como aqueles ao redor dele jamais o tinham visto".[93] Depois de um jantar tranquilo, retirou-se para o quarto e, perto da meia-noite, deitou-se. Às 7h30 da manhã seguinte, um criado encontrou-o morto na cama. A causa da morte não foi o câncer, e sim uma trombose coronariana — um coágulo de sangue fatal para o coração —, da qual foi vítima logo depois de adormecer.

Nessa ocasião, Elizabeth e Philip haviam alcançado a etapa queniana da viagem: acabavam de retornar ao Sagana Lodge, 160 quilômetros ao norte de Nairóbi, após uma noite passada no Treetops Hotel, quando chegou a notícia da morte do rei. Coube a Philip a incumbência de contar à esposa. Ela foi proclamada rainha, e a comitiva real voltou imediatamente à Grã-Bretanha.

Em 26 de fevereiro, Logue escreveu à viúva do rei, que, aos 51 anos, dava início ao papel de Rainha-Mãe, que se prolongaria por mais de meio século. Ele referiu-se à "maravilhosa carta" enviada por seu falecido marido em dezembro e expressou pesar por ter sido impedido de responder devido à própria enfermidade — até que fosse tarde demais.

"Desde 1926 ele me honrou, permitindo-me ajudá-lo com a fala, e homem nenhum jamais trabalhou tanto quanto ele e chegou a tão bons resultados", escreveu Logue. "Durante todos estes anos, a senhora foi para ele uma fortaleza, e ele inúmeras vezes me disse o quanto lhe devia. O excelente resultado nunca seria alcançado se não fosse sua ajuda. Nunca esqueci sua gentil ajuda depois que minha garota amada se foi."

Na resposta, dois dias depois, a Rainha-Mãe foi igualmente efusiva nos elogios a Logue. "Creio saber talvez melhor do que ninguém o quanto o senhor ajudou o rei, não apenas com a fala, mas ao longo de toda a sua vida e em sua perspectiva de vida", escreveu ela. "Eu lhe serei sempre profundamente grata por tudo o que fez por ele. Era uma pessoa esplêndida, e não creio que jamais tenha pensado em si mesmo. Desejei muito que lhe fossem concedidos alguns anos de relativa paz depois dos muitos anos angustiados que precisou enfrentar com tanta bravura. Mas não era para ser. Espero que o senhor logo se sinta melhor.

No mês de maio, a filha, agora Rainha Elizabeth II, sabedora do quão próximo do rei fora Logue, enviou-lhe uma pequena caixa de ouro para rapé que pertencera ao rei, com a seguinte mensagem:

> Envio-lhe esta pequena caixa que sempre ficou na mesa do rei e da qual ele gostava muito, pois estou certa de que o senhor apreciaria uma pequena lembrança pessoal de alguém tão grato por tudo o que fez por ele. A caixa estava em sua escrivaninha, e sei que ele gostaria que o senhor a tivesse.
> Espero que esteja se sentindo melhor. Sinto falta do rei, cada vez mais.
> Sua mui sincera
> Elizabeth R.

Naquele dezembro, a rainha fez o primeiro pronunciamento de Natal de Sandringham.

"A cada Natal, nesta hora, meu amado pai transmitia uma mensagem a seus povos em todas as partes do mundo", começou ela. "Como ele costumava fazer, falo a vocês da minha casa, onde passo o Natal com minha família."

Falando em tom firme e claro — e sem nenhum traço do impedimento que tanto nublara a vida de seu pai —, ela prestou tributo a todos aqueles que ainda estavam servindo nas Forças Armadas no exterior e agradeceu aos súditos pela "lealdade e afeição" a ela demonstradas desde a ascensão ao trono, dez meses antes.

"Meu pai e meu avô trabalharam muito, por toda a vida, para unir ainda mais nossos povos e para manter os ideais tão caros a seus corações", disse ela. "Esforçar-me-ei para levar adiante tal trabalho."

Logue não registrou o que achou do discurso — ou mesmo se chegou a ouvi-lo. Seja como for, os serviços dele não eram mais necessários e sua saúde piorava. Ele passou as festividades em seu apartamento, acompanhado dos três filhos e suas famílias: Valentine e a mulher Anne, com a filha de 2 anos, Victoria; Laurie e Jo, com os filhos Alexandra, de 14 anos, e Robert, de 10; e Antony, com a futura esposa Elizabeth, com quem se casaria menos de um ano depois.

Logo após o ano-novo, Logue adoeceu pela última vez. Ficou de cama por mais de três meses, e uma enfermeira permanente foi contratada para cuidar dele, mas ele por fim entrou em coma. Morreu em 12 de abril de 1953 de falência renal, menos de dois meses depois do septuagésimo terceiro aniversário. Entre seus pertences havia dois convites para a coroação da rainha que aconteceria em junho — o segundo presumivelmente enviado porque ele estivera muito doente para responder ao primeiro.

Os obituários na Grã-Bretanha, na Austrália e nos Estados Unidos foram breves. "O sr. Lionel Logue, M. O. V., falecido ontem aos 73 anos, foi um dos maiores especialistas no tratamento de defeitos da fala e foi o principal responsável por ajudar o Rei George VI a superar um impedimento de fala", escreveu o *The Times*, que o mencionou entre o ex-presidente da Polônia e o chefe de uma companhia americana de engenharia. "Ele manteve relações pessoais com o rei por um longo período." Quanto às suas técnicas, o redator do obituário apenas observou: "Uma parte importante do método de Logue eram instruções sobre como respirar de forma correta e assim produzir velocidade sem tensão."

Alguns dias depois, leitores acrescentaram comentários: "Que me seja permitido, por meio da cortesia de suas colunas, prestar um humilde tributo ao grande trabalho do sr. Lionel Logue", escreveu J. C. Wimbusch. "Como paciente dele em 1926, posso testemunhar o fato de que sua paciência era magnífica e sua compaixão, quase sobre-humana. Foi em sua casa em Bolton Gardens que fui apresentado ao falecido rei, então Duque de York. Deve haver milhares de pessoas que, como eu, estão vivas para bendizer o nome de Lionel Logue."[94]

O funeral de Logue realizou-se em 17 de abril na igreja da Santíssima Trindade, em Brompton. Ele foi cremado. Tanto a rainha como a Rainha-Mãe enviaram representantes, bem como o Alto-Comissário australiano. Por mais que o trabalho de Logue com o rei lhe tenha trazido proeminência e honrarias — embora estranhamente, considerando-se a proximidade das relações, nenhum título de cavaleiro —, não fez dele um homem rico. Em seu testamento, cujos detalhes foram publicados no *The Times* em 6 de outubro, ele deixou modestas 8.605 libras — o equivalente a cerca de 180 mil libras nos dias de hoje.

Mesmo com o benefício de mais de meio século de distância, determinar exatamente como Logue obteve sucesso com o rei, quando os antecessores haviam fracassado, é ainda um desafio. Os diversos exercícios respiratórios, por ele tão enfatizados, parecem sem dúvida ter ajudado — o rei, pelo menos, acreditou nisso. Importante, também, foi o esforço empreendido por Logue na revisão dos textos de vários discursos escritos para ele eliminando palavras e frases que considerava passíveis de criar problemas para seu pupilo real. Num certo sentido, porém, aquilo não era exatamente curar o problema, e sim evitá-lo — embora haja poucas dúvidas de que, com a eliminação dos blocos maiores capazes de provocar tropeços, Logue ajudou a construir a autoconfiança do rei, tornando o discurso como um todo, com os demais desafios menores nele contidos, menos amedrontador.

Em última análise, entretanto, o fator crucial parece ter sido a maneira pela qual Logue, desde o início, conseguiu persuadir o paciente de que o problema não era um distúrbio psicológico profundo, mas uma questão quase mecânica que poderia ser superada por meio de trabalho árduo e determinação. Parte importante disso foi o relacionamento próximo entre os dois homens, ajudado pela abordagem simples e direta de Logue. Insistindo, desde o início, em que os dois deveriam se encontrar no consultório em Harley Street ou em sua própria casa, e não em território real, Logue deixara clara a intenção de tornar o rei um paciente; ao longo dos anos, isso viria a se transformar em genuína amizade.

Assim, as posições diferentes dos dois homens no que ainda era uma sociedade muito definida por classes significavam haver limites para a proximidade desse relacionamento — sobretudo depois que Bertie se tornou rei. O tom, não apenas das cartas de Logue, mas também dos registros em seu diário, ambos amplamente citados neste livro, revela um profundo respeito pelo rei como pessoa mas também pela instituição da monarquia. Na verdade, para um leitor moderno, o tom adotado por Logue quando escreve ao rei pode parecer bajulador — e mais ainda no caso da Rainha-Mãe.

A última palavra pertence a uma das poucas pessoas ainda vivas enquanto se escrevia este livro e que de fato conheceu bem Logue — a nora Anne, que foi casada com seu filho do meio Valentine e que, no verão de 2010, embora já com mais de 90 anos, continuava invejavelmente lúcida e vivaz. As opiniões dela pareceram ganhar peso por sua carreira, que culminara ao tornar-se consultora em Psiquiatria Infantil no Middlesex Undergraduate Teaching Hospital.

Perguntada sobre o segredo do sucesso do sogro, Anne da mesma maneira foi incapaz de dar uma resposta definitiva, mas acreditava ser, em larga medida, devido à relação de amizade desenvolvida entre Logue e o futuro rei quando seu paciente ainda era um rapaz, mais do que a qualquer tratamento especial.

"Qualquer um pode fazer trava-línguas e exercícios respiratórios, mas ele era um psicoterapeuta de primeira classe", disse ela. "Ele foi um ótimo pai, onde George V tinha sido péssimo. Lionel nunca falou sobre o que fez. Mas, quando se olha para o que aconteceu e com o que ele lidava, essa só pode ser a única resposta. O rei teve inúmeras outras pessoas que não lhe foram úteis. Por qual outra razão o teria mantido por tão longo tempo?"

Notas

1. John W. Wheeler-Bennett, *King George VI, His Life and Reign*, London: Macmillan, 1958, p. 400.
2. *Ibid.*, p. 312.
3. *Time*, 16 de maio de 1938.
4. Citado em Joy Damousi, '"The Australian has a lazy way of talking": Australian Character and Accent, 1920s–1940s', in Joy Damousi and Desley Deacon (orgs.), *Talking and Listening in the Age of Modernity: Essays on the History of Sound*, Canberra: ANU Press, 1007, pp. 83-96
5. Anotações de Lionel Logue, 25 de mar de 1911
6. *Sunday Times* (Perth), 20 de agosto de 1911.
7. *West Australian*, 27 de maio 1912.
8. *Sun* (Kalgoorlie), 27 de setembro de 1914.
9. O seguinte diálogo foi extraído de um relato de John Gordon, no *Sunday Express*.
10. Marcel E. Wingate, *Stuttering: A Short History of a Curious Disorder*, Westport, CT: Bergin & Garvey, 1927, p.11.
11. *Ibid.*, p. xx.
12. *Star*, 11 de janeiro de 1926.
13. *Pittsburgh Press*, 1º de dezembro de 1928.
14. Veiculado no *Daily Express*, sexta-feira 21 de agosto de 1925 e reproduzido na íntegra em *Radio Times* em 25 de setembro. A BBC tornou-se British Broadcasting Corporation apenas em 1926.
15. John Gore, *King George V*, London: John Murray.

16. Sarah Bradford, *The Reluctant King: The Life and Reign of George VI 1895-1952*, New York: St Martin's Press, 1990, p.18.
17. *Ibid.*, p. 18.
18. *Ibid.*, p. 22.
19. *Ibid.*, p. 40.
20. *Ibid.*, p. 33
21. Wheeler-Bennett, *op. cit.*, p. 42.
22. Bradford, *op. cit.*, p. 48.
23. Lambert e Hamilton citados em *ibid.*, p. 57.
24. *Ibid.*, p. 70.
25. Robert Rhodes James, *A Spirit Undaunted: The Political Role Of George VI*, London: Little, Brown, 1998, p. 92.
26. Anotações de Davidson, citadas em *ibid.*, p. 96.
27. *Pittsburgh Press*, 1º de dezembro de 1928.
28. Wheeler-Bennett, *op. cit.*, p. 207.
29. *Ibid.*, p. 208.
30. *Ibid.*
31. Taylor Darbyshire, *The Duke of York: an intimate & authoritative life-story of the second son of their majesties, the King and Queen by one who has had special facilities, and published with the approval of his Royal Highness*, London: Hutchinson and Co., 1929, p. 90.
32. Michael Thornton, em correspondência eletrônica com o autor em julho de 2010.
33. Darbyshire, *op.cit.*, p. 22.
34. *Scotsman*, 2 de dezembro de 1926.
35. Anotações de Lionel Logue, 25 de janeiro de 1927.
36. Wheeler-Bennett, *op. cit.*, p. 215.
37. *Ibid.*, p. 216.
38. Anotações de Lionel Logue, 25 de janeiro de 1927.
39. *Ibid.*, 14 de fevereiro de 1927.
40. Wheeler-Bennett, *op. cit.*, p. 218.

41. Reginald Pound, *Harley Street*, London: Michael Joseph, 1967, p. 157.
42. Wheeler-Bennett, *op. cit.*, p. 227.
43. *Ibid.*, p. 228.
44. *Ibid.*, p. 230.
45. Anotações de Lionel Logue.
46. Wheeler-Bennett, *op. cit.*, p. 230.
47. Anotações de Lionel Logue.
48. *Ibid.*
49. Pound, *op. cit.*, p. 157.
50. *Evening Standard* (London), 12 de junho de 1928; *North-Eastern Daily Gazette*, 13 de julho de 1928; *Evening News* (London), 24 de outubro de 1928; *Daily Sketch*, 28 de novembro de 1928; *Yorkshire Evening News*, 4 de dezembro de 1928.
51. Anotações de Lionel Logue, 15 de dezembro de 1928.
52. Wheeler-Bennett, *op. cit.*, p. 251.
53. Este fragmentos foram retirados da correspondência Logue-Duque das anotações de Lionel Logue.
54. Wheeler-Bennett, *op. cit.*, p. 258.
55. Anotações de Lionel Logue, 12 de fevereiro de 1929.
56. *Ibid.*, 16 e 23 de maio de 1934.
57. Wheeler-Bennett, *op. cit.*, p. 263.
58. James Lees-Milne, *The Enigmatic Edwardian: The Life of Reginald, 2nd Viscount Esher*, London: Sidgwick & Jackson, 1986, p. 301, citado em David Loades, *Princes of Wales: Royal Heirs in Waiting*, Kew: The National Archives, 2008, p. 228.
59. Diana Vreeland, *DV*, New York: Knopf, 1984, citado em Loades, *op. cit.*, p. 230.
60. HRH The Duke of Windsor, *A King's Story*, London: Cassell, 1951, p. 254-5.
61. Citado em Christopher Warwick, *Abdication*, London: Sidgwick & Jackson, 1986.

62. Ver Michael Bloch, *The Reign and Abdication of King Edward VIII*, London: Bantam Press, 1990.
63. *Time*, 9 de novembro de 1936.
64. Philip Ziegler, "Churchill and the Monarchy", *History Today*, vol. 43, 1º de março de 1993.
65. Anotações de Lionel Logue, 28 de outubro de 1936.
66. William Shawcross, *Queen Elizabeth the Queen Mother: The Official Biography*, London: Macmillan, 2009, p. 376.
67. Rhodes James, *op. cit.*, p. 112.
68. *Ibid.*, p. 113.
69. Shawcross, *op. cit.*, p. 380.
70. Anotações de Lionel Logue, 14 de dezembro de 1936
71. *Time*, 21 de dezembro de 1936.
72. Anotações de Lionel Logue.
73. Extraído do diário de Logue: anotações de Lionel Logue
74. *Sun*, 18 de janeiro de 1938.
75. Wheeler-Bennett, *op. cit.*, p. 379.
76. *Ibid.*, p. 383.
77. *Ibid.*, p. 390.
78. *Ibid.*, p. 392.
79. *Ibid.*, p. 394.
80. *Ibid.*
81. Wheeler-Bennett, *op. cit.*, p. 405.
82. Shawcross, *op. cit.*, p. 488.
83. Wheeler-Bennett, *op. cit.*, p. 406.
84. *Ibid.*, p. 429.
85. *Ibid.*, p. 449.
86. *Ibid.*, p. 553.
87. Anotações de Lionel Logue, 29 de dezembro de 1943
88. Wheeler-Bennett, *op. cit.*, p. 608.
89. *Ibid.*, p. 610.
90. Entrevista com o autor, junho de 2010.
91. Anotações de Lionel Logue, 10 de dezembro de 1948

92. *Daily Express*, 7 de fevereiro de 1952.
93. Wheeler-Bennett, *op. cit.*, p. 803.
94. Obituário do *Times*, 13 de abril de 1953; resposta de J. M. Wimbusch, *The Times*, 17 de abril de 1953.

Índice remissivo

Abbeville, 199
Abergeldie, 69, 76
abrigos antiaéreos, 187
Acordo de Munique, 173
Adelaide, 14, 29-31, 33-34, 37, 169, 174
Adelaide, Rainha, 14
África do Norte, Segunda Guerra Mundial, 14-15, 55, 115, 239
África do Sul, 150, 246
afonia, 125
Albany, 44
Albert I, Rei dos belgas, 205
Albert, Duque de York (Bertie) ver George VI, Rei
Albert, Príncipe consorte, 65-66, 73
Albert Victor (Eddy), Duque de Clarence, 66
Alemanha ver Primeira Guerra Mundial; Alemanha nazista; Segunda Guerra Mundial
Alemanha nazista, 173
 a *Blitz*, 190, 207, 217
 a sra. Simpson e a, 135-139
 caminho para a guerra, 171
 colapso da, 157, 181
 deflagração da guerra, 171
 Dunquerque, 199, 206-207, 224-225
 invasão da União Soviética, 228
 invasões da Escandinávia e de Benelux, 200
 guerra no Norte da África, 212, 215-217
 ver também Segunda Guerra Mundial
Alexandra, Rainha (esposa de Edward VII), 69
Alice de Battenberg, Princesa, 243
Alice, Princesa, Grã-duquesa de Hesse, 65
Almirantado, 43, 76, 185
Amery, Leo, 103, 200
Amman, Johann K., 58-59
Andrew, Príncipe da Grécia, 7, 243
Anschluss, 171
Anzac, dia, 47, 97
Anzac, forças, 47
Anzio, 225
Archer, C. B., 219
Ardenas, ofensiva, 226, 232
Aristóteles, 19, 58
Assembleia-Geral da Igreja da Escócia, 116
Associação Médica Britânica, 216
Astor, Michael, 238
Astor, Visconde, 238
Atlântico, batalha do, 215
ttlee, Clement, 240, 250
Auckland, 96
Austrália, oeste da, 35, 44, 169

Austrália
  começo da vida de Logue, 34
  Duque de York, viagens, 84
  governo de, 90
  sotaques, 61
  volta de Myrtle, 9, 15
Áustria, *Anschluss*, 171

Bad Godesberg, 172
Badoglio, Pietro, 215
Bailey, Lilian, 243
Baldwin, Stanley, 54-55, 135, 137, 141
Balfour, Lorde, 92
Balmoral, 69, 100, 128, 217
balões de barragem, 189
BBC (British Broadcasting Corporation), 11, 25-26, 141, 150, 163, 192, 196, 199, 202, 223, 235, 238, 250, 252
Bélgica, 9, 76, 200, 205, 224
  Primeira Guerra Mundial, 46, 54, 90, 172, 185, 205, 221
  Segunda Guerra Mundial, 14-15, 55, 115, 239
Bélgica, fundo de auxílio, 48
Berchtesgaden, 172
Berlim, queda de, 185
Bernhard, Príncipe dos Países Baixos, 201
Bevan, Aneurin, 240
Bíblia, menções de gagueira na, 58
Bir Hachim, 210
blecaute, época de guerra, 190
Blitz, 190, 207, 217
Blunt, Alfred, bispo de Bradford, 139
Boston, 40
Bowes Lyon, Elizabeth ver Elizabeth, Rainha
Bowes-Lyon, May, 79
Boy's Welfare Society, 79
Bradford, Sarah, 67

Bridges, Sir Tom, 99
Brisbane, 37-38, 51
Brooke, Basil, 99
Bruce, Stanley, 90
Bullfinch Golden Valley Syndicate, 43

Cambridge, Lady May, 166
Canadá, viagem real ao, 203
Canberra, 89-90, 98-99
Caroline de Brunswick, 24
Casa Branca, 179-180
casamento morganático, 134-135
Cavan, general lorde, 98
Chamberlain, Neville, 157, 185, 233
charlatães, 56, 125
Charles, Príncipe de Gales, 96
Chicago, 38, 40
Clube dos Gagos de New South Wales, 145-146
Christian IX, Rei da Dinamarca, 244
Church, rev. A. J., 60
Churchill, Winston, 137-138, 185, 200, 206-207, 211-212, 214, 216, 221, 233-234, 240
Claudius, Imperador, 58
Clube de Oratória (Perth) 35, 46
Clynes, sr., 107
Colégio de Terapeutas da Fala, 125, 127, 218, 243
Colégio de Terapia da Fala do Hospital Nacional, 125
Collingwood, HMS, 75
conciliação, 185, 200
Conferência de Casablanca, 221
Conferência Imperial, 90
Coolidge, Calvin, 143
Coroação, dia da, 42
  transmissão radiofônica, 192
  serviço na Abadia de Westminster, 19, 42, 80, 147, 245
Coroação Durbar (Índia), 20, 145

Corpo Aéreo Real, 78
Coventry, 208
Coward, Noël, 237
Crawford, Marion "Crawfie", 129, 244
Crichton-Miller, Hugh, 231
Cromwell, Oliver, 200
Cumberland (cruzador), 75, 137
Cumnock, Robert, 39
Curatum, trabalho vocal, 57

Daily Express, 22, 55, 123, 182-183, 187
Daily Mail, 155
Daily Mirror, 139, 143, 250
Daily Sketch, 107, 241
Daily Telegraph, 89, 151, 155, 205
Daladier, Edouard, 172
dança de salão, como cura para a gagueira, 61
Darbyshire, Taylor, 91, 93, 101, 111, 122
David, Príncipe de Gales ver Edward VIII
Davidson, J. C. C., 80
Davies, Hubert, 45
Dawson of Penn, Lorde, 100, 128-129, 148
Demóstenes, 19, 58, 107, 109
desembarques no Dia D, 220-221, 226
desemprego, 120
Detroit Free Press, 155
Dia do Armistício, 113, 161
Dia do Império, 175, 179, 199, 202-203
Diana, Princesa de Gales, 96
Dieffenbach, Johann, 59
Dinamarca, invasão alemã, 115, 199, 243-244
discursos em tempos de guerra, 193
Disraeli, Benjamin, 107
Dudley, Freda, 132
Dulwich College, 117
Dunquerque, 199, 206-207, 224-225

Eden, Anthony, 185, 200
Edward VII, Rei, 42, 65-66, 68-69, 74, 79, 132-133, 172
ascensão, 74
educação, 74
relacionamentos, 132-33
e política externa, 172
morte, 74
Edward VIII, Rei
abdicação, 11, 141
ataque de Lang, 148
ascensão, 142, 145
como herdeiro do trono, 42
conflitos com George V, 75
distração de seus deveres, 69
esperanças de casamento, 79, 115
exílio, 20, 142, 205
e a sra. Simpson, 135-139
e doença de George V, 127
memórias, 113
nascimento e primeiros anos, 66
na Marinha, 68-69
negócios, 92
redação de discursos, 72
temperamento e atributos, 72
viagem à Austrália, 89
Eisenhower, general Dwight D., 221-222
El Alamein, 221
Elder, Sir Thomas, 33
Elder, Conservatório de Música, 33
Elizabeth, Rainha (esposa de George VI)
ascensão de George VI, 42
como Rainha-Mãe, 9, 80, 176, 254, 257-258
casamento com o futuro George VI, 9, 21, 36
dia da coroação, 42
Dia da Vitória, 233, 239
e a crise da abdicação, 141
e a gagueira do marido, 71, 73, 80, 86, 90, 100, 112, 126, 143, 240

e mensagens de Natal, 160
e viagem aos Estados Unidos, 175-176
e viagem à Austrália, 173, 247
Festival da Grã-Bretanha, 251
nascimento da Princesa Elizabeth, 82
relacionamentos
  com George V, 68
  com Logue, 109, 202, 219, 229
  com Príncipe Philip, 243
Segunda Guerra Mundial, 14-15, 55, 115, 239
serviço fúnebre, 198
tem notícias de Logue, 80
viúva, 30, 80, 115, 254
Elizabeth II, Rainha
ascensão, 254-255
casamento, 243-245
coroação, 256
Dia da Vitória, 233, 239
infância, 82
mensagens de Natal, 160
nascimento, 82, 108, 112, 174
presentes enviados a Logue, 218
representante no funeral de Logue, 257
viagem à África oriental, Austrália e Nova Zelândia, 253
Empress of Australia (navio), 176
Empress of Britain (navio), 180
Entente Cordiale, 172
Escola de Oratória de Emerson (Boston), 39-40
Esmond, Henry, 44
Estados Unidos
  Segunda Guerra Mundial, 14-15, 55, 115, 239
  visita real, 146
Etiópia, 216
evacuação de crianças, 187
Evening News, 93, 106-107

Exposição do Império Britânico, 52, 83
Extremo Oriente, guerra no, 215-216, 236

Falaise, Bolsão de, 224
Fennell, Jack, 241-242
Festival da Grã-Bretanha, 251
Fields, W. C., 205
Finlândia, 210
Foley, Eileen M., 146
fonação, 58-59
Força Aérea Independente, 78
Força Aérea Real, 78, 81, 202
  Segunda Guerra Mundial, 14-15, 55, 115, 239
Força Expedicionária Britânica, 197, 201
Força Gideão, 216
Forte Belvedere (Windsor Great Park), 140-141
Foss, Kendall, 107-110
França, Segunda Guerra Mundial, 171
Franz Ferdinand, Arquiduque, 46
Fremantle Quartette Party, 49, 169
Frogmore House (Windsor), 69
Fundo Francês de Assistência, 48
Fundo da Cruz Vermelha, 48
Furness, Lady Thelma, 132
Fury, HMS (destroier), 142

gagueira
  antigas referências a, 57
  causas fisiológicas da, 145
  discussão na imprensa, 110
  mulheres menos predispostas, 110-11
  tratamentos, 58-61
Gallipoli, 47-48, 97
gás, ataques, Primeira Guerra Mundial, 48-49, 187
George II, Rei, 82
George III, Rei, 21, 24
George IV, Rei, 24

George V, Rei
    amor pela Marinha e pelo mar, 75
    apresentação a Myrtle, 103
    casamento e filhos, 79-80
    com Bertie (George VI), 67-68, 70-73, 76, 121, 258
    coroação de, 42, 44
    deveres oficiais como Príncipe de Gales, 52, 69, 72, 83, 90, 106
    discursos e transmissões, 231
    e Bertie, viagem à Austrália, 85-86, 89-90
    e governo trabalhista, 54-55, 239
    Exposição do Império Britânico, 52
    Jubileu de Prata, 128, 159
    morte de, 10
    nascimento de Bertie (George VI), 66
    relacionamentos
        com David (Edward VIII), 117
        com os filhos, 52-53
    saúde precária, 77, 112-113
    sucessão de, 66
    visita a Adelaide, 174
George VI, Rei
    biografias de, 65, 181, 198
    carreira naval, 72, 75-76
    como Duque de York
        crise na abdicação, 139, 168
        deveres durante a doença do pai, 69, 73, 91, 114
        deveres para com a Coroa, 129, 142, 158
        recebe o título, 87
        torna-se herdeiro do trono, 66, 69, 81, 116
        viagem à Austrália, 85-86, 89-90
    como rei
        ascensão, 145, 255
        casamento de Elizabeth e Philip, 243
        coroação, 147
        despreparo, 143
        Dia da Vitória, 233, 239
        encontro com Roosevelt, 155, 173-174
        influência nas relações exteriores, 134, 200
        preocupação com a Alemanha nazista, 173
        preocupações com a gagueira, 90-91
        Segunda Guerra Mundial, 14-15, 55, 115, 239
        viagem pela África do Sul, 150, 246
        viagem pelos Estados Unidos, 175
        visitas às tropas, 211
    discursos
        Abertura do Parlamento, 97, 157, 173-174, 195, 209, 211, 228, 239, 251
        Dia do Império, 175, 179, 199, 202-203
        Dia da Vitória, 233, 239
        discurso da Guarda Doméstica, 229
        Festival da Grã-Bretanha, 251
        lançamento do *Queen Elizabeth*, 172
        melhoras percebidas, 113, 126
        memorial de George V, 242
        mensagens de Natal, 160
        Mostra Imperial, 90
        na viagem à América do Norte, 175
        o Dia D, 220-221, 226
        primeiras experiências, 100, 110
        primeiros discursos como rei, 227
        Sociedade dos Peregrinos, 80
        tempos de guerra, 193
        transmissão do Dia da Coroação, 42
        viagem à Austrália, 173, 247

gagueira
  aulas de canto, 86
  causas da, 145
  cobertura da imprensa sobre, 98, 121
  comentários do arcebispo Lang, 141
  comentários do reverendo Hyde, 227
  conselho de McCreadie, 198
  embaraço provocado pela, 144
  início da, 70-71
  Logue torna-se terapeuta vocal, 61, 253
  melhora da, 42-43, 183, 231-32
  primeiros encontros com Logue, 11, 88-89, 119, 126, 175-176
  recomendação de Logue a terceiros
relacionamentos
  com a esposa, 24, 30
  com as filhas, 68, 167, 175
  com Edward VIII, 72, 129
  com Logue, 173
  com o pai, 71-72, 76, 78, 100, 114
  com o Príncipe Philip, 243, 244
  na Força Aérea Real, 81
saúde
  apendicite, 76
  aterosclerose, 246
  câncer pulmonar, 251
  cansaço, 104
  tabagismo, 245
  úlcera estomacal, 217
temperamento e atributos
  aparência, 45, 70, 80, 131, 158
  autoestima, 181
  canhotismo, 71
  explosões de gênio, 82
  físico, 73, 87
  opinião de Myrtle, 170
  qualidade da voz, 37
  timidez, 75, 78, 112, 119, 131
vida pessoal
  casamento com Elizabeth Bowes Lyon, 79
  economia nos anos da Depressão, 120
  educação, 69, 72
  morte do pai, 17
  morte e enterro, 243, 254
  nascimento de Elizabeth, 82
  nascimento de Margaret Rose, 116, 118
  nascimento e primeiros anos, 67-68
George, Príncipe, Duque de Kent, 119
Gladstone, William Ewart, 123
Glamis Castle, 118
Gordon, John, 51, 55, 57, 84, 92, 109-110, 151-152, 230
Governo Nacional, 120
Governo de coalizão (Segunda Guerra Mundial), 200
Graf Spee (navio de guerra), 196
Grande Depressão, 115
Gregos, Antigos, 58
Greig, Sir Louis, 107, 183
Greve geral, 55, 57
Grey, Lady Jane, 142
Gruenert, Francis, 35
Gruenert, Myra, 36-37, 54
Gruenert, Myrtle ver Logue, Myrtle
Gruenert, Oskar, 35
Gruenert, Rupert, 36, 57, 168, 177, 218-219, 241
Guarda Doméstica, 228-229
guerra química, 187
Guilhermina, Rainha dos Países Baixos, 201, 203

Hailé Selassié, Imperador, 216
Halifax (Canadá), 180-181
Halifax, Lorde, 200
Hamilton, tenente, 75

Hansell, Henry, 70, 73
Hardinge, Alexander, 25, 27, 148, 150, 157, 160-161, 173-174, 182, 186, 190-191, 201, 220
Harley Street, 11, 22, 56, 85, 87-89, 91, 102, 107-108, 122, 139, 146, 173, 231, 258
Haskins, Minnie Louise, 197-198
Hawtrey, Charles, 42
Henderson, Sir Neville, 185
Henry, Príncipe, Duque de Gloucester, 159
Heródoto, 58
hesitantia, 59
hieróglifos, 58
Hipócrates, 58
Hirohito, Imperador do Japão, 239
Hiroshima, 239
Hitler, Adolf, 115, 171-172, 186-187, 196, 199, 210-211, 226, 232
Hobsons Bay (navio), 51
Hodgson, Patrick, 86, 95-96, 99, 103, 105, 108, 118
Hospital St. George's, 117, 138, 190, 238
Hull, Cordell, 179
Hullick, H. L., 145-146
Huntingfield, Lorde, 169
Hyde Park (Estado de Nova York), 68, 82, 116-117, 180
Hyde, reverendo Robert, 227

Império britânico, 47, 52, 108
Império otomano, 47
Industrial Welfare Society 79
Instituto de Pesquisa em Energia Atômica, 241
Irmãos em Armas (programa de rádio), 199
Isaias, livro de, 57
Itália
 e Etiópia, 216
 invasão aliada da, 215, 221
Itard, Marc, 59

Jamaica, 75, 95
Japão, Segunda Guerra Mundial, 239
Jervis Bay (navio), 169
Jodl, generalíssimo Alfred, 231
John, Príncipe, 67
Juliana, Princesa dos Países Baixos, 201
Jutlândia, batalha de, 77

Kalgoorlie, 35, 43, 45
Kaufmann, 42-43
Kemsley, Visconde, 241
Kennedy, srta. "Florzinha", 135
Kent, Marina, duquesa de, 79, 140, 163
Kesselring, general Albert, 225
Kingston, Iate Clube (Jamaica), 75
Kipling, Rudyard, 159
Kleiser, Grenville, 40
Kydd, O. J., 53

Lambe, capitão Charles, 175
Lambert, tenente F. J., 75
Lang, Cosmo, arcebispo de Canterbury, 23, 24, 143-44, 148
Las Palmas, 73
Lascelles, Sir Alan 'Tommy', 156, 176, 179, 181, 182, 198, 208, 220, 227, 234, 241
Laye, Evelyn 'Boo', 85
Learmouth, professor James, 246, 248
Lebensraum, 171, 210
Leningrado, cerco de, 210
Leopoldo III, Rei da Bélgica, 161, 205
Lincoln, Abraham, 213
Liverpool, 41, 43
Lloyd George, David, 54
Logue, Alexandra (neta), 195, 256
Logue, Anne (nora), 243, 256, 258-9
Logue, Antony Lionel (Boy) (filho), 51, 188, 189, 255-56
 doença, 242
 estudo de medicina, 195

no Dulwich College, 117
serviço na guerra, 217, 225-226, 239, 242
Logue, Cervejaria, 29, 30
Logue, Edward (avô), 30
Logue, Elizabeth (nora), 256
Logue, George (pai), 30, 34
Logue, Josephine (nora), 138, 189, 195, 206, 256
Logue, Laurie Paris (filho), 36, 37, 38, 51, 84, 161-2, 168, 189, 191, 256
casamento, 138
serviço na guerra, 206, 216, 239
trabalhando com alimentos, 117
Logue, Lavinia (mãe), 30, 54
Logue, Lionel
 como terapeuta vocal
  anos pós-guerra, 240-242
  benefícios do convívio real, 120-121
  consultório em Harley Street, 55-56
  cria a Sociedade Britânica de Terapeutas da Fala, 125
  estuda elocução, 32-34
  gratidão dos pacientes, 219, 238, 256-7
  ideias sobre as causas e tratamento da gagueira, 61-2
  nos tempos da Depressão, 120-121
  opinião sobre os primeiros tempos da profissão, 57
  patrono do Colégio dos Terapeutas da Fala, 243
  professor de elocução em Adelaide, 34
  professor de elocução em Perth, 35, 46, 51
  representante da Sociedade Britânica de Terapeutas da Fala na Junta da Associação Médica Britânica, 218
  teorias sobre a fala, 123-4
  trabalha como policial especial para complementar a renda, 57
  trata soldado, 49
 como terapeuta vocal de George VI
  abertura do Parlamento, 157-9, 174-5, 195-6, 209, 211, 228, 239-40
  ajuda financeira do rei, 217-8
  anos de guerra, 186-7, 189, 190-91, 193-4, 199, 202-5, 209
  anotações de progressos, 106, 107, 110-111, 117, 127, 153, 170
  apresentação ao duque, 84-6
  cerimônia de discurso da coroação, 18, 19, 20, 21, 22-23, 25-7, 147-53, 155
  compreensão do estado de saúde, 156-8
  condecorado com a Ordem Real Vitoriana, 21, 152, 218
  discurso de Guildhall, 181-3
  discurso do Dia D, 220, 221-4
  discurso do Dia da Vitória, 234-7
  exercícios para a viagem à Austrália, 94-5, 146
  honrarias, 21, 152, 218
  interesse da imprensa em, 111-112, 121-123
  mensagens de Natal, 161-167, 196-7, 209, 211-4, 229-232, 247-8
  na Corte Real, 103, 104
  ouve a gagueira em Wembley, 84
  preparativos para a viagem aos Estados Unidos, 176-77
  primeiros encontros, 87-90, 91-2
  sucesso, 145-6, 156-9
 em tempos de guerra
  problemas financeiros, 217
  rejeitado pelo Exército, 47
  inspetor de ataques aéreos, 217
  trabalho beneficente, 48

Logue, Myrtle (esposa)
  abre academia de ginástica para mulheres e meninas, 44
  aparência, 18
  apresentação à Corte, 103-6
  arte dramática, 44
  ataque cardíaco e morte, 238
  casamento com Lionel, 36
  Dia da Coroação, 18-9, 24-5
  Dia da Vitória no Palácio de Buckingham, 235, 237
  doença e recuperação na Austrália, 167-70, 171
  indiscrições junto à imprensa, 170
  mudança para a Inglaterra, 51-4, 55
  mudança para Sydenham Hill, 116-8
  na Segunda Guerra Mundial, 187, 188, 189-90, 195, 205, 206-8, 218
  temperamento, 35
  viagem de volta ao mundo, 36-44
  relacionamentos
    com a Rainha Elizabeth,192-3, 209, 212-3, 229, 254, 257
    com as Princesas Elizabeth e Margaret, 177, 254-55
    com George VI, 21, 100-101, 113-4, 118-120, 138-9, 143, 152, 166-8, 202-3, 204, 208, 217, 231, 246-7, 252-3, 257-9
    com Myrtle, 169, 238, 243
  vida pessoal
    aparência, 18, 45, 122, 151
    casamento com Myrtle, 36
    educação e infância, 30-31
    funeral, 257
    interesse por espiritismo, 243
    morte, 255-7
    morte de Myrtle, 238, 243, 254
    mudança para o oeste da Austrália, 35
  mudança para a Inglaterra, 51-4, 55
  mudança para Sydenham Hill, 116
  nascimento e histórico familiar, 29-31
  nos Estados Unidos, 38-41
  obituários, 256-7
  perda de economias, 43
  planos de emigrar, 46, 54, 55
  primeiras visitas à Grã-Bretanha, 41-3
  recitais e arte dramática, 33, 34, 43-6, 48
  saúde, 216-8, 238, 239, 240, 246-7, 253, 255-56
  temperamento e atributos, 56-7, 259
  testamento, 257
  venda da casa da família, 242
  volta à Austrália, 43-44
  volta ao mundo, 36-44
Logue, Robert (neto), 256
Logue, Sarah (avó), 30
Logue, Valentine Darte (filho), 46, 51, 190, 195, 205, 243, 256
  carreira médica em tempos de guerra, 217
  estudos de medicina, 117
  na Índia, 239
  Prêmio Brackenbury de cirurgia, 138
Logue, Victoria (neta), 256
Lohr, Marie, 42
Londres
  Dia da Vitória, 233
  mísseis V-1 e V-2, 226-7
  primeira visita dos Logue, 41-43
  Segunda Guerra Mundial, 190, 207-8
Long, John St. John, 56
Lucas, major-brigadeiro John, 225
Luxemburgo, invasão alemã, 200

MacDonald, Ramsay, 54, 120
Mackenzie King, William Lyon, 20, 181, 243
Magdalen College, Oxford, 74
Malaya (navio de guerra), 77
Mallin, Tom, 219
Malta, 216
Mansion House, 100, 106
Margaret, Princesa
　boatos de defeito de fala, 160
　Dia da Coroação, 21
　Dia da Vitória, 234, 237
　e Peter Townsend, 237
　infância, 115-7, 143, 149, 167, 170, 174, 175-6, 177, 178, 229, 244
　nascimento, 116, 118
Margaret River, 36
Marie Dagmar, Imperatriz da Rússia (viúva), 115
Marinha Real, Segunda Guerra Mundial, 197
Marlborough House (Londres), 74
Mary, Princesa, 67
Mary de Teck, Rainha, 21, 22, 43, 69, 70, 80-1, 94, 99, 103-4, 105, 148, 162, 165, 167, 176, 224, 226-7, 252
　casamento com George V, 66
　filhos, 65-66
McCreadie, Anthony, 198
Melba, Dame Nellie, 97
Melbourne, como sede do governo, 94
Metcalf, Josephine ver Logue, Josephine
Mieville, Eric, 174, 191, 205, 209, 217, 235, 238
Miller, sr. (repórter), 151, 152
mísseis V1 e V2, 226-7
monarquia, declínio da influência da, 172
Montgomery, general Bernard, 211, 215, 221

Moses, Esther, 146
Mountbatten, Lorde, 244-45
movimento de elocução, 32-33, 58-9
Moyne, Lorde, 133
Mussolini, Benito, 173, 189, 215

Nacionalização, 239
Nagasaki, 239
Nahlin (iate a vapor), 135
Naseby House, 120
Nesbit, Paris, 36, 43
neurose de guerra, 48
Nettuno, 225
Nova York, 40
Nova Zelândia, viagem do Duque de York, 96
News Chronicle, 122
Niágara, Cataratas do, 39, 179
Normandia, batalha da, 224
North-Eastern Daily Gazette, 106
Northwestern University, 39
Noruega, Segunda Guerra Mundial, 199, 234

Oberon, Merle, 243
Observer, 238
O'Dwyer, Jack, 49
Ogilvie, Frederick, 192, 202, 204
Olav, Príncipe coroado da Noruega, 115-6
Olga, Princesa da Grécia e da Dinamarca, 140
On My Selection (programa de rádio), 238
Operação Barbarossa, 210
Operação Netuno, 222
Operação Overlord, 221-4
Ordem Real Vitoriana, 21, 218
Osborne House (Ilha de Wight), 69, 72
Oxford, 42

Países Baixos, invasão alemã, 200
Palácio de Buckingham, 173
  abrigo antiaéreo, 222
  bombardeado, 208
  festas no jardim, 104, 137
  tribunais reais, 103-6
  Dia da Vitória, 234-7
Palácio de Cristal, 116-7
Panamá, 95
Paris
  ocupação alemã, 207
  libertação, 224
Parlamento, abertura do, 157-9, 173, 195, 209, 211, 228, 239, 251
Parlamento da Commonwealth (Canberra), 94
Partido Conservador, 200
Partido Liberal, 54, 200
Partido Trabalhista, 54-55, 120, 200, 239-40, 250
Patton, general George, 215
Paul, Príncipe da Iugoslávia, 140
Pearl Harbor, 210
Perth, 35-7, 40
Perth, Escola Técnica de, 51
Pétain, marechal Philippe, 207
Philip, Príncipe, Duque de Edimburgo, 243-5, 253, 254
Pickford, Mary, 243
Pilgrims Society, 92
Pittsburgh Press, 108
Plutarco, 58
Polônia, invasão alemã da, 186-7
Portsmouth, 94, 99, 100, 142
Powers, Leland Todd, 40
prefeitura, 181-182
Price Thomas, Clement, 251, 253
Primeira Guerra Mundial, 46-8, 172
  deflagração da, 46, 76
  desembarques em Gallipoli, 47, 97
  e a nova capital da Austrália, 90
  efeito na Grã-Bretanha, 54

pronunciamentos de Natal, 157, 159-67, 196-7, 209-10, 211-4, 242, 247-8, 249-50, 252, 255
psicologia, surgimento da, 60

Quebec, 177, 178, 181
Quebec, conferência de, 221
Queen Elizabeth (navio), 172
Queen's Hospital for Children, 106

racionamento
  pós-guerra, 240
  tempos de guerra, 194
recitais, 31-2, 33
Reeves, Edward, 31-2, 33
Reith, Sir John, 25, 141, 149, 150, 192, 250
Real Serviço Aéreo Naval, 78
Renown (cruzador), 89, 97, 99
respiração, e gagueira, 60-1, 88-89, 253, 256
rio da Prata, batalha do, 196
Roma, entrada dos Aliados em, 224-5
romanos, 58
Rommel, marechal-de-campo Erwin, 210-11
Roosevelt, Eleanor, 180
Roosevelt, Franklin D., 155, 173, 179, 180, 182, 221
Rosaura (cruzador), 133
Rose, Kenneth, 68
Rothschild, Barão e Baronesa Eugen, 144
Rotorua, 96
Round the Empire (programa de rádio), 196
Royal England, 44
Royal Lodge (Windsor Great Park), 116, 141, 142
Royal Marriage Act, 79
Royal Naval College (Dartmouth), 74, 244

Royal Naval College (Osborne House), 72
Royal Oak (navio de guerra), 196
Rumsey, H. St John, 61, 156

Saar, região do, 171
Sandringham, 20, 65-66, 69, 72, 76, 128, 159, 161-2, 168, 174, 199, 248, 255
Sátiro, 58
Scapa Flow, 76, 77, 196
Scharnhorst (cruzador), 215
Segunda Guerra Mundial
  após ataque noturno, 208
  colapso da Alemanha nazista, 232, 233
  deflagração da, 115, 185-90
  desembarques no Dia D, 220-4
  Dia da Vitória, 233-7
  Dia da Vitória sobre o Japão, 239
  Dunquerque, 206
  Europa, movimento rumo à guerra, 171-4
  governo durante, 55
  "guerra de mentira", 196, 199
  Hiroshima e Nagasaki, 239
  Itália, invasão pelos Aliados, 215, 224-6
  ofensiva de Ardenas, 226, 232
  Pearl Harbor, 210
  preparação do front doméstico, 187
Selway, C. J., 162
Serviço Nacional de Saúde, 240
Simonds, Lorde, 251
Simpson, Ernest, 132, 136
Simpson, Wallis, 18, 132, 134-6, 137, 138-9, 161
Smith, Edwin, 30
Sociedade Britânica de Terapeutas da Fala, 125, 218
Somme, batalha de, 50

Southampton, 51
Spencer, C., 44
Spencer, Earl Winfield, 132
Spencer-Cooper, tenente Henry, 74
Spithead, 128
Stalin, Joseph, 210
Stalingrado, batalha de, 210
Standard, 106
Star, 107
Strathmore, Earl e Condessa de, 80
Submarinos, 196, 215
Sudetos, 171
Suez, canal de, 47
Sunday Express, 55, 84, 92, 109, 110, 121, 151, 158, 230
Sunday Times, 241
Sydenham Hill, 116, 146, 170, 218, 234, 242
Sydney, 37, 97, 99
  aspira a ser capital, 90
Sydney Morning Herald, 145

Tauber, Richard, 86
Tchecoslováquia, 171, 172
Temple, Shirley, 143
terapia vocal
  charlatães agindo como, 125-7
  como profissão respeitável, 124-5
  primeiros tempos, 57-9
  teorias de Logue, 123-4
  ver também gagueira
Thames Ditton, Island, 105
The Lancet, 61
The Times, 110, 129, 131, 137, 156, 256
Thornton, Michael, 85
Till, G. P., 50
Time, revista, 112, 116, 137, 143, 156, 180
Tirpitz (navio de guerra), 215
Titanic, 178
Tobruk, 210
Townsend, Peter, 237

trava-línguas, 101
Tree, Ronald, 120
tribunais reais, 103-6
Tribunal de Ipswich, 136
Trinity College (Cambridge), 78

União Soviética
  avanço para oeste, 232
  front russo, 215
  Operação Barbarossa, 210
  pacto de não-agressão com a Alemanha, 186

Vancouver, 38
Vanderbilt, Gloria, 132
Versalhes, tratado de, 54
Vichy, regime de, 207, 212
Victoria, Princesa, 128, 159
Victoria, Rainha, 65, 68, 72, 89-90, 244
  morte, 69, 175
Voices and Brick Walls (programa de rádio), 62
Vreeland, Diana, 132

Wall Street, quebra, 115
Warfield, Bessie Wallis ver Simpson, Wallis
Washington, 179-80

Waterhouse, Sir Ronald, 93
Watt (vice-capitão, Royal Naval College), 73, 74
Wellington, 96
Wembley, estádio de, 52-3, 54, 83, 84
West, Mae, 205, 243
Westminster, abadia de, 19, 24, 42, 80, 147, 245
Wheeler-Bennett, John, 68, 180, 181
White Lodge (Richmond Park), 82
White Star Line, 41, 43
William IV, Rei, 29
Wilmott, A. J., 156
Wilson, Woodrow, 40
Wimbusch, J. C., 257
Windsor, castelo de, 147, 210, 220, 229, 234
  Rei George VI, capela memorial, 198
Windsor, Duque de ver Edward VIII
Wingate, coronel Orde, 216
Wings, Ramon H., 125-7
Winnipeg, 175, 179
Wood, Robert, 25, 26-7, 150, 163-4, 165-66, 202, 213, 223, 235

Yearsley, James, 60
York Cottage (Sandringham), 65, 66
Yorkshire Evening News, 107

Este livro foi impresso nas oficinas da
Distribuidora Record de Serviços de Imprensa S.A.
Rua Argentina, 171 – Rio de Janeiro, RJ
para a Editora José Olympio Ltda.
em dezembro de 2011

*

80º aniversário desta Casa de livros, fundada em 29.11.1931